D0419538

HUIS VAN GLAS

Beate Rygiert

Huis van glas

VAN HOLKEMA & WARENDORF
Uitgeverij Unieboek | Het Spectrum bv. Houten/Antwerpen

Oorspronkelijke titel: *Das Liebesleben der Farne*
Vertaling: Anna Livestro
Omslagontwerp: Andrea Barth / Guter Punkt
Omslagfoto: Trevillion Images
Opmaak: ZetSpiegel, Best

www.unieboekspectrum.nl
www.beaterygiert.de

ISBN 978 90 475 1228 8 / NUR 302

Oorspronkelijke uitgave: Droemer Verlag, München

Voor Brünhilde en Christina

DEEL I

Het overwinnen van de zwaartekracht

Hoofdstuk 1

Waarin Caroline een ansichtkaart ontvangt en drie keer rood aanloopt

Mijn moeder was al zesentwintig jaar dood. Toen stuurde ze ineens een ansichtkaart. *Hoe gaat het met je? En met de kleine? Met Pinksteren ben ik in Duitsland. Misschien dat ik dan even langskom. A.*

Op de voorkant staat een ruw kustlandschap met daarboven een flink stuk stormachtige hemel. Een Franse postzegel.

Ik sta midden in mijn kas, de etiketten van de leverancier kleven nog aan de glazen wanden. Het is een stralende ochtend in maart en de zon dringt zich hardnekkig door de takken van de *Dicksonia brasiliensis*, waarvan ik de spiraalvormige loten zojuist met water en plantenvoeding heb besproeid. Overal om mij heen is de felgroene weerkaatsing van mijn plantenwereld, waarin ik het al die moederloze jaren prima voor elkaar had. Al die jaren waarin mijn vader mij heeft voorgehouden dat ze overleden was, direct na mijn geboorte, en dat met zoveel smart in zijn stem en pijn in zijn ogen dat ik maar heel zelden naar deze moeder durfde te vragen – ze is dood, en meer valt er niet over te vertellen, zei mijn vader. Nu staat hij daar met hangende schouders en gebogen hoofd tussen mijn varens, te laf om me in de ogen te kijken. Een leugenaar, anders niet.

En ik bewonderde hem altijd zo.

Nee, dit kan niet waar zijn. Dit is een grap, al is het dan niet echt een leuke grap. Het is onmogelijk, zo plots kan een dode moeder toch niet uit haar graf herrijzen? Nu ik toch aan graven denk: het graf waar hij me mee naartoe nam, toen ik toch nog een keer naar haar vroeg, met de versleten naam op de grijze steen en met daarboven een engel met een palmtak. AN-GE-LA ontcijferde ik destijds. Ik was zes jaar oud en ik was net begonnen om me de wereld van de letters eigen te maken. 'Angela,' zei mijn vader, van wie ik op dat moment nog niet wist dat hij zo'n leugenaar was, 'betekent engel.' Ik nam de figuur op de steen heel goed in me op, en vanaf dat moment had mijn moeder een gezicht.

Maar het is geen grap. Mijn vader, de leugenaar, heeft eindelijk zijn stem weer terug en hij praat en beweegt druk met zijn handen. Het zweet druipt van zijn voorhoofd en dat ligt niet alleen aan het tropische klimaat dat mijn varens nodig hebben om te bloeien en te groeien. Hij blijft doorpraten, maar geen van zijn woorden dringt door tot mijn bewustzijn. Ik zie zijn angstvallig heen en weer schietende ogen, zijn nerveuze bewegingen. Ik kijk naar hem als naar een vreemde en ik stel vast: hij is oud geworden, zijn haar is kleurloos en dun, zijn gelaatstrekken zijn verslapt. Sebastian Nadler, denk ik, hoogleraar in de antropologie, specialist in de dodencultus, op wie alle studentes altijd verliefd werden, ster op elk symposium, internationale coryfee op het gebied van begrafenissen, stralende held van Kyros en Nephtalos – in de grond ben jij een mislukkeling. En terwijl hij maar doorpraat, van de hak op de tak springend en met veel omhaal van woorden probeert te verklaren wat in nog geen honderd jaar te verklaren valt, denk ik: ook jij zult op een dag sterven en dan zullen wij voor jou een graf delven. Maar je hoeft echt niet te denken dat ik bij je langskom, zoals ik stiekem langsging bij het graf met de engel, eerst met een versgeplukte bloem in de hand, later met kleine plantjes, die ik ingroef, om dan snel weer weg te gaan, alsof ik het recht niet had om zoiets te doen. Dat ik daar ook daadwerkelijk geen recht toe had, dat zie ik nu glashelder.

'Wie was dan verdomme die Angela in dat graf?' onderbreek ik zijn eindeloze woordenvloed.

'Welk graf?' vraagt mijn vader, de leugenaar. Ja. Hij vraagt het echt: welk graf. Hij kan het zich dus niet eens meer herinneren.

'Ga naar huis,' zeg ik. 'Ga iemand anders lastigvallen met je leugens. Misschien vinden die studentes van je het wel charmant.'

Later zit ik in mijn groene bestelwagen en vecht ik mij door het verkeer richting de binnenstad. Ik vloek en scheld en ram met mijn vuist op de claxon, omdat zich voor mij weer eens een verkeersopstopping vormt en geen van die ellendige blikbestuurders bereid is om ook maar een millimeter toe te geven en iedereen stug voet bij stuk houdt. Tot ze uiteindelijk uit de auto stappen, die fijne meneren, hun jasjes uittrekken om die keurig op de passagiersstoel te leggen en doodgemoedereerd hun smetteloos witte hemdsmouwen oprollen om zich een minuut later een bloedneus te laten slaan. Alle anderen kijken nieuwsgierig toe over hun stuur, en dan ik voel hoe er in mij iets ontploft, heel stilletjes en heel langzaam, iets dat daar al jaren groeide. Ik stap ook uit, grijp een van de kemphanen bij de arm en draai hem rond. Ik meng me in het gevecht, iets wat ik mijn hele leven nog nooit heb gedaan. Ik heb ook nog nooit zo handig een hoekstoot ontweken en heb nog nooit, dat zweer ik, zelf mijn vuist gebruikt, en in de milliseconde voor ik mijn rechterhand midden in dit vreemde, verbaasde gezicht plant, verandert het in het gezicht van mijn vader. Maar nu moet ik zelf een stoot incasseren die me weer terugbrengt in de realiteit. Mijn hemel, wat doet dat pijn. Caroline, houd ik mezelf voor, je staat hier met wildvreemde mensen op straat te vechten, maar er is geen weg meer terug en kort daarop zit ik op het politiebureau, samen met de twee heren en een bloedende neus.

'Probeert u zich dat nu eens in te denken,' zeg ik tegen de brigadier. 'Zesentwintig jaar lang is uw moeder dood. En dan stuurt ze u ineens een kaartje.'

Ik lees zijn gezicht als een boek: *óf ik stuur haar door naar een psychiatrische hulpdienst, wat me weer een heleboel rompslomp oplevert, óf ik laat haar lopen.* Uit de kamer naast ons klinkt het radioverslag van een voetbalwedstrijd. Hij zucht en stuurt me naar huis.

Maar ik ga niet naar huis. Ik was mijn gezicht op het toilet van het politiebureau. 'Doe eens rustig,' zeg ik tegen mijn spiegelbeeld. 'Doe eens rustig. Je hebt dus een moeder, wat is daar nou zo erg aan? Je gaat nu naar je auto en dan rijd je naar dat reclamebureau. Je hebt per slot van rekening een bedrijf te runnen.'

Het is mijn eerste grote opdracht. Drie ladingen varens voor een presentatie. Geen verkoop, maar verhuur. Twee weken geleden kwam er een man naar mijn kas die alles heeft bekeken en toen met dit voorstel kwam.

'Stuurt u ons maar een offerte,' zei hij. 'Wat het kost om uw planten voor drie dagen te huren. U komt ze brengen, zet ze neer, en u komt ze weer ophalen.'

'Hoeveel planten moet ik dan komen brengen?' vraag ik.

Hij maakt een vage armbeweging.

'Allemaal. En misschien nog een paar meer. Kunt u er nog wat meer regelen?'

Ja, natuurlijk kan ik dat. Wat ik veel lastiger vond was het opstellen van de offerte. Daar heb ik twee hele avonden op zitten zweten. Ik heb hem drie keer opnieuw gemaakt, en toen ik hem eindelijk had opgestuurd, had ik het gevoel dat ik te duur was en dat ik de opdracht zou verliezen. Maar toen mijn offerte de volgende ochtend al ondertekend en bevestigd uit mijn fax rolde, wist ik zeker dat ik toch te weinig had gerekend.

Daar raakte ik al helemaal van overtuigd toen ik de eerste lading varens ging brengen. *De Basiliek*, stond er op het rookkleurige visitekaartje dat ik in de hand gedrukt had gekregen van Arndt Godenflo, artdirector. En daar was niets aan gelogen, want toen ik de varens kwam afleveren, stond ik voor een heuse kerk. Binnen bleek alles heel anders: daar waar ooit de gelovigen stil en aandachtig de hand in het wijwaterbekken staken en op zoek gingen naar een gezangenbundel, bevindt zich tegenwoordig een receptie van staal en marmer. Twee meisjes, die ook op een catwalk een goed figuur zouden slaan, glimlachen vanachter die receptie naar het bezoek. Daarachter strekt zich een kolossaal kerkschip uit. Hoge purperrode en ultramarijnblauwe ramen bundelen het licht en leiden het naar een vloer van crèmekleurig travertijn. In de zijbeuken zweven glazen kasten als aquariums, en daarin dartelt een bonte verscheidenheid aan mensen. Daar waar ooit een altaar heeft gestaan, bevindt zich nu de allergrootste flatscreentelevisie die ik ooit in mijn leven heb gezien, met daarachter, in het koor, een wand vol monitoren waarop beelden elkaar ritmisch afwisselen, spiegelbeelden vormen, zich samenvoegen tot een reusachtig beeld, om vervolgens weer uiteen te vallen in golfbewegingen. 'Welkom in de basiliek van Schmidt-Hoss & Beer,' zei Arndt Godenflo bij wijze van begroeting. 'Hebt u de varens bij zich?'

En dus toverde ik dit kerkschip in drie dagen om tot een groene oase. Een hele schare behulpzame lieden richtte onder mijn leiding kleine podia op, die ik zo schikte en beplantte dat je het onderstel niet meer kon zien. Aan stalen draden bevestigde ik grote arrangementen die vanaf het plafond naar beneden werden gelaten, zodat het uiteindelijk net leek alsof er 's nachts een oerwoud was gaan woekeren dat zich van de enorme ruimte meester had gemaakt.

'U moet goed op de luchtvochtigheid letten,' vertelde ik Arndt Godenflo en ik legde hem uit hoe hij met de vier luchtbevochtigers moest omgaan. En wat de juiste temperatuur was. 'Want anders laten de planten morgen hun blad al hangen.'

Wat de planten precies te maken hebben met de presentatie, wist ik nog steeds niet. Ik heb een poosje toegekeken hoe er een lichtinstallatie werd neergezet die in een theater niet zou misstaan en toen kreeg ik een idee. En dat is ook de reden waarom ik nu al naar de basiliek rijd en niet pas vanavond, zoals was afgesproken. Ik wil stiekem en stilletjes vanaf de galerij een paar foto's nemen en om te voorkomen dat ik een negatief antwoord krijg, vraag ik liever helemaal niet om toestemming. Niemand hoeft me te zien, want achter de sacristie heb ik een trappetje ontdekt dat langs de zijkant naar de galerij voert.

Je moet er maar opkomen: een reclamebureau beginnen in een kerk, bedenk ik als de façade voor me opdoemt. De parkeerplaats staat vandaag vol met blinkende pronkwagens. Geen schijn van kans voor mijn bestelwagentje. Ik rijd om de kerk heen, en vind uiteindelijk een geschikte parkeerplek. Dan stel ik de achteruitkijkspiegel bij en staar ik in mijn gezicht. Onder mijn neus komt een kleine zwelling op.

Je hebt een moeder, zeg ik zonder geluid tegen mijn spiegelbeeld. *Al die jaren heb je al een moeder, zonder het te weten.* Er wakkert een wild soort blijdschap in me aan, die aan mijn ingewanden trekt en die vlak onder mijn keel blijft steken en omslaat in een stekende pijn. Ik knijp mijn ogen dicht, zie de branding bij een steile rotskust, met daaronder in grote letters: *Hoe gaat het met je? En met de kleine...*

Angela. Al die jaren was ze niet in mij geïnteresseerd. Wat kun je verwachten van zo'n moeder?

Met mijn digitale camera in mijn broekzak sluip ik door de leveranciersingang van de sacristie het heiligdom van de reclamewereld binnen en ik hoor dreunende discomuziek, lachende mensen en het geschal van stemmen. Daar moeten organisten uit vorige generaties van hebben gedroomd, toen ze de wenteltrap op liepen naar hun orgel. Boven duik ik snel weg achter een zuil, want daar, precies tegenover het altaar, staat een man, stoer en vastberaden, die de scène onder hem in het kerkschip bekijkt met de houding van een kapitein die vanaf de brug zijn manschappen inspecteert. Hij staat er roerloos, dan draait hij zich ineens om en verdwijnt hij.

Ik spied naar beneden en sluip tussen de zuilen door op zoek naar de beste hoek. Ik lijk James Bond wel, die het domein van de slechterik binnendringt. Maar dan dringt het tot me door dat mijn camera bij deze spaarzame verlichting niet is opgewassen tegen de breedte en de diepte van het kerkschip. Op het schermpje zie ik in elk geval niets anders dan een groengevlekt zwart vlak.

Balend stop ik hem terug in de zak van mijn spijkerbroek en ik leun tegen een vierkante kast, waarvan er hier vier staan. Er valt in elk geval niet veel te zien. Rookpluimen stijgen op vanuit het groene eiland; meisjes, gehuld in iets dat voor een jurkje moet doorgaan en dat gemaakt lijkt te zijn van varenbladeren, lopen rond met bladen vol neongroene drankjes en de flatscreen toont beelden van een drankblikje en punkachtig geklede kinderen die in verdraaide poses uit het blikje proberen te drinken. Er bekruipt me een ongemakkelijk gevoel. Ik laat de lucht op me inwerken en inderdaad, er is iets mis. De lucht is hierboven droog, veel te droog, dus hoe moet het daar beneden dan voor mijn varens zijn? Om beter te kunnen kijken, leun ik naar voren, en ik herken de gestalte van Arndt Godenflo, die aan de zijkant van de zaal staat te praten met de man die net nog precies op deze plek stond. Hij knikt, snelt verder en geeft een paar tekens. En dan breekt de hel los, de discoritmes zwellen aan tot een lied, er wervelt een man tussen de planten door die boven op een bijzondere *Dicksonia* springt en dan begint te zingen. Het is een nogal dom lied: *Geef me je jungle, junga, junga,* of zoiets, maar ik luister al niet eens meer. Ik wil de trap af rennen en stoot mijn scheenbeen keihard tegen iets hards. Dan zie ik waaraan ik me bezeerd heb; doelloos hier boven op de galerij staan mijn luchtbevochtigers, die ik met veel moeite en voor veel geld heb uitgeleend, die ik eigenhandig heb ingesteld en waarover ik uitleg heb gegeven aan die idioot van een artdirector. En daar beneden staan mijn varens god weet hoe lang in een absoluut schadelijke omgeving waar ze doorrookt raken en mishandeld worden.

Voor de tweede keer vandaag loop ik rood aan. Ik storm de trap af, begeef me midden in het gewoel en heb slechts één doel voor ogen: mijn planten redden. Want als ik in dit leven ergens op kan vertrouwen – en dat maakt deze dag me wel heel duidelijk – dan zijn het mijn varens, mijn maanvarens, mijn adelaarsvarens, mijn eikvarens en mijn hanenkammen. En ik kan niet toestaan dat deze idioten mijn planten omleggen, eroverheen klauteren, hun peuken erin uitdrukken en erop gaan zitten. Wat kan ik eraan doen dat deze zaak niet aan stoelen doet? Maar ik ben al te laat. De schade is niet te overzien. Opgerolde en verdroogde bladpunten, geknakte, ja, zelfs afgeriste takken, glasscherven en neongroene limonade tussen de wortels, en die gek die in de *Dicksonia* staat te dansen alsof het onkruid is. Ze proberen me van hem los te trekken, maar ik verweer me. Mijn varens mogen dan weerloos zijn, ik ben dat niet en dat zal hij weten ook, die rotzak. Artdirector? Mijn rug op! Maar het worden er steeds meer, en dan gaat er een deur achter me dicht en zit ik in de sacristie.

Alsof hij uit de grond is opgestegen, staat hij daar, de man van de galerij.

'En wie mag dat dan wel zijn?'

De aanval is de beste verdediging. Zegt men.

'Arndt,' zegt de kerel met een stem die zo doodkalm en zo onverschillig klinkt alsof ik er helemaal niet bij ben. 'Wees eens aardig en breng deze dame naar mijn kantoor.'

En weg is hij weer.

'Wie dat mag zijn?' zegt Arndt Godenflo vol eerbied, alsof het de paus zelf was die hier net even op bezoek kwam. Hij reikt me een zakdoekje aan. Dan pas merk ik dat mijn neus weer bloedt. 'Dat is Gregor Beer.'

Alsof daarmee alles is gezegd.

Dit soort gewichtigdoenerij – ik trek dat niet. Paus Gregor heeft inderdaad een kantoor hoog in de klokkentoren. Het is een vierkante ruimte met een panoramisch uitzicht in alle vier de windrichtingen. De balken zijn duidelijk zichtbaar en dat geldt ook voor een gigantische klok. Het is een ruimte die wil imponeren, intimideren zelfs. Ik zou er ook van onder de indruk zijn geweest, als ik niet zo woedend was. Maar terwijl die koele ogen me nieuwsgierig taxeren, slaat de blinde haat toe. Hij zegt iets en wappert met een cheque, alsof hij deze zaak werkelijk met geld ongedaan kan maken. Precies zoals mijn vader, die al die jaren met kerst, met Pasen en natuurlijk op mijn verjaardag, naar Klein-Azië of naar Noord-Afrika vertrok of druk was met het opgraven van een of andere grafheuvel samen met alweer een of andere aantrekkelijke promovenda. Het enige wat hij ooit kon verzinnen om me te troosten waren cheques met astronomische bedragen. Net als deze meneer, deze Gregor Beer.

'U verdient het eigenlijk niet,' waagt hij het ook nog te zeggen, 'aangezien u onze presentatie bijna hebt verpest.' En dat met zo'n ijzig kalme stem. 'Hier, neemt u deze cheque. Koop er maar wat moois voor!'

Zei hij dat nou echt, of heb ik het gedroomd? En misschien is het precies dat zinnetje dat bij mij de stoppen door doet slaan: *koop er maar wat moois voor, kleintje.* Alsof dat de schade ongedaan kan maken, de pijn kan verzachten. En dan doe ik iets dat ik hiervoor nog nooit, maar vandaag al een keer eerder heb gedaan: ik bal mijn vuisten en ik haal uit, maar zelfs tijdens de beweging weet ik al dat ik een fout bega. Ik weet dat het gezicht dat ik voor me heb niet het gezicht van mijn vader is en ik weet ook heel goed dat ik mijn vader nooit op zijn gezicht zou kunnen timmeren, of hij nu een leugenaar is of niet. Maar mijn vuist mag zich gerust te goed doen aan dit smalle, arrogante en toch verdomd aantrekkelijke hoofd, en dat doet hij dan ook. Ik stomp hem midden op zijn neus en hoor een droog knappend geluid. Dan is het ook met zijn hoogmoed gedaan: paus Gregor klapt dubbel en valt op de grond.

'Heb je dan geen honger?' vraagt mijn vader, de leugenaar, de volgende dag.

Ik prik wat in mijn tonijncarpaccio. Dit soort restaurants, waar Sebastian me zo graag mee naartoe neemt – ik vind ze eigenlijk verschrikkelijk. Ik heb het hem nog nooit gezegd, omdat ik best weet dat hij me hier een plezier mee wil doen. Want ik, als plantenvrouwtje, heb maar een klein inkomentje, en ik kan mij dit soort uitspattingen niet veroorloven. Nee, professor Sebastian Nadler zou nooit op de gedachte komen dat ik het Orfani liever zou inruilen voor een doodgewoon eetcafé, een pizzeria of een leuke bistro, of zo, waar ik gewoon in mijn werkkleren naar binnen mag, zodat ik me dus niet eerst om hoef te kleden, en schoenen aan moet trekken waar ik me helemaal niet lekker op voel en kleding die helemaal niet bij me past, om vervolgens aan te schuiven achter een bord met modieus voer. Om mijn vader een plezier te doen heb ik het spelletje al die jaren meegespeeld, want ik weet dat hij zich graag met mij laat zien, want hij is zo trots op me. En hij schept er veel genoegen in de weldoener uit te kunnen hangen. Maar dat is nu allemaal voorgoed voorbij. Nee, ik ben niet langer bereid om hem op wat voor manier dan ook tegemoet te komen. Ja, ik draag mijn oudste spijkerbroek en een T-shirt waar nog potaarde op zit, met opzet. Mijn vader, de leugenaar, mag blij zijn dat ik überhaupt ben gekomen!

'Hoe gaan de zaken?' vraagt hij.

'Prima,' antwoord ik, en mijn gezicht vertrekt.

Mijn kas lijkt wel een ziekenhuis. De helft van de varens kon ik zo wegkieperen, acht zeldzame exemplaren zijn verloren gegaan, maar de zaken gaan prima, hoor! Ik mag niet klagen.

En mijn eerste grote klant heb ik een poeier op zijn neus verkocht.

Als ik terugdenk aan gisteren – en ik doe niet anders – dan lopen de rillingen me over de rug. Nog nooit in mijn hele leven heb ik van me af geslagen. En gisteren maar liefst twee keer. Pas toen het donker werd, durfde ik me weer in de buurt van de basiliek te vertonen, waar ze de planten gewoon op de parkeerplaats hadden gesmeten! Het was al nacht voor ik alles had geborgen. Het was een absolute nachtmerrie. Toen ik ver na middernacht in mijn kas de schade opnam, heb ik gehuild zoals ik sinds oma's begrafenis niet meer heb gehuild.

Fred had me er vooraf nog zo voor gewaarschuwd. 'Met varens kun je geen geld verdienen', dat waren zijn woorden, toen ik niet alleen onze relatie beëindigde maar ook mijn ontslagbrief overhandigde. Zeven jaar bij het botanisch instituut. Van hem heb ik alles geleerd wat er over varens te leren valt. Vijf jaar waren we samen, ik, de kleine hovenierster, en hij, leider van de varenafdeling, twintig jaar ouder dan ik en diep gekwetst toen ik hem de wacht aanzegde. 'Dat had ik nooit van jou gedacht,' zei hij toen, 'dat uitgerekend jij zo'n misbruik zou maken van mijn kennis. Nou, je zult zien waar dit toe gaat leiden. Varens zijn veel te gevoelig voor kantoren en woonkamers, dat weet jij beter dan wie ook. Je zult ze kapotmaken, dat staat als een paal boven water, maar ja, de hoofdzaak is natuurlijk dat de kassa rinkelt, hè? Ik had jou echt anders ingeschat. Zo zie je maar weer eens hoe een mens zich kan vergissen.'

Misschien, denk ik tandenknarsend, terwijl mijn vader de wijn terugstuurt omdat er zogenaamd kurk in zit – godallemachtig, wat werkt dit gedoe me toch op de zenuwen. Misschien had Fred toch gelijk? Misschien zit ik nu inderdaad met een hele berg aan schulden, want de kas is immers nog van de bank en misschien zijn de varens inderdaad wel een flop?

Nee, zo snel gooi ik de handdoek niet in de ring. Ik ben net als deze varens, die dan wel kwetsbaar lijken, maar die toch echt de taaiste planten ter wereld zijn. Ze zijn er al miljoenen jaren, hebben tijdperken zien komen en gaan, en ze hebben de dinosauriërs overleefd. Varens zullen de aarde bevolken en afschermen met hun bladeren zelfs als de mensheid op een dag zelf wordt uitgeroeid. Varens zijn er altijd al geweest en ze zullen er ook altijd zijn, zolang er nog een druppel water is om de sporen tot ontkiemen te brengen en de vermeerdering te volbrengen. Een varen heeft niets of niemand nodig. Hij heeft genoeg aan zichzelf. En ik trek een les uit het voorval van gisteren: zoiets zal me nooit meer gebeuren, dus in de toekomst moet ik zelf eerst de boel goed verkennen.

Of de tonijn niet lekker is?

Ik schuif het bord vastberaden van me af en kijk mijn vader, de leugenaar, recht in de ogen. Ik zie hoe hij schrikt. En zonder dat ik het wil zie ik die vent weer voor me en hoe hij de cheque voor me ophoudt. De woede vlamt alweer in me op. Precies mijn vader. Die cheques van hem heb ik nooit ingewisseld en dat is hem nog nooit opgevallen. En hoewel ik hem dat vroeger allemaal heb vergeven omdat ik van niemand zoveel hield als van hem: vanaf gisteren vergeef ik hem niets meer; hij heeft al zijn krediet verspeeld, want wie zijn dochter haar hele leven voorliegt is het niet waard dat men ook nog maar een seconde geduld met hem heeft.

'Hoe zit het nu precies met mijn moeder?' vraag ik. 'Vertel me de waarheid. Als je tenminste nog weet wat dat is.'

Ik had nooit kunnen denken dat het zoveel pijn zou doen, die waarheid. Als kind had ik me altijd een grote liefde voorgesteld. Een ongelukkige, want te vroeg uit elkaar gescheurde liefde, maar toch: een grote liefde. Sebastian was tenslotte nooit meer hertrouwd. Dat hij überhaupt nog nooit getrouwd is geweest wist ik niet, zoals ik zoveel niet wist.

'Ze was de vriendin van mijn beste vriend,' zegt Sebastian, alsof dat iets verklaart. 'Ik was vierentwintig. Zat midden in mijn studie.'

'En toen had je een affaire met de vriendin van je beste vriend?'

'Geen affaire. Mijn god, Caroline, we waren nog jong. En bovendien, zij en die Tim... Ze had het anders sowieso snel met hem uitgemaakt, je weet toch hoe dat gaat op die leeftijd? Het gebeurde na een feestje.'

Nee, denk ik bitter, ik heb geen idee hoe dat gaat. Voor Fred had ik twee korte relaties, maar die zijn het vermelden niet waard.

'We hadden te veel gedronken. Misschien ook te veel geblowd, dat weet ik niet meer. Angela had me de hele avond lopen jennen. Dat vond ze leuk. Ze had een scherp tongetje. Eigenlijk vond ik haar verschrikkelijk. Maar ze was een erg aantrekkelijke vrouw. Dus die avond... Ik weet ook niet hoe het precies kwam... Feit is dat het nu eenmaal is gebeurd.'

Sebastian inspecteert zijn handen. Zijn vingers verkruimelen een stukje versgebakken baguette.

'Dat was het. Eén keer maar. En het krankzinnigste is nog wel dat ik me die ene keer niet eens meer kan herinneren.'

'En zij?' vraag ik.

'Hoe bedoel je, en zij?'

'Nou? Angela, hoe... hoe heeft zij toen gereageerd... Ik bedoel, daarna.'

Mijn vader, de leugenaar, mijdt mijn blik, en zoekt naar woorden.

'Geen idee,' zegt hij uiteindelijk. 'Ik ben haar uit de weg gegaan. Ze heeft me nog een paar keer gebeld, geloof ik. Ze heeft een paar keer een berichtje voor me achtergelaten in mijn studentenhuis. Dat ik contact met haar moest opnemen. Maar dat heb ik nooit gedaan. Ja, ik was laf, dat geef ik toe. Tot zij op een dag bij me op de stoep stond. Ze zei dat ze zwanger was. En wel van mij. Ze zei dat ze geen kind wilde, maar dat het al te laat was voor abortus. Ze had er gewoon niks van gemerkt.'

Hoe kun je dat nu niet merken, denk ik, hoe kun je nou niet merken dat je zwanger bent, dat is toch helemaal niet mogelijk?

'We hebben toen heel lang gepraat,' zegt Sebastian. 'Ik heb gezegd dat ik voor de gevolgen zou instaan, uiteraard. Ik heb gevraagd of ze wilde trouwen, maar toen lachte ze me alleen maar uit. Het was vreselijk, Caroline, ik kan je niet zeggen hoe verschrikkelijk het was. Op al mijn voorstellen reageerde zij door me uit te lachen. Ze heeft alles geprobeerd om het kind te verliezen, ze vierde hele nachten feest, experimenteerde met drugs, verdween wekenlang van de aardbodem en ik dacht bij alles wat ik deed aan het kind, aan jou, Caroline. Het was per slot van rekening ook mijn kind. En toen wist ik dat ik het wilde hebben, dat ik jou wilde opvoeden, in mijn eentje, want die vrouw was helemaal van god los. En zoals ik al zei: ik wilde haar niet en zij wilde mij niet. Uiteindelijk hebben we een regeling getroffen.'

Mijn vader valt stil. Wat eerst nog een stukje brood was, ligt nu in cementachtige korreltjes van verschillende groottes op het tafelkleed.

'Wat voor regeling?' hoor ik mezelf vragen.

'Een overeenkomst. Zij zou stoppen met domme dingen doen, het kind ter wereld brengen, en het dan aan mij geven. En daarna verdwijnen. Voorgoed, begrijp je. En ze mocht nooit meer terugkomen. Dus zo hebben we dat toen gedaan. Zij was dood, dat spraken we zo af. Ja, kijk me maar niet zo aan, dat was haar eigen voorstel. Ik heb voor jou gezorgd, zoals ik ook had beloofd. En van haar heb ik nooit meer iets vernomen. In al die jaren niet. En dan stuurt ze nu ineens dat kaartje.'

Ik probeer mijn gedachten op een rijtje te krijgen. Ergens klopt het allemaal niet, vind ik.

'En vanwege dat kaartje heb je besloten om mij nu eindelijk eens de waarheid te vertellen? Geloof jij dan dat ze echt komt?'

Mijn vader ziet er volkomen uitgeput uit. Ook hij heeft overduidelijk geen eetlust meer. Hij blijft een hele poos zo zitten en kijkt peinzend voor zich uit.

'Ik heb geen idee,' zegt hij uiteindelijk. 'Ik weet maar één ding: van deze vrouw kun je alles verwachten.'

'Wat was dat voor graf, waar je me mee naartoe heb gesleept?'

Sebastian slikt. Maar hij snapt wel dat de tijd voor leugens en uitvluchten voorgoed voorbij is.

'Gewoon, zomaar een graf,' bekent hij. 'Ik had het bij toeval ontdekt. Jij hield er maar niet over op. Dus toen heb ik je maar mee naar dat graf genomen.'

Eigenlijk wist ik dat al. En toch voel ik deze tomeloze woede in mij groeien. Een paar dagen geleden heb ik nog *Selaginella*, ofwel Engels mos, op het graf geplant en nu, na zesentwintig jaar, moet ik vernemen dat het in werkelijkheid het graf van een wildvreemd iemand is?

En ik zie mezelf daar weer staan, zonder mijn vader. Hoe oud zal ik toen zijn geweest: elf, twaalf? Er was een oudere dame, die driekleurige viooltjes op het graf zette. Wat moet die vrouw bij het graf van mijn moeder? dacht ik. Maar ik was ook geroerd dat deze vreemde vrouw bloemen kwam brengen voor mijn moeder. Ik raapte al mijn moed bijeen en sprak haar aan.

'Kende u haar?'

De vrouw keek me aan en glimlachte. Ze streek met haar modderige handen over de viooltjes.

'Ja natuurlijk,' zei ze langzaam, 'natuurlijk kende ik haar. En jij?'

Ik schudde mijn hoofd. 'Nee, ik heb mijn moeder nooit gekend.' Toen voelde ik opeens een brok in mijn keel, ben omgedraaid en weggelopen en ben ik heel lang niet meer naar het kerkhof gegaan, naar dat graf met de engel en de vervaagde naam.

Als ik naar huis ga, neem ik onwillekeurig een omweg naar het kerkhof. Ik zet de motor uit en loop het vertrouwde pad af dat ik zo vaak heb afgelopen, de eerste keer aan de hand van mijn vader, daarna in mijn eentje.

'Ga je nog een keertje met me mee?' heb ik hem gevraagd. 'Gaan we naar Angela's graf?'

Hij kwam met lange verklaringen die ik als kind maar half begreep. Dat het geen zin had om graven te bezoeken en dat hij, als expert in de dodencultus van allerlei culturen, de dingen anders zag dan de meeste mensen. Want voor hem had de plek waar men de doden ter ruste legde geen enkele werkelijke betekenis, want daar kon je tenslotte je geliefde niet meer terugvinden. En ik geloofde toch niet werkelijk dat mijn moeder daar nog lag, in dat stukje grond, waar alles wat er nog van haar over was, vergaan was en vervallen? Wat voor zin had het om telkens weer een hoopje vermolmde knekels te bezoeken? Nee, hij vond het maar niks, en ik zou er goed aan doen om het er ook bij te laten.

Ik heb dat ook een hele poos geprobeerd. Maar toen ben ik er toch weer naartoe gegaan, en ook al had mijn vader misschien gelijk, ik vond er troost, bij dat graf. Misschien kwam dat vooral door die engel, want ik dacht immers altijd dat die naar de beeltenis van mijn moeder was gemaakt.

Daar is hij weer, die verweerde grafsteen, de engel, de naamplaat. En daar is ook de vreemde vrouw. Ze heeft een schoffel in haar hand. Verwonderd staart ze naar de *Selaginella.*

'Mag ik u iets vragen?' zeg ik tegen haar.

De vrouw draait zich verschrikt om, want ze had me niet horen komen.

'Ja natuurlijk,' zegt ze. 'Komt u hier ook nog altijd?'

'Ik ben hier vandaag voor de laatste keer,' zeg ik.

'Ach, wat jammer. Gaat u verhuizen?'

Ik schud mijn hoofd. 'Wie is zij... ik bedoel, wie was zij eigenlijk?' vraag ik.

'Angela?'

De vrouw leunt op haar schoffel en richt haar hoofd op om me in het gezicht te kunnen kijken. Ze doet me aan mijn oma denken en ook dat doet onverwacht pijn. Dan richt de vrouw haar blik weer op het graf en bekijkt ze de *Selaginella.*

'Zij was mijn enig kind. Ja. Dat was ze.'

Ik zou haar zo graag zeggen dat de *Selaginella* snel zou groeien en dat het dan een schitterend kleed van mos zou vormen, zacht en felgroen, waar de driekleurige viooltjes echt mooi bij af zouden steken, maar ik zwijg.

'En... hoe is zij gestorven?' vraag ik dan.

'Een ongeluk. Met de auto. Ja. Zo is het gegaan.'

We blijven een poosje zo staan. Dan wijst de vrouw naar het Engels mos.

'Weet u misschien wat dat is? Zulk onkruid heb ik nog nooit gezien.'

'Het is geen onkruid,' zeg ik. 'Het heet *Selaginella* en het is een soort varen. Engels mos, noemen ze het ook wel.'

De ogen van de vrouw worden rond.

'Dus u hebt ze geplant?'

Ik knik.

'Hoe verzorg je het, dat Engels mos?'

'Regelmatig water geven. Verder niets.'

'Aha... water geven. Zo is dat...'

Ze is even helemaal stil.

'Ik heb u vaak gezien,' zegt ze dan, 'hier op het kerkhof. En ik vroeg me altijd af wat u hier deed. Misschien vindt het kind de engel wel mooi, dacht ik dan, wie zal het zeggen.'

Ik knik. Ja, de engel. Ik heb me ook altijd afgevraagd wie die vrouw was, en ik heb mijn vader een keer over haar verteld. 'Er komt een vrouw bij het graf, wie zou dat nou kunnen zijn?' vroeg ik hem. 'Dat zal de hovenierster wel zijn,' zei hij toen, en dat had me overtuigd, hoewel de vrouw er niet als een hovenierster uitzag. Maar ja, zij plantte die viooltjes, dus dat pleitte er wel weer voor. 'Kunnen we niet tegen haar zeggen dat ze varens moet planten, varens en rozen? Dat vind ik veel mooier.' Maar toen zei hij onverwacht streng: 'Laat haar toch haar gang gaan en laat haar doen wat haar goeddunkt, viooltjes of rozen, wat maakt het uit?'

'U hebt mijn Angela voor iemand anders gehouden.'

Ik knik. De ogen van de vrouw blijven vol verwachting op mij gericht.

Het liefst zou ik nu weglopen. Zoals toen. Ik kijk naar de grafsteen, zie de engel, de uitgesleten letters onder de palmtak.

'Mijn moeder,' zeg ik dan. 'Mijn moeder heette ook Angela.'

'Is ze gestorven, jouw moeder?'

Ik knik nog eens. Dan schud ik mijn hoofd. De oude dame trekt de wenkbrauwen op en is een en al oor.

'Iedereen heeft mij altijd verteld dat ze dood was. Maar nu heeft ze me ineens een ansichtkaart gestuurd.'

'Een ansichtkaart?' De oude vrouw schiet in de lach. Ze lacht uitbundig en grijpt zich aan haar schoffel vast.

'Dat is me ook wat,' giechelt ze, 'een ansichtkaart, nou, die heeft mijn Angela mij nog nooit gestuurd.'

Dan wordt ze weer ernstig.

'Maar dan moet u toch juist blij en gelukkig zijn, dat uw moeder nog leeft? Nou ja, hier onder de doden zult u uw moeder niet vinden. Hier sturen ze geen kaartjes meer. Dat staat wel vast.'

Mijn moeder vinden? denk ik, als ik naar huis rijd.

Zij moet maar hiernaartoe komen, als ze daar zin in heeft. Maar de rest van de dag, terwijl ik spalken aanleg voor mijn geknakte varens en kleinere en grotere amputaties verricht, kan ik het beeld niet meer van me af zetten: het beeld van een steile rotskust met daarboven een stormachtige hemel.

Hoofdstuk 2

Waarin Gregor een erfenis krijgt en breekt met een gewoonte

Zoals altijd ligt het kerkschip er stil bij in het eerste ochtendlicht. Alleen door een van de achterste vensternissen valt al licht naar binnen. Het is die webdesigner die zo graag vroeg wilde beginnen, omdat ze dan 's middags haar kind op tijd uit het dagverblijf kan ophalen. Op haar na is alleen mijn secretaresse Natasha zo vroeg al in touw. Vanochtend ontvangt ze me met een bezorgde blik op mijn ingepakte neus. Ik beantwoord die blik door met mijn hoofd te schudden: Nee, bedoel ik daarmee, ik blijf erbij. Geen aangifte. Ook al heeft ze het nog zo verdiend, die losgeslagen hovenierster.

'Je moeder,' zegt Natasha. 'Die zou je nog terugbellen.'

Ik loop mijn kantoor in. Twee minuten later brengt mijn secretaresse me koffie, zoals elke ochtend; een klein kopje heel sterke koffie gezet van een heel speciale melange uit mijn speciaalzaakje, met een half lepeltje suiker, maar niet geroerd. Het kan nog wel even wachten, dat telefoontje aan mijn moeder. Alles kan nog wel even wachten. De eerste dertig minuten van de dag zijn heilig. Natasha weet dat en zorgt er altijd voor dat ik niet gestoord word.

Het is dit halve uurtje, 's ochtends vroeg, dat me de kracht geeft om mijn doel niet uit het oog te verliezen tijdens de turbulente dag die volgt. Hoe vaak heb ik niet moeten aanzien hoe collega's hun dromen en idealen, hun creativiteit en enthousiasme zijn kwijtgeraakt? Opgebrand en uitgehold lopen ze hijgend achter zichzelf aan, er komt niets meer uit hun handen en ze kopiëren zichzelf en elkaar. Ik kijk echter elke ochtend in alle rust naar het uitzicht over de stad, vanuit alle vier de zijden van mijn toren, klim de trap op naar de dakconstructie en staar daar naar de klok. Een feng shui-consultant heeft me er voor gewaarschuwd: zoveel balken boven je hoofd en dan ook nog zo'n massa metaal... Maar ik weet wel beter. Die klok zo hoog boven me is precies wat ik nodig heb. Elke ochtend bewonder ik de sobere vorm, de schoonheid van het metaal, de perfectie van het gietsel. Als gebalde energie hangt de klok de hele dag boven mijn hoofd, stil, zonder zich te verroeren. Iedere ochtend kijk ik gefascineerd naar de machtige klepel die er ontspannen bij hangt in de klok en die wel lijkt te dromen. Hij droomt van een schitterende klank die ik hem zou kunnen laten maken wanneer ik dat maar zou willen. Die klank is er altijd, daar boven mijn hoofd, ook al weerklinkt hij niet, en hij inspireert me meer dan wat dan ook.

Toch kom ik vanochtend niet los van het gevoel dat er een vreemde aanwezigheid is. Hier heeft ze gestaan en om zich heen gekeken, met haar vuisten op haar heupen. Er zijn niet veel mensen die zo weinig onder de indruk zijn van deze ruimte, of nee, ze is de enige op wie mijn klok niet de geringste indruk heeft gemaakt. Er is geen reden, houd ik mezelf voor, om nog verdere gedachten aan haar te wijden. Per slot van rekening is er ook nog nooit iemand geweest die mijn neus heeft gebroken; ze mag van geluk spreken dat deze zaak haar verder niets oplevert dan mijn cheque. Die ik trouwens nog kan laten blokkeren. Maar dat doe ik niet. Ook al is de vraag 'Vanwaar deze generositeit?' gerechtvaardigd.

Ja, waar komt die eigenlijk vandaan? De waarheid is dat ze me aan iemand doet denken. Nee: aan íéts. Ze doet me denken aan hoe het is om helemaal aan het begin te staan. Eén blik was genoeg om dat te zien. Haar spijkerbroek, haar goedkope

T-shirt, dat kapsel. En de drift in haar ogen. Die kwam me ook heel bekend voor, hoewel het al lang geleden is dat ik zelf dat soort drift toeliet in mijn leven. Al kan niemand het zich tegenwoordig nog voorstellen, ik, Gregor Beer, ken deze gemoedstoestand maar al te goed. En daarom laat ik de cheque voor die hovenierster niet blokkeren. Ik hoop dat ze er gelukkig mee is.

'Je peetoom is overleden,' zegt Natasha. 'Je moeder wil heel graag dat je haar daar even over terugbelt.'

Ze werpt me een schuwe blik toe en weet heel goed dat ik niet op haar condoleance zit te wachten. Ik kan haar meteen geruststellen. Dit bericht schokt me in het geheel niet. Ik heb de broer van mijn vader, Gregor Beer, naar wie ik ben vernoemd, nauwelijks gekend. Als peetoom heeft hij nooit veel voor me gedaan, en mijn moeder praat altijd afkeurend over hem. Hij was een globetrotter en een vreemde snuiter, van wie niemand ooit precies wist naar welke uithoek van de wereld hij nu weer onderweg was. Al sinds ik me kan heugen, heeft mijn oom op zee gezeten. Hij was kapitein en hij hield van de zee; aangezien het Zwarte Woud zoals bekend niet aan zee ligt, zagen we elkaar zelden. Een keer hebben mijn tweelingbroer Heinrich, die zijn naam dankt aan zíjn peetoom, de broer van mijn moeder, en ik een cadeau gekregen van oom Gregor: twee identieke kompassen. Dit feit al, dat ik alweer precies hetzelfde cadeau kreeg als mijn broer, bedierf voor mij de hele lol. Heinrich en ik hadden behalve ons uiterlijk helemaal niets met elkaar gemeen, en desondanks, of waarschijnlijk juist daarom, kregen wij altijd van alles hetzelfde: kleren, hoogstens elk in een andere kleur, speelgoed in dubbele verpakkingen en nu dus ook weer een kompas. En dan nog wel van mijn peetoom, terwijl oom Heinrich nooit op het idee kwam om op feestdagen ook iets voor mij te kopen en alleen jaar in jaar uit bijdroeg aan de uitbreiding van de verzameling gouden munten van mijn broer, terwijl hij mij met lege handen liet zitten.

Waarom wind ik me daar nu nog altijd zo over op, denk ik terwijl ik het nummer van mijn ouders intoets en vervolgens mijn moeders stortvloed aan woorden over me heen laat komen, die er haar hand niet voor omdraait om mijn ochtend te bederven met testamenten die er niet blijken te zijn en begrafenissen die niet plaatsvinden.

Mijn oom Gregor Beer is dus overleden. En ergens in de loop van de ochtend, tijdens de opnames voor een reclamefilmpje, bedenk ik ineens dat degene die zijn overlijdensadvertentie in de krant leest, zou kunnen denken dat het om mij ging. Ja, mijn fantasie gaat even met een absurd idee aan de haal: wat zou er gebeuren als ik deze kans eens aangreep en Gregor Beer liet overlijden, de benen zou nemen en ergens anders onder een nieuwe naam zou gaan leven? *Hoe dan,* spreekt mijn praktische verstand me onmiddellijk tegen, *wat zou je dan willen?*

'Niks,' zeg ik hardop en ik loop naar de vergaderruimte voor de volgende afspraak.

Een paar dagen later tref ik bij mijn post de brief van een notaris uit de Nederlandse stad waar mijn oom lang heeft gewoond. Mij wordt verzocht om in persoon bij het voorlezen van het testament aanwezig te zijn. Ik vraag Natasha om op te bellen en hem te melden dat ik onmogelijk aan dat verzoek kan voldoen. Een uur later belt de notaris terug. Hij stelt zich voor als executeur testamentair van de overleden Gregor Beer en deelt mij mede dat ik de enige erfgenaam ben van mijn peetoom. 'Het gaat niet om geld,' vertelt hij, 'maar om een wilsbeschikking. Preciezer gezegd: om de tenuitvoerlegging van de laatste wens van uw oom.'

'Heeft mijn oom deze wens dan op schrift gesteld?' vraag ik.

'Ik heb hier een brief aan u voor mij liggen. En… nog iets anders.'

'Kunt u dat niet per post toesturen?'

De notaris kucht even.

'Per post? Enfin, als het echt niet anders kan, dan zou ik het nog wel aan een koerier mee kunnen geven, maar...'

'Stuur mij dan die brief en dat andere maar gewoon toe,' onderbreek ik hem, 'zo bespaar ik ons allebei een hoop tijd.'

Oom Gregor. Waarom moet ik nu uitgerekend met een brief *en nog iets anders* worden opgezadeld? Er schieten me allerlei dingen te binnen die dat andere zou kunnen zijn, een gigantisch kompas, een staande klok. Een chronometer... En dan vergeet ik de hele geschiedenis weer.

Maar de volgende dag, als ik midden in een bespreking zit met de marketingmanager van 'mijn' merk huidcrème, steekt Natasha haar hoofd om de deur. Er is een koerier met een pakket uit Nederland, die erop staat om mij dat pakket persoonlijk te overhandigen, anders moet hij het weer meenemen – en dan weet ik het weer. Oom Gregor, denk ik, typisch iets voor hem. Ik neem het pakket in ontvangst, zet mijn handtekening op de aangewezen plek en ga weer in vergadering.

Pas als ik laat op de avond in mijn toren zit en ik zoals altijd als laatste achtergebleven ben, omdat ik nu eenmaal op de beste ideeën kom als ik alleen ben, en ik tevreden mijn notebook dichtklap, denk ik weer aan dat pakket. Het is niet echt groot, een soort kubus bijna, en heel licht, alsof er een voetbal in zit. Ik maak de kartonnen doos open en vind tussen veel piepschuimen vulmateriaal een ding dat ik eerst voor een bokaal houd. Oom Gregor, wat maak je me nou?

Maar het is geen bokaal. Hoewel het er wel iets van wegheeft, zilver en zwart, met twee handvatten in de vorm van engelenvleugels en een afgesloten schroefdeksel. Ik draai het deksel eraf. Dan houd ik het ding onder mijn bureaulamp. Het duurt even voor ik het doorheb. Behoedzaam schroef ik het deksel er weer op. Ik heb een urn in mijn hand. Een urn met de as van mijn peetoom Gregor Beer.

Ik ben niet het type dat hysterisch wordt bij de aanblik van zoiets, maar laat ik eerlijk zijn – het kost wel even een momentje om te verwerken dat mijn overleden oom, of beter gezegd zijn stoffelijk overschot hier op mijn bureau staat. Ik maak de brief open die bij de nalatenschap van oom Gregor hoort.

Ik weet wel, beste Gregor, lees ik, *dat men niet dagelijks de as van een familielid voor zich heeft en ik weet ook dat er maar weinig mensen zijn die men een dergelijke erfenis kan aandoen. Jij bent een van die weinige mensen, Gregor, en daarom heb ik jou ook uitgekozen om mijn laatste wilsbeschikking uit te voeren. Ik heb jou namelijk nodig – ik die in mijn hele leven nog nooit een ander nodig heb gehad, heb jouw hulp nu, in de dood, nodig.*

Zoals hij schrijft, mijn peetoom... *ik heb jouw hulp nu, in de dood, nodig*, lijkt het alsof hij mij direct toespreekt vanuit het hiernamaals, alsof er een stem uit de urn opstijgt... maar dat is onzin, want ben ik niet bij uitstek iemand die de suggestieve macht van woorden zou moeten kennen?

Ik weet ook, zo lees ik verder, *dat jij een drukbezette man bent. Jij werkt tenslotte voor twee. Misschien ben ik de enige die heel goed begrepen heeft wat er werkelijk schuilgaat achter 'Beer & Beer'. Ik weet dat het geen uiting van jouw zelfoverschatting is, geen pluralis majestatis, maar een eerbetoon aan je overleden broer. Beer & Beer, dat staat voor Heinrich Beer & Gregor Beer. Ja, jij denkt dat je voor twee moet werken, maar Heinrich is al jaren dood en hij wordt echt niet minder dood door jouw onvermoeibare gezwoeg.*

Boos gooi ik de brief op mijn bureau. 'Wat weet jij daar nou van,' zeg ik kribbig tegen de urn, 'jij was er immers nooit, jij hebt je nooit om ons bekommerd. Niet dat ik je nodig had, o nee, ik heb niemand nodig, Heinrich niet en jou ook niet. Maar ik heb jouw inmenging niet nodig, toen niet, en nu niet.'

Met grote passen ijsbeer ik door mijn kantoor. Er komen beelden bij me op, die meteen weer verdwijnen. Rode ijsmutsen, identiek. Toen hij voor me op de slee zat, deinde de kwast op en neer. Op en neer. Een kinderstem die pesterig zingt: *Lafbek! Lafbek!* Ik houd mijn handen voor mijn oren. Maar hij zit in mijn hoofd, die stem: *Angsthaas, schijterd*, en dan die ijsmuts, zo rood in de sneeuw...

Dit is de tweede keer binnen evenzoveel dagen dat ik word herinnerd aan hoe ik ben begonnen. Als oom Gregor me toen had gevraagd wat ik later voor beroep zou willen, dan had ik hem gezegd: eentje met een dak boven m'n hoofd. Een dak boven m'n hoofd, of het nu stormt of sneeuwt, dat was het hoogst haalbare in de beleving van een jongen die zijn zakgeld verdiende met het rondbrengen van het plaatselijke sufferdje en het kerkblad, met het ronddelen van plastic zakken voor de inzameling van oude kleren en gratis monsters van nieuwe dranken. Wat er ook maar moest worden rondgebracht in mijn stad ten noorden van het Zwarte Woud, ik zorgde ervoor dat het binnen hoogstens twee dagen aankwam bij alle vijftienduizend huishoudens. Toch maakte ik toen al een instinctieve keuze voor kwaliteit: de drankenhandel met zijn natuurlijke vruchtensappen vond genade, de aanbiedingsfolder van de supermarkt belandde nog wel eens in de beek die door het stadje stroomde. De folders voor een nieuwe pizzaservice vonden pas hun weg naar de brievenbussen als ik me ervan overtuigd had dat die pizza's ook echt goed smaakten. Op twaalfjarige leeftijd verklaarde ik aan de eigenaar van de grootste plaatselijke schoenenzaak welke merken hij in zijn assortiment zou moeten opnemen en wat een doeltreffend promotie-evenement zou zijn; met veertien jaar organiseerde ik modeshows voor de enige kledingzaak die acceptabele merken voerde. En ja, het klopt, toen ik zestien was richtte ik mijn eigen reclamebureau op en ontwierp ik zelf het logo: een wereldbol, waar een dynamische rode lichtflits overheen knalde: BEER & BEER. RECLAME VOOR DE BESTEN stond er op het bordje dat ik naast de deur van mijn ouderlijk huis hing...

Het duurt even voor het tot me doordringt waar ik zo intens naar sta te staren. Het zijn mijn prijzen en onderscheidingen, de gouden Best of Europe Award, meteen maar drie keer, de prijs van de Artdirectors Club, de Hennessy-bokaal. Ze halen me terug naar het heden. Beer & Beer. Een grap van een puber, een van de weinige die ik me toen in die tijd veroorloofde, meer stak er niet achter. Mijn oom is overleden, een wat extravagante oude man, een zeeman, die op het idee kwam om op geheel eigen wijze een laatste groet te sturen. 'Laat dan maar horen wat je van me wilt,' zeg ik tegen de urn. En daarmee pak ik de brief van mijn dode oom weer op.

Ik heb me nooit met jouw leven bemoeid, want dat lag niet in mijn aard. Maar ik heb altijd heel goed bijgehouden waar jij allemaal mee bezig bent. Daar kon ik ook moeilijk omheen. Als ik van een van mijn vaarten terugkwam, was mijn hele antwoordapparaat weer vol gesproken door mensen die dachten dat ze jou belden. Ik heb uiteindelijk de meldtekst maar aangepast: Indien u mijn neef, de succesvolle Gregor Beer, wenst te spreken, kiest u dan alstublieft het volgende nummer... *Desondanks bleef jouw glansrijke carrière nog steeds op mij afstralen. Ik gunde je die carrière van harte. Maar ik maakte me ook zorgen.*

Ik moet grijnzen. Dat met die namen heeft inderdaad regelmatig tot verwarring geleid. Hier op het bureau heeft ook wel eens iemand dagenlang geprobeerd om mij te pakken te krijgen, tot hij zich uiteindelijk aan de verblufte Natasha voorstelde als '*Professor in de antropologie, gespecialiseerd in dodencultus*' en haar daar zozeer mee van haar stuk bracht, dat ze hem meteen maar met mij doorverbond. Het was meteen duidelijk dat het een bekende van mijn oom was.

Ik ben nooit een familiemens geweest, dus daarin lijken wij op elkaar, lees ik verder. *Vermoedelijk had ik me meer met je moeten bemoeien; ik weet wel dat jouw moeder die mening is toegedaan. Maar ik ben nooit zo zorgzaam geweest. Ik ben na zeer lang aarzelen jouw peetoom geworden en wellicht had ik het eigenlijk nooit moeten doen. Maar dat is allemaal ouwe koek. Laten we ons liever op het heden richten. Of liever: op de toekomst.*

Ik heb lang nagedacht over wat ik jou zou nalaten. Ik verkeerde namelijk altijd in de veronderstelling dat wij in de dood veel dichter bij elkaar zouden kunnen komen dan bij leven. Ik ben niet bijzonder welgesteld, en geld is bovendien wel het laatste wat jij nodig hebt. Daarom heb ik al mijn materiële bezittingen voor mijn dood al weggege-

ven. Wat jou betreft ben ik tot de conclusie gekomen dat ik jou iets heel bijzonders kan schenken: een ervaring. Een ervaring die jij jezelf nooit zou gunnen. En eentje die je met geld niet kunt kopen. Gelukkig valt die ervaring mooi samen met mijn laatste wens, en zo valt de puzzel keurig in elkaar.

Ik vind, schrijft oom Gregor, *dat jij lang genoeg honkvast bent geweest. Het wordt tijd dat je eens wat van de wereld gaat zien. Wat verandering van omgeving, dat is wat jij het meest nodig hebt. En daarom heb ik een reisje voor je geregeld – of eigenlijk: voor ons allebei.*

Ik pak de envelop die bij de brief ingesloten was, half in de verwachting dat er iets als een vliegticket in zou zitten. Nee dus. Geen ticket. Maar er valt wel iets rinkelend op de grond. Als ik onder mijn bureau kruip, zie ik een sleutel liggen. De sleutel van een postbus.

Je zult de sleutel inmiddels wel gevonden hebben. Kalm aan, zo ver zijn we nog niet. Ik wil je eerst graag mijn verzoek doen, mijn zogenaamde 'laatste wil'. Ik wilde niet in de grond worden gestopt. Geen begrafenis. Geen toespraken, geen bloemen, geen graf. Wat ik wel graag wil, is dat jij me aan de zee geeft, en wel op drie verschillende plekken, die mij bijzonder dierbaar zijn. Je moet op elke plek een derde van mijn as in zee strooien, dus op de terugreis moet je het zonder mij stellen. Als je daarna tenminste weer naar huis gaat. Misschien heb je de smaak dan te pakken gekregen en besluit je wel om door te reizen, of misschien ben je dan wel helemaal niet meer alleen – wie zal het zeggen. Hoe dan ook, op de derde plek zullen wij afscheid van elkaar nemen. En ik wil je nu alvast bedanken dat je deze laatste wens van mij in vervulling laat gaan. Je zult begrijpen dat ik deze wens met de beste wil van de wereld niet eigenhandig in vervulling kan laten gaan. En je weet – ik zeg dit alleen voor het geval je je tegen onze reis verzet – dat men een mens zijn laatste wens niet mag ontzeggen.

Ik laat het papier zakken. Het is lang geleden dat iemand me zo heeft weten te overrompelen. Niet slecht, ouwe. Als ik een saai leven zou leiden dan kon ik er misschien in meegaan. Maar het spijt me: ik heb geen tijd voor deze onzin.

Ik stort me in mijn stoel, leg mijn benen op het bureau, waarbij ik de urn met een voet gevaarlijk dicht naar de rand schuif.

Het gepoetste oppervlak van de zilveren urn weerkaatst een lichtstraal die door het venster naar binnen valt. De maan, misschien. Met die vleugeltjes lijkt het net of dat ding elk moment kan opstijgen en wegzweven. Mijn voet duwt de urn nog een centimeter verder en het licht dooft. Ik heb wel eens een film gezien over het werken in een crematorium. Daar schoven ze de lijken met kist en al in de gloeiend hete oven. Niet eentje, nee, een paar kisten tegelijk. Enkele uren later schepte men de restanten die niet waren verbrand eruit. Niet alles verast. De grotere botten blijven gedeeltelijk bewaard en die werden stuk voor stuk, samen met de as, in urnen gestopt...

Ik sta op en zet een raam open. Doe de plafondverlichting uit. Het nuchtere schijnsel van de daglichtspots valt over de brief en de urn. Ik denk even na, doe dan het deksel open, werp de sleutel erin, stop de brief, die ik niet uitlees, er ook bij en dan schroef ik de urn weer dicht. Ik pak hem bij beide vleugels, houd hem voor me uit en zet hem vervolgens op de plank tussen de bokalen en onderscheidingen. Ik doe een stap naar achter en bekijk de plank. De urn valt helemaal niet op. Past er prima tussen. Kan dus worden vergeten.

'Goedenacht, oompje,' zeg ik. Dan sluit ik, zoals elke avond, de deur zorgvuldig af.

De volgende dag is een donderdag. In mijn agenda staat dat ik een afspraak bij de kapper heb. Dat gebeurt om de vier weken. Daarna ga ik, zoals iedere week, squashen met Arndt en aansluitend naar de sauna. Arndt is het perfecte gezelschap voor dit soort dingen: een waardige partner op de squashbaan en een zwijgzame in de sauna. Ik vind niets zo verschrikkelijk als met iemand moeten praten terwijl het zweet me over het naakte lijf gutst. Niettemin wissel ik bij deze gelegenheid wel alle noodzakelijke feiten uit met Arndt en maken we de nodige afspraken: bij het voetenbad, op het dakterras of in de jacuzzi. Er vliegen dan spaarzame en cryptische flarden van zinnen tussen ons heen en weer, waar buitenstaanders geen chocola van zouden kunnen maken, maar die prima volstaan voor Arndt en mij.

Op het bureau heerst de gebruikelijke bedrijvigheid, maar vroeg in de middag luidt iemand een noodklok: de centrale computer ligt eruit door een virus en er breekt paniek uit over op onverklaarbare wijze onbruikbaar geraakte of onvindbare back-ups – de gebruikelijke heksenketel, zo gaat het hier eigenlijk altijd. Hoe meer men zich opwindt, des te kalmer word ik. Niemand weet dat ik elke avond voor ik het bureau verlaat alle data van de centrale computer op drie verschillende servers download, en dat ik de laatste versies van al het werk op een externe harde schijf mee naar huis neem. Een groot deel van mijn vermogen zit immers in die bits en bytes; ik pieker er niet over om ze over te leveren aan de vorm van de dag, de vergeetachtigheid, de hormoonhuishouding of wat dan ook van mijn medewerkers of stagiaires. Ik laat de mannen van automatisering rustig hun gang gaan, en roep het team bijeen voor een vergadering. Dat is een van mijn specialiteiten: de adrenaline van een paniekstemming omzetten in creatieve energie. Als de computers het tegen de middag weer gewoon doen, is iedereen in opperbeste stemming en vol nieuwe impulsen. Schmidt-Hoss, mijn partner, die nu in zijn verbouwde molen op La Palma zit en vakantie viert, kan helemaal gerust zijn.

Zelf heb ik nog nooit voor mijn plezier een reisje gemaakt. Een weekje in de Alpen, elke dag een andere bergtop, meer heb ik niet nodig. Bovendien ben ik voor de zaak vaak genoeg op pad. Ik heb echt geen flauw idee wat ik op La Palma zou moeten doen. Als ik de stad zat ben en een beetje groen om me heen wil, dan rijd ik naar de dichtstbijzijnde berg. Het heeft geen zin om dan iemand met me mee te nemen. Ten eerste heb ik niemand nodig om me te vermaken en ten tweede kan niemand mijn tempo bijhouden, zelfs Arndt niet. 'Jij bent een echte bergbestormer,' hijgde hij die ene keer dat hij wel meekwam. En daar heeft hij gelijk in: naar boven en meteen weer recht naar beneden, dat is mijn devies. Dan krijg ik ook de beste ideeën. En dan zit ik 's avonds gewoon weer in mijn toren.

Maar nu ik, zoals elke eerste donderdagavond van de maand, in een van de clubfauteuils bij Edwin zit en de baas zich, zoals altijd, hoogstpersoonlijk met mijn haar bezighoudt, herinner ik me ineens mijn droom van de afgelopen nacht. En dat terwijl ik nooit droom, iets waar ik altijd zo trots op ben!

Ik was weer een jongen en ik hield een kompas in mijn hand. Ik kon mijn oom niet zien, maar ik hoorde wel zijn stem, die me uitlegde hoe ik dat kompas moest gebruiken om de windrichtingen te kunnen bepalen. 'Het is heel eenvoudig,' zei hij, 'er zijn vier windrichtingen: de geboorte, de jeugd, de ouderdom en de dood.' Ik probeerde deze vier windrichtingen op het kompas te vinden, maar het enige wat ik zag waren geheimzinnige getallen en symbolen. 'Je moet in de spiegel kijken,' zei de stem van mijn oom behulpzaam, en toen zag ik dat in het deksel van het kompas een spiegel zat, en als ik die in de goede hoek hield, zag ik daarin de symbolen van de windroos weerspiegeld. Ik zag het precies en ineens voegden alle tekens zich samen, en de naald van het kompas begon te draaien en bleef op het woord 'Dood' hangen.

Er vallen een paar stukjes gemillimeterd haar op de rug van mijn hand. Ik kijk op, en herken mezelf in de spiegel, met boven me Edwins gezicht en handen die vlijtig mijn hoofd bewerken.

'Ik doe het bij de bakkebaarden ietsje korter,' zegt Edwins spiegelbeeld. 'Dan valt het niet zo op dat u al een beetje grijs wordt.'

Ik staar ontdaan naar het haar bij mijn slapen. Ik heb daar nog nooit zelfs maar één grijze haar gezien. Maar nu, bij het licht van al deze kapperslampen, zie ik het ook. Het zijn er niet veel, maar ze zitten er en ze lichten wit op in de rest van mijn donkere haar. 'Zullen we anders eens een kleurspoelinkje proberen?' oppert Edwin.

'Zoiets moet je me echt nooit meer voorstellen,' bijt ik hem toe, feller dan nodig.

Dit zal Edwin berouwen. En al helemaal als straks mijn tip beduidend minder ruim uitvalt dan anders.

Ik heb ineens helemaal geen zin meer om met Arndt te gaan squashen. Ik bel hem op in de auto en vertel hem dit.

Annette is stomverbaasd dat ik bij haar op de stoep sta.

'Maar het is donderdag,' zegt ze verbluft, 'moet je niet squashen en naar de sauna? Heeft Arndt soms afgezegd?'

'Ja,' zeg ik verstrooid. 'Nee. Dat wil zeggen, ik heb hem afgebeld.'

Annette neemt mij eens goed op. Ze weet dat ik niet het type man ben dat zomaar zijn squashavondje afzegt. In de vier jaar die ze mij nu kent, heb ik dat nog nooit gedaan. Daar was ze al vrij snel achter.

Dinsdag is haar dag, en soms ook de vrijdag, maar Gregor Beer heeft nog nooit op donderdag bij haar aangebeld.

'Je kunt de volgende keer beter eerst even bellen, als je van plan bent om me te verrassen,' zegt ze.

Ik probeer er kalm bij te kijken.

'Stoor ik dan?'

Annette lacht. Ja, ik stoor. Maar ze is te fijngevoelig om me dat in het gezicht te zeggen. Wat heeft dat te betekenen, zegt een stem in mij, de oude, vertrouwde Gregor Beer-stem, waarom breng je haar zo in verlegenheid, ga weg, je ziet toch dat je haar stoort. Maar ik blijf, waarom zou ik niet eens met een vaste gewoonte kunnen breken, zijn we dan soms een oud echtpaar dat alleen op dinsdag en op vrijdag seks kan hebben? Natuurlijk, er bestaat tussen ons geen liefdesband, dat weet zij net zo goed als ik, maar ik heb haar nodig, en zij mij. Ik ben hier content mee, dat ik naar haar toe ga, de avond met haar doorbreng en dan 's nachts weer naar huis ga. Annette is een aantrekkelijke vrouw. Tien jaar ouder dan ik. Gescheiden. En ze heeft een gehandicapt kind.

Zij is de eerste die niet na drie maanden over samenwonen

en na een halfjaar over trouwwensen is gaan zeuren. En vooral: ze wil geen kind van me. Als ik er zin in heb, kan ik bij haar de hele avond voor de televisie zitten, zonder dat ze me ook maar één vraag stelt. In bed laat ik toe dat ze haar fantasie de vrije loop laat, en mijn god, wat heeft ze een boel fantasie.

Maar vandaag is het anders. Ik begin spijt te krijgen dat ik met onze gewoonte heb gebroken. Annette ziet er overvallen en gespannen uit. Maar in plaats van weer te vertrekken, kijk ik vanaf haar bank met halfgesloten ogen toe terwijl zij aan de eettafel Annika te eten geeft, hoor het onsamenhangende gezang van het meisje aan en kijk toe wanneer Annette haar in haar rolstoel naar haar slaapkamer brengt. Hoe oud is Annika eigenlijk? Twaalf? Misschien zelfs al vijftien?

'Wilnietslapen!' protesteert het meisje.

Als ik op dinsdag op dit tijdstip langskom, ligt Annika al in bed. Ik weet niet waarom, maar plotseling sta ik op en loop met Annette en haar kind mee naar de kamer, die ik tot nu toe alleen met dichte deur heb gezien. Annette kijkt me aan.

'Laat ons alsjeblieft alleen,' zegt ze, en uit de manier waarop ze het zegt maak ik op dat ze geen tegenspraak duldt.

'Wilnietslapen...' hoor ik weer, als ik de deur achter me dichtdoe. Die woedende stem van het meisje, de vertwijfeling die ik daarin hoor, geeft me een slecht gevoel. Dit is niet goed te praten. Hoe kom ik erbij om elke dinsdag en soms ook vrijdag hier af te spreken en het een deur verderop met de moeder van dit meisje te doen, terwijl zij naast ons ligt en veel te vroeg in bed is gestopt?

Als Annette straks weer terugkomt, ben ik er niet meer.

Op tafel ligt dan een briefje: *Neem me niet kwalijk dat ik je heb gestoord.* Annette zal een prop maken van dat papiertje en die prop zal ze naar de voordeur gooien. Dan zal ze huilen. Want ze weet dat Gregor Beer nooit meer langs zal komen. Niet op dinsdag en niet op vrijdag. En al helemaal nooit meer op donderdag.

Hoofdstuk 3

Waarin Caroline graag een varen zou willen zijn en een vriendin van vroeger ontmoet

Hildegard von Bingen, een benedictijner abdis uit de elfde eeuw, zag al welk wonder de varen in zich bergt. *De wortels van de Engelzoet*, schreef ze, *maken de bruid zacht en lieflijk,* en ze wist bovendien dat de eeuwig groene eikvaren, zoals de Engelzoet ook wordt genoemd, uitstekend helpt bij astma. Het volksgeloof spreekt ook van de verschillende, verbazingwekkende eigenschappen van deze planten. Zo zijn er varens die bescherming bieden tegen de zwarte magie en andere die geluk brengen in het algemeen en bij het spel in het bijzonder. Weer andere varens geven aan waar schatten verborgen liggen. Bepaalde sporen kunnen je zelfs onzichtbaar maken, mits op de juiste manier bereid. Geen wonder dat de geestelijken het tijdens het Concilie van Ferrara in 1612 nodig achtten om het verzamelen van varenzaden in de Sint-Jansnacht te verbieden, want naar het schijnt werden die door ter zake kundige vrouwen gebruikt om op te stijgen, de lucht in, wat de varens de naam 'Heksenladder' had opgeleverd. En zo bewezen de zwartrokken eens te meer hoe weinig sjoege ze hadden van dit soort zaken, want varens hebben helemaal geen zaden, maar sporen. Samen met mossen en korstmossen behoren ze tot de sporenplanten, een soort dat het probleem van de geslachtelijke voortplanting op geheel eigen wijze heeft opgelost. Want in plaats van voor de bevruchting te zijn aangewezen op een partnerplant van het andere geslacht, zorgen zij in hun eentje voor hun vermeerdering: allereerst ontwikkelen ze, als de omstandigheden het toelaten, uit een spoor een klein plantje, de zogeheten prothallium, dat slechts een paar millimeter groot is en met het blote oog gemakkelijk te missen. Op deze prothallium vormen zich vrouwelijke en mannelijke geslachtscellen, en wel gelijktijdig. Die cellen worden door waterdruppels bijeengebracht, waarna ze met elkaar versmelten. Op deze manier zorgt de plant dus voor zijn eigen nageslacht. Het voordeel van deze methode ligt voor de hand: geen enkele varen is overgeleverd aan de toevalligheid van een liefdesontmoeting. Ze hebben genoeg aan zichzelf en hebben niet meer nodig dan een drupje water om zich voort te planten.

Ik weet niet of mijn grootmoeder zich wel bewust was van wat voor baanbrekende informatie ze mij aan de hand deed toen ze me mijn eerste boek over varens gaf. Ik weet zeker dat ze nooit had kunnen denken dat ik uiteindelijk van varens mijn beroep zou maken. Zij had namelijk graag gezien dat ik bij haar in de zaak kwam: een kleine, fijne kleermakerij. 'Alles op maat gemaakt.' Je kunt wel zeggen dat ik in oma's kleermakerszaak ben opgegroeid, tussen de restjes stof, speldenkussens en garenklossen, zwart, beige, grijs, donkerblauw, bruin en donkergroen. Met die klossen speelde ik altijd; ze vormden mijn hofhouding, en de grote zilverkleurige rol van zuiver zijde was mijn prins. Soms waren ze ook de doden die ik in garenklossengrafkisten legde. 'Kind,' greep oma dan in, 'dat is toch niks voor jou, kom, dan gaan we een nieuw pakje naaien voor je stoffen kat.' Die had al vijf pakjes, en nu kreeg hij ook nog een zwart rokkostuumpje. Met vlinderstrik. En ik kreeg een beker chocolademelk. Mijn vader zat weer eens in het oude Babylon, of in Perzië, in Samarkand, of Turkije, in Syrië of in Egypte. Uit dat laatste land had hij de kater voor me meegenomen. Toetanchamon, heette die. En overal groef mijn vader graven op en bracht zeldzame vondsten mee naar huis: grafgiften, urnen, zelfs sarcofagen, en in onze zitkamer lag een kleine mummie onder een glazen plaat. Ja, er moest gereisd worden. Voor zijn promotie, en later in het kader van zijn lessen aan de universiteit, en toen voor zijn ontelbare wetenschappelijke publicaties en boeken enzovoort, enzovoort. En toen was ik ineens groot en speelde Toetanchamon geen rol meer, want ik had mijn varens.

Hier, aan het beekje langs de tuin van mijn grootmoeder, is het allemaal begonnen. Langs de oever stond het vol met varens. Wijfjesvarens, maar dat wist ik toen nog niet. Met hun spiraalvormige loten die zich geleidelijk ontrolden, trokken ze me naar zich toe. Al snel wist ik de verschillende soorten van elkaar te onderscheiden, en ik groef ze uit en probeerde ze in huis te zetten. Ik leerde het wonder kennen dat een enkele waterdruppel op een varenblad kan aanrichten. Er was nog een lange weg te gaan voor ik me een specialist mocht noemen, maar oma gaf me nieuwe exemplaren met eigenaardige bladeren en vreemde kleuren, en ook gaf ze me nog meer boeken over het wonderbaarlijke leven van varens, en over hun bloeiwijze en voortplanting. 'Kind,' riep ze altijd uit, als ze in mijn langzamerhand overwoekerde kinderkamer op bezoek kwam, 'jij hebt groene vingers, dat staat wel vast.'

Maar ze bleef nooit lang: hoe je het hier uithoudt, het lijkt wel of je in de tropen zit, het is hier om te stikken. En alle volwassenen dachten er zo over. Mijn vader bekeek de groene indringers die zich zo zoetjes aan door de hele woning begonnen te verspreiden met afschuw, maar oma nam mij altijd in bescherming. Ze was waarschijnlijk blij dat ik niet meer bezig was om klossen garen en stoffen beesten te begraven. 'Het leeft tenminste,' heb ik haar wel eens tegen mijn vader horen zeggen. 'Jij met je sarcofagen en urnen en doodshoofden. Dat is toch niks voor zo'n kind. In elk geval heeft ze nu zelf iets levends ontdekt. Laat haar toch haar gang gaan. Jij bent immers zo weer weg.'

Ja, mijn vader was er bijna nooit, en verder had ik ook niet veel vriendjes. Anna, met wie ik een aantal jaar alles deelde. En toen ging ze weg, net zoals mijn vader, en ik heb nooit meer iets van haar gehoord. Ik was degene die men achterliet, maar het is al weer heel lang geleden dat dat me pijn deed. De varens gingen nergens heen. Op mijn varens kon ik altijd rekenen.

Dat ik nooit heb geleerd hoe ik kleding moet maken en ook niet naar de modevakschool ben gegaan en zelfs nooit als chef-inkoopster de hele wereld heb willen afreizen, op zoek naar de allermooiste stoffen – daar had oma uiteindelijk vrede mee. Maar ze lette er wel streng op dat ik een fatsoenlijke opleiding volgde.

Ik moest een beroep hebben, zodat ik nooit afhankelijk zou worden van een man, zei ze altijd, en daarbij keek ze me betekenisvol aan, soms ook met een knipoog, dus wist ik nooit zo goed wat ik aan haar had. Feit was dat zij het uiteindelijk zonder man had moeten stellen. De man die op de trouwfoto aan oma's zij staat heb ik nooit leren kennen. 'Die is in Rusland gebleven,' zei oma, en het klonk altijd net alsof hij het daar nu eenmaal leuker vond. Dan schonk ze een glaasje walnotenlikeur in die ze zelf had gemaakt met noten uit eigen tuin. Als ze er al ooit om heeft getreurd, dan was dat heel lang geleden. Ze vond het prettiger zonder man en voerde haar bedrijf in haar eentje, al jaren. Ze sprak wel eens af met haar stoffenleverancier. Rudi. Maar ze was nooit meer getrouwd. 'Vanwege mijn pensioen,' zei ze met een knipoog. 'En bovendien. Eén keer in je leven trouwen is wel genoeg.'

Toen ik vijftien was, rekende ik uit dat de man die in Rusland was achtergebleven nooit mijn grootvader kon zijn. Mijn vader werd immers pas in 1950 geboren. Toen ik hem daarover aansprak, haalde hij zijn schouders op. Op een dag, bij een glaasje walnotenlikeur, raapte ik al mijn moed bijeen en vroeg het haar zelf. 'Wie is nu echt mijn grootvader? Is Rudi het soms?'

Oma lachte en ze bleef er bijna in. 'Rudi?' riep ze uit en ze veegde de tranen uit haar ogen. 'Kind, hoe kom je erbij?'

En toen werd ze ernstig.

'Wie Sebastians vader was?' vroeg ze uiteindelijk. 'Weet je, dat doet er al zo lang niet meer toe.' En daarmee was wat haar betrof de kous af.

Oma is nu vijftien maanden dood. Vredig ingeslapen in de leeftijd van zesentachtig jaar. Rudi heeft de kleermakerij overgenomen en mij uitgekocht.

Oma had het allemaal van tevoren al geregeld. 'Wat het bedrijf betreft hoef jij je nergens niet druk te maken,' zei ze, 'want bij Rudi is het in goede handen, en de mensen kunnen zo hun baan houden. Je vader heeft het geld niet nodig, maar jij zou een eigen bedrijfje kunnen beginnen. Je wilt je toch niet je hele leven een ongeluk werken voor die plantenlui, dat kun je toch niet menen?' Tweehonderdduizend euro, verstandig belegd in effecten. *Zodat je je altijd alleen zult kunnen redden,* stond er in haar testament. *Zodat je nooit een man nodig zult hebben, in elk geval niet voor je natje en je droogje. En als je dan toch ooit eens trouwt, denk erom: huwelijkse voorwaarden!* Drie keer met rood onderstreept.

Huwelijkse voorwaarden, denk ik, en ik moet lachen. Alsof ik ooit zou trouwen. En ik plant wat *Selaginella* in kleine potjes, die ik aan het begin van de lente cadeau doe aan iedereen die mij weet te vinden, want ondanks Freds onheilsvoorspelling loopt mijn zaak vrij aardig. Ik verkoop hertshoornvarens en engelzoet, en zo nu en dan durft iemand het aan een kleine boomvaren mee naar huis te nemen.

En dan zegt iemand: 'Cari?' En ik kijk op. In mijn hele leven is er maar één iemand geweest die mij zo noemde en dat was mijn vriendinnetje Anna. Anna, die mijn alles was en die op haar zeventiende naar het balletinternaat vertrok. Tot nooitmeerziens. Anna die nooit terugschreef. Nooit terugbelde. Die ik uiteindelijk uit mijn leven heb geschrapt, niet uit woede, maar zoals een tuinman een wortelstok doorsnijdt opdat de rest van de planten niet aangestoken wordt door een wormstekige plek. En nu staat ze achter de Australische boomvarens, ik heb geen idee hoe lang al, en ik had haar niet eens opgemerkt.

'Ken je me dan niet meer?' vraagt ze.

'Jawel,' zeg ik en ik schraap mijn keel. Hoe zou ik Anna niet kunnen herkennen? Ook al is ze dan nog zo veranderd. Haar gezicht is magerder, haar jukbeenderen nog geprononceerder dan vroeger, haar ogen groter, een beetje hol en verzonken, en om haar mond ontdek ik een nieuwe, vreemde trek, maar ze is nog altijd even mooi, lang en slank en ze heeft nog altijd die koninklijke houding waar ik haar altijd zo om heb benijd. Anna heeft altijd al een onnavolgbare manier van bewegen of van gewoon maar staan. Ik had haar uit duizenden herkend, alleen al aan haar loopje...

'Ik neem aan dat je nogal kwaad op me bent,' zegt Anna.

Ik? Kwaad? wil ik zeggen, *hoe kom je daar nou bij?*

Maar ik zeg niks, want ze heeft gelijk, ik ben inderdaad kwaad op haar, althans, dat was ik. Heel even denk ik dat ik in tranen uit zal barsten, en een seconde of twee ben ik weer zestien en voel ik de teleurstelling, de pijn en de woede, maar dan is het meteen weer weg en blijft alleen een broze blijdschap over.

In Anna's ogen glanzen ook tranen, zodat ze nog groter, dieper lijken. 'Weet je wat,' zeg ik, 'ik doe de winkel dicht en dan gaan we het huis in.'

Maar Anna wil het huis niet in. Ze wil dat ik haar mijn kas laat zien, ja, ze interesseert zich voor elke varen; ik leg haar alles uit en hoor mezelf praten. En terwijl ik uitleg welke plant wat voor soort aarde nodig heeft en hoe hoog de luchtvochtigheid moet zijn, waar de planten oorspronkelijk vandaan komen en onder welke omstandigheden ze het best gedijen, hoe ik ze vermeerder en hoe lang het duurt voor een klein plantje uitgroeit tot een grote plant, nemen we elkaar stiekem op en vergelijken we de vrouwen die we nu zijn met de meisjes van vroeger. Heel langzaam krijgt Anna haar zelfverzekerdheid weer terug en begrijp ik hoeveel moed het haar heeft gekost om hier te komen.

Anna kent het huis nog van vroeger, toen oma hier nog

woonde. Sinds twee maanden woon ik hier zelf. De geur van verf en vers hout overheerst alles nog. Ik heb de boel totaal verbouwd en een jaar na oma's overlijden heb ik mezelf bij de kladden gegrepen en ben ik begonnen vloeren en muren te slopen, tegels en houtdelen te verplaatsen, wanden te stuken en met lazuurverf te beschilderen, en het resultaat van dat al is een licht en bontgekleurd heksenhuis. Precies groot genoeg voor één persoon. Precies wat ik nodig heb. Op de begane grond heb ik de muur tussen de keuken en de zitkamer doorgebroken, en in de provisiekamer is nu mijn kantoortje. Op de eerste verdieping werd de badkamer uitgebreid met mijn meisjeskamer en oma's slaapkamer werd voorzien van een balkon en citroengele en abrikooskleurige wanden. En in de tuin heb ik dus een kas neergezet. Vierhonderd vierkante meter met de allermodernste apparatuur op het gebied van klimaatregeling. Voor de bewatering maak ik deels gebruik van de beek die door de tuin stroomt. Op het dak staan zonnecollectoren, om in elk geval in de zomer te kunnen besparen op de elektriciteitskosten. Mijn grootmoeder zou trots zijn als ze dat nog had kunnen zien.

Anna heeft taart meegebracht, die we met een pot koffie en twee kopjes meenemen naar de beek, zoals we vroeger altijd limonade en koekjes mee naar de beek namen. De avond is mild. We gaan op de bank zitten die we jaren geleden samen met oma hebben gebouwd. De koffie dampt in onze kopjes. Het valt stil tussen ons. Sinds mijn grootmoeder dood is, heb ik nooit meer met iemand op deze bank gezeten.

Hier zat ze elke avond. Als ik bij haar op bezoek kwam, dan trof ik haar meestal hier bij de beek, van het vroege voorjaar tot de late herfst. 'Kijk dan hoe het ruist, dat water...'

Ik moest altijd lachen als ze dat zei, want je kunt toch niet zien hoe water ruist, dat kun je alleen horen, tot het op een dag tot me doordring dat oma hardhorend aan het worden was. En toen ze eindelijk overgehaald was om een gehoorapparaat te gebruiken waar ze nooit echt aan zou wennen, toen betrapte ik mezelf op de gedachte: ze wordt echt oud. En een angst bekroop mij, de angst voor dood en verlies.

'De beek,' zegt Anna uiteindelijk, 'die is nog precies de oude.'

En dan hangt dat zwijgen weer tussen ons in; ik heb zoveel te vragen dat ik niet weet waar ik moet beginnen.

Ik bekijk haar steels van opzij. Ze trekt een lok haar uit haar kapsel en gaat er op kauwen. Net als vroeger. Als ze nadacht. Of als ze verlegen was.

'Woon je weer hier in de stad?' vraag ik aan haar.

'Nee,' zegt Anna. 'Ik ben alleen... op bezoek... om het zo maar te zeggen. Ik woon in Zuid-Frankrijk.'

'Zuid-Frankrijk...' herhaal ik, 'heb je daar een baan?'

Ze schudt haar hoofd. Slikt. Dan kijkt ze me recht in de ogen.

'Nee,' zegt ze. 'Ik heb geen baan. Nooit gehad, ook. Het is niks geworden met mijn carrière. Ik heb alles verprutst.'

Van schrik houd ik mijn adem in. Ze drinkt haar kopje leeg.

'Als ik dit allemaal zo zie,' zegt Anna, en ze maakt een vaag gebaar met haar koffiekopje naar de beek en de struiken, naar de lucht, de tuin, de kas en het huis erachter, 'als ik jou hier zo zie, Cari, dan vind ik dat zo geweldig, dan ben ik jaloers op je. Jij gaat je eigen gang. Gewoon, zonder veel ophef. Dat was vroeger ook al zo. Je weet wat je wilt en dat is je ook genoeg. Rustig. Zonder al dat drama en al die ups en downs.'

Ik denk aan de ansichtkaart op mijn memobord, waar Anna niets van weet. Ik vind zelf helemaal niet dat ik het zo goed voor elkaar heb. Ik heb ook zo mijn ups en downs, wil ik zeggen. De kas is officieel van de bank. Ik sta nog maar helemaal aan het begin... Maar ik zeg niets.

In plaats daarvan vraag ik: 'Dus je danst niet meer?'

Anna zet haar kopje naast zich op de bank.

'Jawel,' zegt ze. 'Ik dans nog wel. Ik heb een dansschool, samen met Lucien, mijn vriend. Daar heb ik wel plezier in. Ik ben tevreden.'

Zo tevreden ziet er ze anders niet uit.

'Wat is er gebeurd?' vraag ik. 'Je gaat naar dat balletinternaat en je laat nooit meer iets van je horen. Jij was toch onze ster, je hebt prijzen gewonnen, je kwam op televisie! Je werd in het klasje voor echt begaafde leerlingen geplaatst en weet ik wat nog meer. Iedereen zei dat jou een glansrijke carrière te wachten stond. Dus wat is er dan gebeurd?'

Anna geeft niet direct antwoord.

'Nou ja,' zegt ze uiteindelijk, 'je hebt gelijk, wie weet hoe het had kunnen uitpakken, maar domme gans die ik was: ik werd verliefd op onze dansleraar en nog voor ik eindexamen had gedaan kreeg ik een kind. Het was een gigantisch schandaal, en die vent wou zijn hachje redden, dus hij heeft alles tegengesproken en tot op de dag van vandaag het vaderschap niet erkend. Niet dat het hem wat hielp, want hij raakte zijn baan toch kwijt, maar mij hielp het ook niet. Een zwangerschap – weet je wat dat betekent als je eigenlijk van plan was om de hemel te bestormen en je bijna zover bent dat je de zwaartekracht kunt loslaten? Ik kon hoger en verder springen dan alle anderen, maar al in mijn derde maand was dat allemaal over en uit, en de internationale audities gingen zonder mij van start. De oude Bilaskaja die tot op het laatst achter me is blijven staan zei dat het niets uitmaakte: breng je kind ter wereld en werk daarna gewoon heel hard, dan heb je nog wel een kans. Maar bij de geboorte van mijn kind heb ik mijn bekken verrekt, een paar millimeter weliswaar, maar dat was genoeg. De training werd zo'n kwelling, je hebt geen idee, en er volgde een odyssee van de orthopeed naar de osteopaat, van de masseur naar de chiropractor. Ik heb me zelfs nog laten opereren, hier in München, maar dat heeft ook niets geholpen. En aan het eind van het liedje was ik vierentwintig en al veel te oud voor de Olympus.'

Het is een hele roman, denk ik, samengevat in een paar zinnetjes. Het eind van een droom, en ik weet heel goed, ook al doet Anna nog zo haar best om het verhaal zo emotieloos mogelijk te vertellen – daar heeft ze al die jaren op geoefend, want telkens wanneer je zoiets vertelt, laat je iets weg – dat ze hier alleen het topje van haar ijsberg prijsgeeft. En wat daar allemaal onder ligt aan tranen en ontgoocheling, aan spijt en pijn, aan koppigheid en aan strijdlust en aan hoop die alweer onterecht bleek – zelfs ik, die Anna heeft gekend zoals niemand anders, kan zich daar geen voorstelling van maken.

'Heb je nooit overwogen...' begin ik langzaam, maar ik maak mijn zin toch niet af.

'Om een abortus te laten plegen? Natuurlijk heb ik dat overwogen. Ik heb het zelfs geprobeerd. Ben er speciaal voor naar Nederland gegaan. Bilaskaja had dat voor me geregeld en is zelfs nog meegereden en heeft mijn hand vastgehouden, die oude draak. Maar het is niet gelukt, dat geloof je toch niet? Het zat er nog steeds. Ja, ongelofelijk. Het had zich aan me vastgeklampt, dat kleine wezentje, tegen de klippen op. En toen, ja, toen was het dus echt te laat.'

Anna's hand speelt met haar lege koffiekopje. 'Maar dan heb je dus nu... een kind.'

Het is geen vraag, het is een conclusie.

'Ja,' zegt Anna. 'Victor. Zeven, is hij inmiddels.'

Het wordt koel – het is ook nog zo vroeg in het jaar – en het vocht uit de beek trekt op, dus we gaan weer naar binnen. Terwijl ik wat pasta voor ons in kokend water gooi, vertelt Anna hoe ze na die mislukte bekkenoperatie uiteindelijk had besloten om zichzelf niet meer verder te kwellen en om, in weerwil van de jammerklachten van haar oude balletlerares, haar spitzen aan de wilgen te hangen.

'Begrijp je nu waarom ik nooit meer iets van me heb laten horen?' vraagt Anna. 'Eerst kon ik überhaupt nergens meer over nadenken en daarna schaamde ik me en raakte ik in zo'n uitzichtloze strijd verwikkeld... als ik het allemaal heb gered, dan neem ik weer contact op met Cari, dacht ik een hele poos, en toen duurde dat maar, en hoe langer het duurde, hoe minder moed ik bijeen kon rapen, en toen dacht ik dat je me toch allang vergeten was, en dus heb ik het er maar bij laten zitten.'

Ik knik. O ja, dat kan ik heel goed begrijpen. Maar toch ook weer niet. Waar heb je anders vrienden voor? Toch niet om zich van de ander af te keren op het moment dat je die het hardste nodig hebt? Hoewel ik Anna toen ook niet had kunnen helpen. Troosten misschien, maar wat had ze daar aan gehad. In wezen is men alleen, dat wist ik al toen ik nog een klein meisje was en klossen garen in grafkisten stopte.

'Nou ja,' gaat Anna verder, 'toen ik eindelijk inzag dat ik nooit meer in *grand jetés* over de bühne zou zweven zonder te huilen van de pijn, heb ik er een streep onder gezet. Eigenlijk ben ik als een dief in de nacht vertrokken. Met mijn baby in een draagdoek en een rugzak op mijn rug heb ik een poosje over de wereld gezworven. In Poona heb ik yoga geoefend en in Benares heb ik de Indische tempeldans geleerd en dat heeft me veel goed gedaan,' zegt ze. 'Natuurlijk... de tijd van de grote sprongen is voorbij.'

Anna probeert erbij te lachen. Maar ik weet hoe diep de teleurstelling moet zitten.

Het overwinnen van de zwaartekracht, herinner ik me, dat heeft Anna toen zo vaak gezegd als ik haar van balletles haalde. 'De aarde wil ons vasthouden, maar ik zal haar eens even wat laten zien. Eerst is het een crime, en je denkt dat het je nooit lukt, maar dan, als je geluk hebt, op heel speciale momenten, dan bestaat het niet meer, die aantrekkingskracht van de aarde, en dan heb je het gevoel dat je zweeft. Je springt steeds hoger en verder dan je ooit had kunnen dromen, en alles gaat zo gemakkelijk.'

En ik moet denken aan de avonden waarop we keken naar video-opnames van Nijinski, de nooit geëvenaarde balletdanser. 'Hier, hier, zag je dat?' riep Anna dan buiten zinnen, en dan bevroor ze het beeld. 'Kijk, dat gaat in tegen de wetten van de zwaartekracht, wat hij daar doet, kijk dan. Het is net alsof hij even stilstaat in de lucht. Zie je dat?'

O ja, ik zag het ook, telkens weer, want Anna kon maar geen genoeg krijgen van dit wonder, en 's middags probeerde ze het hem na te doen, en oefende ze haar *grand jetés* en *pirouettes*, tot haar pezen en banden niet meer wilden, en af en toe was het ook gelukt, het wonder. 'Het gebeurt altijd als je het het minst verwacht, Cari,' zei ze totaal uitgeput, 'als je er het minst mee bezig bent. Als je helemaal met jezelf in evenwicht bent, en je een voelt met de ruimte en de tijd, dan gebeurt het, maar dat gebeurt maar zelden, veel te zelden.'

Daar moet ik aan denken terwijl ik de pasta afgiet en een kant-en-klare saus opwarm, de tafel dek en Anna hoor vertellen hoe ze vanuit India naar Australië is gereisd, en vandaar naar Nieuw-Zeeland, waar ze Lucien heeft leren kennen, in een dansschool, die daar net als zij wat bijverdiende. En met hem is ze uiteindelijk teruggekeerd naar Europa.

'In de buurt van Bordeaux hebben we een bestaan opgebouwd,' vertelt Anna, en het klinkt wat bestudeerd. 'Ik ben daar heel gelukkig,' zegt ze, en ze kijkt me aan met die ogen, die nog altijd groot en mooi zijn, maar waarin ik tevergeefs zoek naar het enthousiasme, het vuur en de vastberadenheid om de wetten van de natuurkunde te tarten, koste wat kost.

En dan vertelt ze me de werkelijke reden van haar komst. Morgen gaat ze naar het ziekenhuis en dan zal ze zich nog een keer aan haar heupen laten opereren.

'Ze hebben de vorige keer een stukje metaal laten zitten,' zegt ze luchtig, en ze wikkelt wat pasta om haar vork. 'En dat willen ze weer terug.'

Maar achter haar grijns zie ik hoe erg ze ertegen opziet.

Als ze vertrekt, beloof ik haar dat ik bij haar op bezoek zal komen. Natuurlijk kom ik op bezoek. Van de ansichtkaart heb ik haar nog niets verteld. Het lag me een paar keer voor in de mond, maar ik heb het toch weer ingeslikt. Wat had Anna er ook van moeten zeggen?

Ook mijn oma heeft het nooit met mij over mijn moeder gehad, dus het was altijd alsof ze nooit had bestaan. 'Dat moet je maar aan je vader vragen,' weerde ze al mijn vragen af, 'daar heb ik verder niks mee te maken.'

Ze had het me moeten vertellen, denk ik, zoals zo vaak, en terwijl ik de afwas doe, probeer ik me voor te stellen hoe dat dan zou zijn gegaan: op een dag komt haar zoon thuis met een baby en hij legt uit dat hij vader is geworden en dat er helaas geen moeder bij hoort?

Ja, zo moet het zijn gegaan. En oma was wel de laatste die in zo'n geval onnodige vragen stelde. Wat een familie!

Hoofdstuk 4

Waarin Gregor een berg beklimt en bezoek krijgt van zijn moeder

Toen ik zaterdag in recordtijd de Blaue Tötz beklom en de laatste paar meter naar het kruis op de top een bescheiden eindspurt wilde inzetten, kwam ik ongelukkig op een scherpe rotspunt terecht, zodat de zool van mijn bergschoen – ondanks het feit dat deze gemaakt is door een van de weinige traditionele bergschoenmakers, voor wie ik mijn hand in het vuur zou steken – doormidden brak, en met een onaangenaam knappend geluid, als dat van een elastiek dat springt, viel ik op mijn knie. Vloeken of schreeuwen had geen enkele zin, maar mijn voet zwol in no time op tot een klomp. De schoen was toch al onbruikbaar maar ook zonder schoen kon ik niet meer op die voet staan. Er was nergens een andere bergbeklimmer te bekennen, hoewel ik toch niks aan hen zou hebben gehad, en als ik geen mobieltje bij me zou hebben gehad om de bergwacht te alarmeren had het nog beroerd kunnen aflopen.

Ik werd per helikopter naar het dal vervoerd en vandaar naar het ziekenhuis in Garmisch gebracht, waar ik alles en iedereen maar vooral Arndt voor mijn karretje heb gespannen om me naar München-Großhadern te laten overplaatsen. Daar bevestigden ze de diagnose van hun collegae in Garmisch: een gescheurde achillespees. Ik werd geopereerd, en mijn voet werd in gestrekte stand gegipst, zodat ik de komende weken net een prima ballerina zou lijken. 'In geen geval belasten,' maande de arts mij, 'zelfs niet een heel klein beetje, als u tenminste wilt dat het geneest.' En toen werd ik naar huis gestuurd. 'De komende vier weken moet u natuurlijk thuisblijven,' zei de arts nog ten afscheid. 'Laat u zich maar gewoon lekker verwennen.'

Maar ik heb niemand die mij zou willen verwennen.

'Wat is dát nou?'

Arndt staat voor mijn kastenwand, en heeft de urn in zijn hand. Hij schudt ermee en houdt hem bij zijn oor.

In plaats van naar huis te gaan, had ik de taxi naar de basiliek laten rijden. Ik denk er niet aan om nog een dag langer van kantoor weg te blijven. 'Thuis gaan de meeste mensen dood', luidt het gezegde immers. Ik ben nog nooit ziek geweest, en nu ben ik ook niet ziek. Mijn achillespees moet alleen weer aangroeien, maar sinds wanneer denk ik met mijn voet?

'Het lijkt wel een urn,' zegt Arndt.

Ik geef hem geen antwoord. Het lukt me niet meer de kloppende pijn in mijn voet te negeren. Het zweet staat me op het voorhoofd. Wat heeft Arndt ineens, goddomme, die zwijgzame, terughoudende Arndt. Waarom zit hij er ineens zo bovenop dat hij zelfs het deksel van de urn aan het schroeven is?

Ik sta moeizaam op en trek hem het ding uit handen.

'Waar heb je dat vandaan?'

Die Arndt kan soms echt doordrammen.

'Van mijn oom,' antwoord ik kortaf.

'Cool! Denk je dat hij voor mij ook zoiets kan regelen?'

'Nee,' zeg ik, en ik zet de urn op de documenten die ik had laten opzoeken om mee naar huis te nemen.

'Nee, Arndt, ik denk het haast niet. Hij zit namelijk zelf in die urn.'

Ik beschouw mijn huis aan de rand van de Engelse Tuin al heel lang als een slaapplek, meer niet. En nu zit ik hier op de bank, met alle kussens die ik kon vinden in mijn rug en mijn laptop op mijn knieën. Ik ben eerst een poosje bezig om uit te vinden hoe ver mijn mensen zonder mij zijn gekomen. Het loopt allemaal gesmeerd, ze hebben mij helemaal niet nodig. Ik leun achterover, zucht eens diep en kijk naar het plafond van mijn zitkamer. Ik heb pijn en ik voel me alleen. Gek, ik ben altijd alleen, en dat beschouw ik als mijn grootste goed. Niemand die me op de zenuwen werkt, niemand die iets van me verwacht. Ik heb me nog nooit alleen gevoeld en ik heb ook helemaal geen zin om daar vandaag mee te beginnen. Ik sleep me op mijn krukken naar de wc – zoveel ruimte hebben anderen niet eens voor hun keuken – het is een troon, in feite, met aan weerszijden twee minimalistische sculpturen. Ik heb nog nooit eerder gemerkt hoe groot de afstanden in mijn huis zijn, de makelaar beschreef het destijds als 'royaal', maar nu tel ik iedere stap. Als ik ga zitten, vallen de krukken op de vloer, en vloekend rek ik me uit om ze op te rapen, zonder mijn zere been te belasten.

Het maakt me woedend om toe te moeten geven hoe onverdraaglijk mijn pijn is. ik herinner me de pillen die de arts me bij ontslag uit het ziekenhuis heeft meegegeven. 'Neemt u hier een van als het te erg wordt,' zei hij. Ik strompel naar de garderobe, zoek in mijn jaszak en vindt daar een schone, gestreken zakdoek en een pakje met tandreinigende kauwgom. In de andere zak zit een pen. Maar de pillen zitten er niet in.

Vanuit de deur naar de zitkamer kijk ik naar mijn kamp met de geplette kussens. Ik kan me niet herinneren dat ik ooit ziek ben geweest sinds ik niet meer bij mijn moeder woon, en dit ziekbed valt me zwaar. Ik klem mijn kaken op elkaar en druk mijn krukken onder mijn schouders, en zo beweeg ik me stapje voor stapje naar mijn terrasdeuren. Die doe ik open. De lentelucht en het diepe orkest van stadsgeluiden stromen het huis in. De schemering ligt in een blauwe laag op de boomtoppen van de Engelse Tuin. Een fijne nevel markeert de loop van de rivier de Isar. Er worden steeds meer lichtjes ontstoken, alsof de stad zich opdoft voor de nacht.

Ik ga het terras op, adem de lucht diep in, blijf heel stil staan, en het is net alsof ik alles voor het eerst zie. Ik kan me niet heugen dat ik ooit mijn terras heb betreden sinds die keer dat de makelaar me het huis liet zien. Toen stond ik ook hier, precies op deze plek, en het avontuur met de basiliek lag nog voor me. Er lag nog zoveel voor me. Maar nu voel ik die ondraaglijke pijn die in mijn linkervoet pulseert en ik denk, nee, ik denk het niet alleen, ik zeg het ook hardop in deze ondraaglijk heerlijke avond: 'Waarom moet dit nu uitgerekend mij gebeuren?'

Ik krijg geen antwoord op mijn vraag. In plaats daarvan gaat de telefoon over. Het is mijn moeder die haar bezoek aankondigt, want iemand moet toch voor me zorgen.

'Nee!' roep ik, 'dat is toch helemaal nergens voor nodig.' Maar mijn moeder heeft al opgehangen. De volgende dag komt ze zich dan ook als het Laatste Oordeel over mij uitstorten. En ik voel me ineens hulpeloos. Hulpeloos en oud.

's Nachts kan ik de slaap niet vatten. Het gips drukt me diep in de matras en ik schrik een paar keer op van een gevoel alsof ik in een moeras zak. De pijn in mijn banden kruipt langs mijn been omhoog tot in mijn heup. Rond een uur of twee houd ik het niet meer uit, sta op, strompel wat rond door mijn woning, tot ik pijn in mijn armen krijg, vloek, zet mijn kiezen op elkaar, en vloek nog een keer. Dan schiet het me eindelijk te binnen dat ik mijn jas helemaal niet aanhad, toen ik uit het ziekenhuis vertrok, maar mijn wandeljack. Daar vind ik dan ook de pijnstillers en gulzig neem ik er twee in. Ineens heb ik trek in warme chocolademelk, en ik rommel wat in mijn keukenkastjes, waar ik een paar kruimels Japanse senchathee vind en wat koffiebonen, een bijzondere Keniaanse. Maar geen cacao. In de koelkast staat dat wat mijn hulp in de huishouding wekelijks trouw voor me inslaat: een rol gezouten boter, 200 gram San Daniele-ham verpakt in aluminiumfolie, een dozijn scharreleieren, een liter boerenlandmelk. Dan is er nog het blikje *foie gras* dat al heel lang voor noodgevallen in een hoekje op de onderste plank van de koelkast ligt. En dat noodgeval is nu aangebroken.

Ik zoek net zolang tot ik een pan heb gevonden en breek daar drie eieren in. Ik rooster wat boterhammen en maak het blikje ganzenlever open. Dat het fornuis het überhaupt doet vind ik verbijsterend. Ik kook nooit thuis, en voor mijn ontbijt maak ik mijn zachtgekookte eitje altijd in een eierkoker, en mijn eerste espresso drink ik op de zaak. Vannacht leg ik een paar plakken van de parmaham op de eieren als die bijna goed zijn. Wat gaat het toch allemaal moeizaam, huppend op één been, en met de krukken die zo in de weg staan en voortdurend op de grond vallen. De simpelste handelingen worden zo een logistiek avontuur.

Het lukt me toch op de een of andere manier om met de eieren naar de eettafel te manoeuvreren en net als ik lekker in mijn toast met ganzenlever wil bijten valt mijn blik op de urn van oom Gregor. In een idiote impuls om mijn peetoom tegen Arndt te beschermen, heb ik de urn namelijk mee naar huis genomen. Ik bekijk het niet meer zo glimmende oppervlak. Ik denk aan het ziekenhuis, aan de bittere geur die er in de gangen hing – zo ruikt de dood. Waar is oom Gregor eigenlijk aan overleden? Hij was toch nog helemaal niet zo oud, nauwelijks ouder dan mijn vader en dat is een kerngezonde middenvijftiger. Hij zal wel ziek zijn geweest, denk ik, want hoe wist hij anders zo precies dat hij zou komen te overlijden?

Langzaam en aandachtig kauw ik op mijn geroosterde boterham met foie gras en schuif mijn eieren met ham naar binnen, een combinatie die ik anders nooit zou eten. Het zweet staat me alweer op het voorhoofd, en ik voel me gespannen. Maar de pijn is lang zo hevig niet meer als eerst.

Ik hup naar de urn en schroef het deksel los. En onder een fijne laag as tref ik daarin een opgevouwen stapeltje papier. Ik klem de urn onder mijn arm en sleep hem mee naar de wastafel. Voorzichtig trek ik de brief van oom Gregor eruit, ontdoe die van asresten en steek hem in de zak van mijn badjas. Dan begeef ik me naar de bank, maak het me zo gemakkelijk mogelijk, en zoek naar de plek waar ik ben opgehouden met lezen.

... dat men een mens zijn laatste wens niet ontzeggen mag. Ik denk dat je dat wel in zult zien. Het zal je zeker even wat tijd kosten voor je je besluit hebt genomen en je zaken hebt geregeld zodat je een paar weken weg kunt. Maar wacht er niet te lang mee. Straks vergeet je me nog en dan komt je moeder op een dag op bezoek en dan ziet ze mij in de urn staan – die schrik willen we haar toch zeker besparen, of niet soms?

Ik moet lachen. Hij heeft gelijk. Voor mijn moeder zich hier morgen aandient, moet ik eerst oom Gregor goed verstoppen.

Maar waar? Mijn moeder is van elke discretie gespeend, en doorzoekt mijn hele huis, op zoek naar sporen van een eventuele vrouw in mijn leven. Ze is er zo opgebrand om kleinkinderen te krijgen, en omdat deze plicht na Heinrichs overlijden alleen nog op mij rust... Ach, ze kan de boom in.

Verdomme. Ik was helemaal vergeten dat ik aan het herstellen ben. De orthopeed was zelf helemaal verrukt van zijn ouderwetse vakwerk. Met speciale touwtjes – ja, je hoort het goed, touwtjes – zijn de beide eindje pees aan elkaar geknoopt. En dan moeten ze weer heel voorzichtig aan elkaar groeien. 'Over een week of tien, twaalf bent u dit weer helemaal vergeten. Dan springt u weer in het rond als een jonge hinde...' Dat zal wel, maar voorlopig verga ik van de pijn als ik zelfs maar probeer op te staan.

Wat moet ik nu met die urn? Ik kan hem toch moeilijk in de vuilnisbak gooien. Ik zou hem aan mijn ouders mee kunnen geven. Hier heb je je familielid, doe maar met hem wat je goeddunkt.

Ik weet natuurlijk eigenlijk heel goed wat er dan zou gebeuren. Mijn moeder zou niet rusten voor oom Gregor onder de zoden zou liggen. Het nut van een drievoudige verstrooiing in zee ontgaat haar volledig. Een fatsoenlijk mens hoort te worden begraven, hoor ik haar al zeggen, met haar handen op haar heupen. En ook al komt het mij bepaald niet goed uit, ergens heb ik toch het gevoel dat ik oom Gregor van mijn moeders resolute gebrek aan fantasie moet redden.

Want ook al lijk ik in zekere zin op haar, wat onze pragmatische instelling betreft, toch wil ik per se mijn leven op mijn manier leiden. Ik heb er nog nooit zo bij stilgestaan, maar vannacht is het me duidelijk geworden: ook ik ben een buitenbeentje, en daar ben ik zelfs trots op, en ook ik wil me voor geen prijs aan iemand anders binden en me op geen enkele manier van iemand anders afhankelijk maken. En ik sta erop dat mijn wensen, hoe eigenaardig die ook mogen zijn, worden gerespecteerd. En daarom zal ik oom Gregors laatste wens dan ook respecteren.

Weet je wel wat dat betekent, vraag ik me af. Wil je echt door half Europa reizen, of misschien wel over de hele wereld? Nee. Daar komt niets van in. Maar ik vind wel een oplossing. Ook dit keer zal me wel weer wat invallen. Eerst maar eens zien wat oom Gregor nog meer te zeggen heeft.

Het is eigenlijk heel eenvoudig. Zodra je er klaar voor bent, bel je mijn goede oude vriend Sebastian Nadler op, en dan zal hij je zeggen hoe het verdergaat. Dat wil zeggen: ík zal het je vertellen, want Sebastian is in het bezit van een tweede brief, die hij je zal overhandigen. Daarin zul je lezen wat je met die sleutel moet. Want dat die in een bepaald slot past, dat had je natuurlijk al bedacht.
Zo, dan wens ik je veel besluitvaardigheid toe. Ik hoop dat ik je niet al te veel onaangename ervaringen bezorg. Het zal over het algemeen gladjes verlopen, denk ik, en de zin en het nut zullen we toch pas achteraf kunnen vaststellen. Ik wens je alle goeds en tot spoedig,

groeten van je overleden oom Gregor.

Mijn god, oom Gregor. Ik probeer me voor te stellen hoe hij deze brief en die andere, die hij dus bij ene Sebastian Nadler in bewaring heeft gegeven, en wie weet hoeveel andere brieven daarnaast nog, heeft geschreven, en hoe hij me als overledene moest begroeten. Ik kan me niet herinneren wanneer ik hem voor het laatst heb gezien, en weet zelfs niet eens meer hoe hij eruitzag. Ik schat zo in dat hij er wel lol in had om deze brief te schrijven. Een bijzonder soort plezier en in zekere zin ook ten koste van mij. Nou ja, wat maakt mij het ook uit dat hij een beetje de draak met me steekt door mij op deze avontuurlijke hindernisbaan te sturen; op de een of andere manier moet ik hem toch in de zee zien te krijgen, waar hij zijn laatste rustplaats of wat dan ook zal vinden. En ineens weet ik de oplossing. Ik pak mijn krukken, hijs mezelf omhoog, sleur mezelf naar mijn laptop en zet die aan.

Terwijl het beeldscherm opflakkert en de programma's worden geladen kies ik het nummer van mijn ouders. De telefoon gaat tien keer over voor ik de stem van mijn moeder hoor.

Terwijl ik verbinding maak met het internet zeg ik haar wat ik te zeggen heb, dat ze echt niet hoeft te komen. Maar of ze, als ze dan echt per se wil komen, een paar foto's wil meenemen. Van oom Gregor. Als ze die tenminste heeft.

'Zeg,' antwoordt de stem van mijn moeder, 'weet jij eigenlijk wel hoe laat het is?'

Ik kijk op mijn horloge. Het is even na halfvijf.

'Neem me niet kwalijk,' zeg ik, maar mijn moeder luistert helemaal niet naar me.

'En hoezo foto's van oom Gregor? Wist jij eigenlijk wel dat er nooit een begrafenis is geweest? Tenminste, niet dat iemand ons daar ooit iets over heeft gezegd. Dat is toch een schandaal? Per slot van rekening is het de broer van je vader, en hij heeft ons ook helemaal niks nagelaten. En jou ook niet. En jij bent nog wel zijn petekind. En die lui in Nederland willen ons er niets over vertellen. Daar moet jij eens wat aan doen!'

Ik grijns, van oor tot oor. Ik weet zeker dat mijn peetoom dit precies zo voor zich heeft gezien en dat hij zich hier ook heimelijk om heeft verkneukeld. Maar mijn moeder is nog niet klaar. Ze is nu overduidelijk klaarwakker en ze heeft nog heel wat te melden over dit thema.

Ik vraag me af: waar is het lijk dan? Familieleden hebben toch recht op een lijk? Die Nederlandse notaris zei dat je oom anders heeft beschikt, wat betreft zijn stoffelijk overschot. Wat er dan mee is gebeurd, wil hij niet zeggen. Je vader denkt dat hij zijn lichaam misschien ter beschikking van de wetenschap heeft gesteld. Wat denk jij?'

'Zou kunnen,' antwoord ik, en ik moet een lachje onderdrukken.

'Nou, ik geloof er niets van,' klinkt er uit de hoorn van de telefoon.

'Wees blij,' opper ik, 'dat is weer een graf minder om te onderhouden.' Maar ik heb meteen spijt van die opmerking, want ik weet precies wat er nu gaat komen. Een eindeloze litanie over hoeveel moeite het kost om al die graven bij te houden met zo'n grote familie, waarvan al zovele leden niet meer onder ons zijn, en hoe schandalig de meeste levenden zich gedragen. Die geven geen moer om de noodzakelijke bloemenhulde en de met mos begroeide grafzerken die je toch aan de overledenen verschuldigd bent. Die laten haar al het werk opknappen en denk maar niet dat ze ooit een keer langskomen om de vruchten van haar arbeid te bewonderen. Maar ja, dit is mijn eigen schuld. Hoe kom ik er ook bij om mijn moeder op te bellen, en geheel tegen mijn gewoonte laat ik haar praten, en zeg ik om de paar minuten 'hm-hm' en 'ja-ja'. Ondertussen voer ik 'begrafenissen op zee' in als zoekopdracht, en ik scroll door de diverse aanbiedingen van begrafenisondernemers die een dergelijke laatste rustplaats in hun online aanbod hebben opgenomen.

Met het motorschip de Farewell of de Laatste Rust kan men opteren voor een 'sobere, waardige ceremonie'. Men kan zijn as in een 'eco-urn', die overeenkomstig de milieuvoorschriften zonder reststoffen oplost, op een bepaalde vooraf overeengekomen plek laten afzinken, en als men dat wil kan er een blaaskapel bij aanwezig zijn om de muziek te verzorgen. Of men laat een muziekopname afspelen. Alles volkomen individueel. Er staan zelfs foto's op het net van een soort 'onderwaterkerkhof', op de bodem van de zee, waar de zeelelies welig tieren. En terwijl mijn moeder me voorrekent wat een fatsoenlijke begrafenis tegenwoordig moet kosten, en dan rekent ze de grafsteen en de verzorging van het graf nog niet eens mee, lees ik welke voordelen een begrafenis op zee allemaal biedt: en dan hebben we het nog niet eens over het ontbreken van enige financiële nasleep.

Maar toch. Travemünde. Sylt. Timmendorf. Allemaal door de overheid aangewezen plekken. Dat is niets voor mijn peetoom. En terwijl ik nog meer websites open, lees en vergelijk, kom ik tot de conclusie dat dit gewoon een begrafenisindustrie is als alle andere. Dat er helemaal geen ruimte is voor bijzondere wensen. Er wordt niet voorzien in de mogelijkheid om je ergens anders te laten begraven dan in Duitsland, en ik weet vrijwel zeker dat mijn oom niet in de Oost- of de Noordzee wil eindigen.

'Luister je eigenlijk wel?'

Ik heb niet gemerkt dat de woordenvloed aan de andere kant van de lijn was opgedroogd.

'Moeder,' zeg ik, 'je hoeft echt niet te komen. Ik red me wel alleen.'

'Natuurlijk kom ik wel,' snauwt ze terug. 'Ik ga nu ontbijten en dan stap ik in de auto...'

'Neem dan een foto mee. Van oom Gregor.'

Het valt stil aan de andere kant.

'Sinds wanneer ben jij in je familie geïnteresseerd?'

'Ik ben helemaal niet in mijn familie geïnteresseerd,' reageer ik norser dan bedoeld. 'Ik ben alleen in mijn oom geïnteresseerd.'

'Rijkelijk laat, vind ik. En als je je dan bedenkt dat hij zich nooit voor jou heeft geïnteresseerd...'

'Neem nou maar gewoon een foto mee, ja? Of laat ook maar, voor mijn part!'

Grote god, moet ze nou echt altijd en overal commentaar op hebben? Ik blijf nog lang op de bank zitten en staar met lege, vermoeide ogen voor me uit. Ik moet dit huis uit, want hier word ik gek van, om zo tussen vier muren opgesloten te zitten.

Ik grijp nog een keer naar de telefoon. In tegenstelling tot mijn moeder neemt Arndt klaarwakker op. Dat wist ik wel. We zijn uit hetzelfde hout gesneden.

'Mijn moeder wil langskomen,' zeg ik, 'dus ik kan pas begin van de middag op kantoor zijn. Maar kom straks anders hier naartoe om te ontbijten, dan kunnen we wat dingen bespreken.'

Arndt vindt alles goed. Alsof er een enorme last van mijn schouders valt zak ik terug in de kussens. Slaperig zie ik hoe de lucht geleidelijk kleur krijgt, tot het eerst ochtendlicht mijn huis in de schemering zet. Ik houd van dat korte, nauwelijks merkbare moment waarop het licht doorzet om het donker – in elk geval voor de komende dag – te verdringen. Maar vanochtend mis ik dat moment. De vermoeidheid valt plotseling als een sluier over me heen.

'Hier,' zegt mijn moeder een paar uur later, en ze legt een fotoalbum op tafel.

Dan gaat ze uitpakken. Tot drie keer toe maakt ze de tocht van de garage naar mijn penthouse en ze bouwt tot mijn ontzetting mijn grote keuken helemaal vol met kartonnen dozen en tassen. Uitgeteld strompel ik achter haar aan, probeer nergens over te struikelen, kijk in manden en open tassen, leg de dingen die zij in mijn kasten stopt op een andere plek, en verbaas me over de producten die zeker nooit mijn maag zullen kwellen, tot een flinke ruzie uitbreekt en mijn moeder door mijn huis schiet als een losgelaten ballon. En bij gebrek aan deuren waarmee ze, zoals ze thuis zou doen, zou kunnen smijten, gaat ze weer naar de keuken, om met dozen en pakjes soep om zich heen te gooien.

En dan moet ik lachen, ik kan er niks aan doen. Ik ben er

weer eens ingetrapt, in het spelletje dat wij al ons hele leven spelen. Een van mijn ouders heeft het toneel nog niet betreden of ik schiet in mijn rol als zoon, een rol waarvan ik eigenlijk dacht dat ik hem na mijn puberteit achter me had gelaten. Ik loop naar mijn vuurspuwende moeder toe, struikel over een kist met Schwarzwälder appelsap, val in haar armen alsof het een toneelscène betreft, en blijf dan aan haar hangen omdat mijn krukken weer eens alle kanten op vallen. De een valt schrapend tegen het edelstaal van mijn Siemens koelkast en laat daar een flinke kras achter. 'Ondankbare hond,' scheldt mijn moeder, maar dan schiet zij ook in de lach en het eind van het liedje is dat ik een kop koffie voor ons zet, ook al moet ik mijn moeder daarvoor bijna op de bank vastbinden.

En daar zitten we dan, omhuld door de geur van arabica, met voor ons op tafel het fotoalbum. We kijken er allebei naar, en geen van beiden snijdt het thema 'Oom Gregor' aan in dit zo zeldzame vredige moment. In plaats daarvan vraag ik haar, met mijn blik op een vierhoekig ding dat in een plastic omhulsel met ritssluiting tegen de muur in mijn zitkamer aan geleund staat: 'Wat is dat eigenlijk?'

Mijn moeder geeft niet direct antwoord. En ik begin iets te vermoeden, twee meter lang, negentig centimeter breed, 'Nee,' zeg ik, en het klinkt eerder als een smeekbede. 'Daar komt niets van in. Ik boek wel een kamer voor je in het hotel op de hoek...'

'Gregor,' zegt mijn moeder, en ze haalt diep adem. 'In jouw toestand, nou ja, ik vind dat jij 's nachts niet...'

'Nee,' zeg ik, en ik raap al mijn vastberadenheid en moed bijeen, 'jij komt hier echt niet logeren, echt niet...'

'Maar ik zal je helemaal niet storen, ik beloof het, en jouw huis is zo ontzettend groot, je merkt niet eens dat er nog iemand...'

'Nee,' schreeuw ik uit, en ik schrik er zelf van, en meen de stem van mijn vader te herkennen, als die zich geen raad meer wist, vroeger, toen ik nog klein was en ik me met mijn eeuwige baantjes de hele middag in het zweet werkte, 's avonds naar mijn kamertje vertrok om huiswerk te doen of te lezen, terwijl mijn vader, ontsnapt aan zijn geestdodende kantoorbaan, reddeloos was overgeleverd aan de koppigheid van mijn moeder.

'Nee,' herhaal ik iets rustiger maar met klem, 'ik wil gewoon niet dat je hier blijft slapen, en ga nou niet meteen weer ruziemaken, want anders...'

'Ja, het is al goed,' valt mijn moeder me in de rede, en ze trekt een pruillip. 'Maar ik ga zeker niet in een hotel. Dan rijd ik vanavond wel gewoon naar huis.'

Ik durf nauwelijks adem te halen van opluchting. Ik was bang dat mijn moeder hier zou intrekken, en die enorme voorraden die ze heeft meegebracht duidden daar ook op. Maar dat ze het lef had om meteen maar met een logeerbed aan te komen – nou, als ze hoopt dat ik me bedenk en dat ik haar morgen toch vraag om te blijven, dan vergist ze zich.

'Jij bent een heel vreemde zoon,' zegt mijn moeder, en ze werpt een blik in haar koffiekopje. 'Je belt nooit. En wanneer ben je voor het laatst thuis geweest?'

Dit is mijn thuis, wil ik zeggen, maar ik laat het gaan. Nee, ik weiger om weer in de discussie te verzanden die mijn moeder elk jaar weer uitlokt. Ik sta op mijn onafhankelijkheid. Maar ik laat haar praten. De hoofdzaak is dat ze haar logeerbed weer meeneemt naar de auto, en dat ze vanavond teruggaat naar haar eigen leven en mij verder met rust laat.

'Weet je wat ik wel eens denk?' gaat mijn moeder verder. 'Toen Heinrich overleed, ben ik jullie allebei kwijtgeraakt.'

En dan zegt ze niets meer, zet haar kopje op tafel, trekt het album naar zich toe en slaat het open. Twee baby's op een badhanddoek. Identiek. Ik wil wegkijken. Twee jongetjes in tuinbroekjes, twee of drie jaar oud. 'Iedereen zei altijd dat ze jullie niet uit elkaar konden houden,' zegt mijn moeder, 'maar dat sloeg nergens op.'

Ze bladert terug.

'Hier,' zegt ze, en ze geeft me het album, 'dit is bij jullie doopsel. Dit is je oom.'

Ik zie een groep jonge mensen in een kerkportaal staan, herken mijn moeder, slank en fragiel staat ze daar in een jurk met ruches en een klokkende rok, en naast haar staat mijn vader in pak. Aan de andere kant van mijn moeder staat een gedrongen, blonde man met een brede grijns – oom Heinrich. Hij houdt een versierd kussen in de armen alsof het een bom is. Dat mijn broer op dat kussen ligt kan ik slechts vermoeden, want je ziet verder niets van de dopeling. Je ziet alleen het kussen. Naast mijn vader, tegen de rand van de foto, staat nog een man. Donker, lang, in een kapiteinsuniform. Dat is oom Gregor. Hij heeft ook een kussen op de arm, dat hij naar de camera heeft gedraaid en opgericht, zodat je duidelijk het hoofdje van de zuigeling met een felblauw babymutsje kunt herkennen. Het lijkt net of Gregor senior en Gregor junior eensgezind naar de camera kijken.

'Je viel bijna van dat kussen af,' zegt mijn moeder, 'een seconde later kon ik je nog net opvangen.'

Ik geloof er geen woord van. Op die foto lijken ze heel erg op elkaar, mijn vader en zijn broer, en ik ben me er van bewust dat ook ik qua uiterlijk op hen lijk.

'Waarom mag je hem niet?' wil ik weten.

Mijn moeder snuift, wendt haar gezicht af en geeft geen antwoord. Ik blader door. Ik zie mijn broertje en mijzelf in de speeltuin, als cowboy en als indiaan verkleed op een kinderpartijtje, en met dezelfde schooltassen bij de poort van de basisschool.

'Heeft hij je iets misdaan?'

Ze houdt het hoofd nog steeds afgewend, alsof ze door het raam naar de lucht tuurt.

'Je kon niet op hem rekenen,' zegt ze uiteindelijk, maar er klinkt iets door in haar stem dat me de oren doet spitsen.

'Hoe bedoel je dat?'

'Nou ja...' mijn moeder zoekt naar woorden, en dat is al verbijsterend op zich. 'De wijde wereld, dat was voor hem het enige wat telde. Wij waren maar een stel landrotten,' zegt ze uiteindelijk fel, zoals ik van haar gewend ben. 'Hij liet nooit wat van zich horen, snap je, zelfs niet op familiefeesten. Hij wilde niets van ons weten, hij was gewoon... nou ja... volkomen onbetrouwbaar. Ik was er tegen, maar je vader wilde per se dat hij je peetoom zou worden. Ik kon op mijn kop gaan staan, maar je vader stond erop. Je kent hem...'

Ja. Ik ken mijn vader. En daarom verbaast me dit ook zo. Ik kan me niet herinneren dat mijn vader ooit iets belangrijks heeft doorgedrukt. Ik sla de bladzijde in het album om, in de hoop dat er nog meer foto's van mijn oom in staan. Maar er volgen nog meer foto's van mijn broer Heinrich en mijzelf, in identieke kleren. Ik zie mezelf op negenjarige leeftijd met een rode honkbalpet op, die ik van mijn zelfverdiende geld had gekocht. De rode pet lijkt een schreeuw om individualiteit. Maar mijn moeder kocht al snel precies dezelfde pet voor Heinrich, en vanaf dat moment heb ik de mijne nooit meer gedragen.

Ik had het kunnen weten. Een andere Gregor, diep in mij, blijft er almaar aan denken, slaat de beelden in zich op en houdt ze levend, of hij nu wil of niet. Ik blader door, ook al weet ik precies wat er gaat komen, wat toen ook kwam, na de eerste schooldag en de kinderfeestjes en de rode honkbalpet die ik daarna nooit meer op heb gehad omdat Heinrich altijd alles voor me verpestte, alles van me afpakte, mij na-aapte, en al als Gregorkopie ter wereld kwam. Wat ik ook probeerde om een zelfstandig, uniek leven te leiden, een paar seconden later dook Heinrich altijd weer op, deed me na en pakte het weer van me af. Net als toen hij een paar seconden, of misschien waren het wel minuten, na mij ter wereld kwam, mijn overbodige dubbelganger, die zo vervloekt veel op me leek en die toch een wereld van me af stond. Want er was wel degelijk verschil tussen ons, jazeker. Dat wisten we allebei dondersgoed. Ik was sneller, slimmer, en niet alleen op school, waar Heinrich het van zijn ijver moest hebben. De eerste keer dat het verschil tussen ons heel duidelijk werd, was toen ik besloot om te leren duiken, en Heinrich uiteraard ook meteen bij het plaatselijke zwembad werd aangemeld. Maar Heinrich had een kleine beschadiging aan zijn trommelvlies, en toen we in de zomer in een meertje gingen duiken, mocht hij niet meer mee.

Toen we nog klein waren, heb ik eens een hele winter en zomer vol verlangen zitten broeden op een plan om mijn broer Heinrich om te leggen. Maar het lukte niet. Toen ik hem keihard van de slee duwde, belandde hij in een sneeuwverstuiving, krabbelde op en had nog geen schrammetje. En toen ik hem in het zwembad van de tien meter hoge duiktoren duwde, viel Heinrich als een steen in het water en kwam hij doodleuk weer boven water. Heinrich was gewoon niet dood te krijgen. Uiteindelijk ben ik er maar mee opgehouden het te proberen. Dus ik was helemaal niet voorbereid op wat er daarna gebeurde. Niemand was er op voorbereid. Ik had nooit gedacht dat uitgerekend Heinrich eens een initiatief zou nemen. Hij was een imitator, een plagiaatpleger, hij aapte na wat ik hem voorleefde, en hij was nog nooit ergens uit eigen beweging aan begonnen. En toen, op een mooie dag, midden in de zomervakantie, terwijl ik in een glasscherf was gestapt en onze moeder met mij naar de dokter was gereden, en ik de eindproef van de duikcursus moest missen, jatte Heinrich mijn duikuitrusting en deed zich voor als Gregor. Hij reed met de groep mee naar het meertje, dook erin zoals alle anderen, maar toen hij veel te laat en op een heel andere plek weer opdook, bleek hij levenloos in het water te drijven. En toen men zijn duikbril afdeed, zat die vol met bloed dat uit zijn neus en oren was gestroomd.

Ik heb nooit begrepen waarom mijn broer dat heeft gedaan. Wilde hij mij soms bewijzen dat hij ook stoer was? Of wilde hij mijn examen voor me redden, omdat ik anders pas volgend jaar zomer weer examen zou kunnen doen? Maar Heinrich wist toch ook wel dat hij me daar geen plezier mee zou doen. Hij wilde dat dus ook al van me afpakken, dat dacht ik, terwijl om me heen de wereld in verdriet werd gedompeld. Ik kreeg steeds sterker het gevoel dat wat mijn moeder betrof de verkeerde zoon verongelukt was. In Gregors plaats... dat kreeg ik voortdurend te horen, in jouw plaats... Ja, Heinrich was voor mij in de plaats gestorven, dat werd mij in elk geval in de herfst wel duidelijk, toen de school weer begon en de plek naast mij leeg bleef, omdat de andere kinderen eerst niet met mij durfden te praten en me zo raar aankeken. Alsof ik het recht niet had om hier te zijn en te leren rekenen en schrijven, alsof er niets was gebeurd. Ja, Heinrich is voor mij gestorven, en daarmee is het hem, de imitator, de plagiaatpleger, dan uiteindelijk toch gelukt om een rol te spelen binnen en buiten ons gezin die ik nooit zou kunnen overtroeven.

Ik voel dat mijn moeder naar mij kijkt. Waarom heeft ze nou juist dit album meegebracht, vraag ik me af. Ik had toch alleen gevraagd om een foto van mijn oom, en ik was er niet op voorbereid om Heinrich en mezelf in onze duikpakken bij het zwembad te zien en al helemaal niet op het graf met de witte steen waar mijn moeder vroeger elke dag naartoe ging. Waarschijnlijk nu nog steeds. Er liggen altijd verse bloemen op het graf. Ik ging er vroeger alleen maar heen als ze me dreigden met hel en verdoemenis, en ik ben niet één keer meegegaan op Allerheiligen, en dat heeft mijn moeder me nooit vergeven. Dat weet ik zeker.

'Waarom heb je dit meegebracht?' vraag ik, en ik klap het album dicht.

'Het is jouw album,' zegt mijn moeder. 'Dat hebben je vader en ik jaren geleden al voor je gemaakt. Ik heb het voor je meegenomen, en nu mag jij er mee doen wat je wilt.'

Daarna gaat ze eens flink aan de slag. Ze belt mijn werkster en zorgt er voor dat die de komende week elke dag langskomt (totaal overbodig, want ik denk er niet aan om thuis te blijven hangen, maar dat zeg ik niet tegen mijn moeder). Dan rijdt ze met me naar de dokter, bestookt hem met vragen, om vervolgens samen met mij betere krukken uit te zoeken bij het Groene Kruis. Daarna snort ze een chiropractor op die dagelijks bij me op huisbezoek moet komen (of eigenlijk: in de basiliek, maar dat zal ik hem mededelen als mijn moeder weer naar huis is) om met doelgerichte oefeningen overbelasting van het gezonde been te voorkomen, en om straks, als het gips eraf mag mijn voet te trainen.

En zo wordt het avond, en het logeerbed staat nog altijd tegen de muur. Mijn moeder ploft uitgeput op mijn bank en ik grijp naar de telefoon.

'Wil je een kamer met uitzicht op de Engelse Tuin, of liever over de stad? Je ziet thuis genoeg bomen, of niet?'

Mijn moeder werpt me een blik toe die mij al van jongs af aan het gevoel gaf dat ik iets heel ergs op mijn geweten had, of ik nu wist wat dat was of niet. Het heeft decennia gekost voor ik eindelijk immuun was voor die blik.

'Uitzicht op de stad, dus,' beslis ik kalm, en ik reserveer een van de beste kamers, inclusief ontbijtbuffet, ook al weet ik dat zij voor het ontbijt gewoon naar mij toe komt, om mevrouw Schellbach met argusogen in de gaten te houden als die aan het werk is en om haar nog allerlei aanwijzingen te geven. Het is mij wel duidelijk dat dat precies de reden is waarom ze niet nu al in haar auto stapt en naar huis rijdt. Want als mijn moeder iets haat dan is het wel een overnachting in een hotel. Dat heeft ze voorzover ik me herinner altijd weten te vermijden. Maar ik trek het niet als er iemand anders in huis is. Er is nog nooit een vrouw bij me blijven slapen. Ik zorg er altijd voor dat ik bij hen overnacht en nooit omgekeerd. Dus de vraag 'bij jou of bij mij' is nooit aan de orde geweest. Annette maakte het me ook in dat opzicht gemakkelijk. Het is echt ontzettend jammer dat we elkaar niet meer kunnen zien, maar aan de andere kant mis ik haar niet. Ik denk alleen dinsdags aan haar, en dan mis ik haar hartstochtelijke omhelzingen wel, maar ik zie wel dat ik haar niet genoeg mis om weer binnen te dringen in het leven van deze vrouw, van wie ik eigenlijk verder niets weet.

Weer merk ik dat mijn moeder mij observeert. Ze denkt er het hare van, maar bij wijze van uitzondering zwijgt ze. Ik bespeur een ongewoon milde glimlach op haar gezicht, en dan snap ik waarom ze mij een verdere discussie over haar slaapplek bespaart. Zij denkt dat er een vrouw in het spel is, en dat haar zoon haar om die reden niet in huis wil. En als dat het geval is, dan haalt zij wel bakzeil.

Ze gelooft maar wat ze wil geloven. En terwijl ze boterhammen maakt op de manier die ik als kind al zo haatte, met augurken en reepjes paprika uit het zuur op salami, en dat op fabrieksbrood dat ze dik met boter heeft besmeerd, trek ik een fles van mijn lievelingswijn open. Ik ben blij met mijn nieuwe, lichte krukken. Dan pak ik er een zak Italiaanse cantuccini bij en maak ik het mezelf gemakkelijk.

'Heb je geen andere foto's meer van oom Gregor?' vraag ik, terwijl mijn moeder met een bord vol boterhammen uit de keuken komt.

Ze schudt het hoofd en haar gezicht betrekt weer.

'Is dit echt de enige?'

'Je weet toch zelf ook wel dat hij er nooit was. Dus staat hij ook op geen enkele foto.'

Ze bijt in een boterham met salami, kauwt, en kijkt misprijzend naar het droge koekje in mijn hand. 'Je moet iets eten wat vult,' maant ze mij, 'geen wonder dat je pezen knappen als je alleen maar van die droge troep naar binnen werkt.'

'Hij kwam niet meer vanwege jou,' zeg ik.

Mijn moeder gooit haar boterham weer op het bord.

'Vanwege mij?' roept ze geïrriteerd. 'Is het soms mijn schuld dat Gregor Beer liever de hele wereld afreist dan dat hij zijn familie bezoekt? Is het soms mijn schuld dat hij nooit eens terugschreef, niet belde met de feestdagen, en dat hij zich helemaal niet om zijn petekind bekommerde?'

'Maar daar moet toch een reden voor zijn geweest,' zeg ik, en terwijl ik dat zeg, denk ik: waarom moet daar eigenlijk een reden voor zijn geweest? Als het aan mij lag, dan zou ik je ook geen reden kunnen geven. Mijn moeder is klaar met haar brood. Ze kauwt goed, en ik hoor de augurk tussen haar tanden knappen. En als ik al geen rekening meer houd met een antwoord, zegt ze plotseling doodkalm: 'Geloof me, daar was een reden voor. Maar nu is hij dood. Laten we nou maar geen oude koeien uit de sloot halen.'

Het is de middag van de volgende dag, en mijn moeder is er nog steeds. Ik heb het gevoel dan mijn geduld begint op te raken. Het vloeit uit me weg als zand in een zandloper, gestaag, onstuitbaar. De dag begon al slecht. Zoals verwacht belde mijn moeder al voor het ontbijt aan, om zeven uur. Ik had eindelijk weer eens diep en vast geslapen, en ik was in een rothumeur toen ze me wakker belde. Alsof het allemaal nog niet erg genoeg is, behoort mijn moeder tot het soort mensen dat vroeg opstaat en dan meteen volkomen uitgeslapen losbarst in een eindeloze stortvloed van gebabbel, terwijl ik weliswaar ook vroeg op ben, maar zwijgend wil genieten van de eerste uren van de dag.

Mevrouw Schellbach kwam, en in plaats van haar haar werk rustig te laten doen, greep mijn moeder meteen naar de dweil. Ze is niet gewend om toe te kijken, terwijl een ander het huishouden doet en zich het voorrecht toe-eigent om voor haar zoon te zorgen. Ik zie te laat in dat mijn moeder mevrouw Schellbach steeds meer als concurrente gaat zien die ze moet overtreffen en op haar nummer moet zetten. Hoe ik ook mijn best doe, ik kan niet voorkomen dat ze mijn beddengoed verschoont. En in de linnenkast heb ik de urn verstopt. Ik probeer tevergeefs om mevrouw Schellbach te beschermen tegen de overdreven nijver van mijn moeder, maar niets helpt, en uiteindelijk stuur ik haar, tot mijn moeders grote ergernis, voortijdig naar huis, en geef ik haar een ruime tip. Als we weer alleen zijn, lijkt de oorlog bijna uit te breken.

'Moet je eens goed luisteren,' zeg ik zo rustig mogelijk, 'nu is het echt klaar. Ik red me wel zonder jou. Wat zou je er van zeggen als je weer eens naar huis ging?'

Mijn moeder kijkt me aan met een blik die bedoeld is om mijn hart te breken. Met die blik heeft ze al veel gedaan weten te krijgen in haar leven. Het is de blik van een miskend schepsel, dat niets dan liefde schenkt en altijd weer wordt afgewezen, want de wereld is nu eenmaal vol ondankbaarheid en verraad.

Op dat ogenblik gaat mijn mobieltje. Het is het hoofd marketing van mijn grootste klant, die per se met mij persoonlijk over de nieuwe televisiereclames wil praten, en die een eindeloos verhaal afsteekt over de huiskleur, die wat hem betreft te weinig in die reclames voorkomt. En terwijl ik geduldig voor de honderdste keer uitleg dat het slimmer is om wat spaarzaam om te gaan met de huisstijl, volg ik uit mijn ooghoek de rusteloze ronde die mijn moeder door mijn huis maakt. Nu glipt ze alweer de slaapkamer in. Ik loop achter haar aan, en raak verstrikt in mijn redenering als ik zie hoe ze mijn linnenkast opendoet. In plaats van dat ze, zoals ieder normaal mens, de bovenste lakens van de stapel neemt, en de kast weer dichtdoet, steekt ze haar linkerarm onder de stapel frisgewassen lakens die mevrouw Schellbach daar heeft neergelegd, legt haar rechterhand boven op die stapel en trekt alles zo uit de kast. Dan pakt ze haar stofdoek uit haar schort, gaat op haar tenen staan en maakt een energiek, weids gebaar over de plank. Er rammelt wat in de kast, en ik gebaar en probeer de aandacht van mijn moeder te trekken, maar het lukt me niet, en terwijl de marketingmanager de frustratie en druk waar hij zelf dag in dag uit onder gebukt gaat op mij wil afwentelen, gaat mijn moeder nog hoger op haar tenen staan, laat haar armen in de kast zakken en haalt vervolgens oom Gregor tevoorschijn.

Het lukt me op de een of andere manier om een einde aan het gesprek te maken. Ik strompel op mijn moeder af, die me met grote ogen aanstaart. Maar ik negeer haar vraag wat *dit hier* in vredesnaam moet voorstellen, pak de urn van haar af en zet hem weer terug in de kast. Dan sluit ik de deur en gooi vervolgens ongeremd alle ergernissen van de afgelopen dagen van me af.

Ik haat mezelf op dit moment. Ik ben geen mens van grote emoties, tenminste dat dacht ik tot vandaag altijd. Normaal druppelen de ergernis, de frustratie en de stress van me af als een lentebuitje, en terwijl anderen uit hun plaat gaan, blijf ik altijd de rust zelve. Ook de scènes die ik geregeld meemaak met vrouwen met wie ik naar bed ben geweest, laten mij koud. 'Jij bent een emotionele kreupele', heeft er wel eens eentje tegen me geroepen. Daar moest ik alleen een beetje om glimlachen. En nu sta ik in mijn slaapkamer, klamp me vast aan mijn kruk en brul zo hard dat het weergalmt tegen de muren.

'Je hoeft niet zo tegen me te schreeuwen,' zegt mijn moeder als ik even op adem moet komen. 'Ik weet wel wat dat is.'

En daarmee marcheert ze langs me heen, doet de kast open, haalt de urn eruit en neemt hem mee naar de zitkamer, waar ze hem op de salontafel neerzet, naast het fotoalbum om zich in een stoel te laten vallen. Dan pakt ze de urn weer op met beide handen, en schudt ermee.

'Er zit echt iets... iemand in,' concludeert ze zowel geschokt als gefascineerd. 'Wie dan?'

'Dat gaat je niks aan.'

Mijn moeder kijkt op.

'Je bedoelt dat je een lijk in je linnenkast bewaart, maar dat je moeder daar niets van mag weten?'

Ik voel me belachelijk, en betrapt als een klein kind, en daar word ik alleen nog maar woedender door. Hulpeloos sta ik daar met mij krukken, en aan mijn linkerbeen hangt het gips als een loden last. De pijn schiet er weer in, zo erg, dat ik mijn tanden op elkaar moet klemmen. 'Deze voet mag absoluut niet worden belast', hoor ik de stem van de dokter weer, maar hoe moet dat als mijn moeder hier mijn hele leven op zijn kop komt zetten?

'God nog aan toe, kun je me dan echt niet met rust laten,' sis ik tussen mijn tanden door. 'Wanneer ga je nou eens naar huis?'

Maar mijn moeder hoort me niet. Die kijkt naar de urn, met ogen als schoteltjes. 'Gregor,' fluistert ze, en het is me niet helemaal duidelijk wie ze bedoelt als ze vraagt: 'Is dit zíjn as?'

Ik plof op de bank, til mijn been op, en ik voel me oud en

moe. Ik heb zin om er het zwijgen toe te doen. Maar mijn moeder blijft aandringen.

'Is dit Gregor Beer, de broer van je vader, jouw... peetoom?'

'En wat dan nog?' zeg ik uiteindelijk, 'Wat gaat jou dat aan? Jij hebt die man nooit gemogen, dus wat maakt het jou dan uit.' Maar nu gebeurt er iets onverwachts, iets dat ik al wel een keer eerder heb meegemaakt, toen ze Heinrich naar huis brachten. Mijn moeder slaat haar handen voor haar gezicht, barst in snikken uit en begint over haar hele lichaam te beven. Zo zit ze in de stoel, ze snikt en ze trilt, en ik zie zo weer voor me hoe mijn vader zijn arm om haar heen wilde slaan, en zij hem van zich af schudde. Vervolgens verstijft ze helemaal en uit het gesnik stijgt een klagelijke jammerklacht op, die ik niet kan verdragen. Toen met Heinrich ben ik de tuin in gevlucht, de velden overgestoken en het bos ingegaan, en pas laat op de avond kwam ik weer thuis. Toen was ze opgehouden met snikken en met de keelklanken uit te stoten. Toen was ze heel stil, maar nog wel zo stijf als een plank. Zo zat ze naast Heinrich, die ze had laten opbaren op de tafel in de eetkamer. Later kreeg ik het altijd benauwd als we aan die tafel zaten, en ik kreeg nooit veel naar binnen en stond zodra ik mocht op van dit tafelblad waar ooit de doodskist van mijn broer op had gestaan.

Maar vandaag kan ik niet weglopen. Vandaag moet ik het verdriet en het gejammer van mijn moeder aanhoren en al die herinneringen doorvoelen, en ik kan er niks tegen doen. Ik zit hier maar op deze bank, en ik kan alleen maar wachten, wachten tot mijn moeder niet meer zo idioot doet, tot de chaos in mij tot bedaren komt. Hoe dat zou moeten, is me een raadsel, maar ooit moet de orde toch weer terugkeren, het kan toch niet zomaar doorgaan. En op zeker ogenblik is mijn moeder bijgekomen van god mag weten wat voor verdriet, en het wonder geschiedt, ze pakt haar spullen bij elkaar en zodra ze alles naar de auto heeft gebracht gaat ze voor me staan. 'Ik neem hem mee,' zegt ze, en ze grijpt de urn. Maar ze houdt daarbij geen rekening met de vastberadenheid van haar zoon.

Eerlijk gezegd sta ik daar zelf ook versteld van. Vliegensvlug schiet ik omhoog, druk de urn tegen me aan en zeg: 'Jij neemt helemaal niks mee behalve je logeerbed. Want dat staat nog steeds tegen de muur. Jij beweert dat je zo je redenen hebt om een hekel aan hem te hebben, en ik zeg jou, hij heeft zo zijn redenen om zelfs niet als dode in jouw handen te willen vallen.' En daarmee schiet ik duidelijk zo in de roos, dat ze geen woord meer kan uitbrengen, zich omdraait en vertrekt. Alleen dat verschrikkelijke logeerbed laat ze achter, en het gevoel dat ik me alweer als een emotionele kreupele heb gedragen.

Hoofdstuk 5

Waarin Caroline in de krant komt en het een en ander aan diggelen valt

Voor elke plant componeer ik een eigen stukje grond: ik verpot, snoei, bewater en bemest. Nog voor het eerste ochtendlicht sta ik in de kas, en als ik er weer uit kom is het diep in de nacht. Ik vertel mijn klanten over de eigenschappen van mijn lievelingetjes, ik schets hun regenwouden en ik vat eeuwigheden samen in een zin.

Ik kom erachter dat het ze ook gaat om het verhaal dat ze kopen als ze met een van mijn varens naar huis gaan. Het zijn de vrouwen die ze kopen en vaak zijn het juist hun mannen die terugkomen. En dan vertellen zij mij hun verhalen.

Ik leer dat varens 'beleving' bieden. Dat ze bij de 'tijdgeest' horen. Bij de 'behoefte aan individualiteit'. In de wijk Glockenbach is een nieuw restaurant geopend. Aan het Starnberger meer wordt een wellness oase gebouwd bij een hotel. In Nymphenburg, bij mij om de hoek, zit een nieuwe loungebar. En op al die plekken zorgen mijn varens voor het nodige karakter. Een journalist wijdt er een artikel aan en bedenkt het begrip 'plant art'. Sindsdien staat mijn telefoon roodgloeiend.

De telefoontjes van mijn vader laat ik onbeantwoord. Hij belt bijna elke dag, maar het kan me niks schelen. Hij stond ook twee keer bij me in de zaak, maar ik zorgde er voor dat het hem te lang duurde tot ik eindelijk tijd voor hem had.

Langzamerhand begint het tot hem door te dringen dat hij moet opzouten.

Ik ga zo vaak ik kan op bezoek bij Anna. Terwijl ik ziekenhuizen haat. Ik haat ook de verhalen die men daar ophangt. Complicaties. Revalidatie. Wonden die niet willen sluiten. Gewrichten die ontstoken raken. Zenuwen die worden doorgesneden. Ik heb met Anna te doen. Maar ik onderschat hoe taai ze is. Een paar dagen voor Pinksteren verlaat ze het ziekenhuis, zonder krukken. 'Ik ga weer dansen,' zegt ze. 'Natuurlijk,' zeg ik. En ik denk: de overwinning op de zwaartekracht. Als het haar niet lukt, dan lukt het niemand.

En dan breekt het pinksterweekend aan.

Het wordt zondag. Het wordt maandag. En er komt niemand. Natuurlijk niet.

Ik probeer niet aan de ansichtkaart te denken. Vanavond gaan Anna en ik eten in het nieuwe restaurant, want morgen gaat ze terug naar Frankrijk. Gisteren en vandaag ben ik het huis niet uit geweest. Ja. Ik heb zitten wachten. Ik zit nog steeds te wachten. Ook al wil ik dat niet toegeven aan mijzelf.

Het is tijd om te gaan. Maar ik blijf zitten waar ik al de hele middag zit, aan mijn keukentafel, en ik staar voor me uit.

Uiteindelijk raap ik mezelf bij elkaar.

Mijn hoofd staat niet naar gezelligheid. Het liefst zou ik in mijn bed kruipen. Maar ik spreek mezelf moed in, trek mijn mooiste jurkje aan, en maak mijn gezicht zorgvuldig op. Ik heb mijn autosleutel al in de hand, en dan keer ik me nog een keer om. In mijn kantoortje haal ik de ansichtkaart van het prikbord. Ik kijk er naar. En dan scheur ik hem in piepkleine stukjes.

Anna zit onder de schitterende *Dicksonia* achter een half glas mineraalwater, en ze kijkt voortdurend naar de deur. Als ze mij in mijn ongebruikelijke kleding ontdekt, begint ze te stralen.

'Je ziet er geweldig uit,' zegt ze.

Maar dan ziet ze de blik in mijn ogen, en zegt niets meer.

Ik huil een heel pakje papieren zakdoekjes vol. Anna stelt geen vragen, maar zoekt in haar tasje naar nog meer zakdoekjes, en zorgt er met een enkele blik voor dat de ober ons tafeltje met rust laat.

Dan kom ik eindelijk wat tot bedaren. Ik veeg mijn neus, en heb spijt dat ik me onder de make-up heb gesmeerd. Ach, wat kan het me ook schelen.

'Ze is niet gekomen,' zeg ik uiteindelijk.

Anna weet niet waar ik het over heb. Natuurlijk niet.

Ik haal diep adem.

'Mijn moeder. Angela. Ze was zesentwintig jaar dood. En toen stuurde ze me ineens een kaartje.'

Anna kijkt stomverbaasd. Ze kijkt me een beetje onderzoekend aan. Ze denkt zeker dat ik gek ben geworden, en ineens moet ik lachen. Het is een klein, hees lachje, dat eerder op een snik lijkt.

'Hoe gaat het met je? En met de kleine? Met Pinksteren ben ik in Duitsland. Misschien dat ik dan even langskom.'

De ober sluipt om onze tafel als iemand die iets verloren heeft en daar onopvallend naar op zoek is.

'Misschien dat ik dan even langskom,' herhaal ik bitter. 'Dat geloof je toch niet? Zoiets kun je toch niet maken? Eerst je kind in de steek laten en vervolgens na al die jaren zo'n kaartje sturen? En dan alsnog niet komen opdagen?'

Ik kan niks meer zeggen, want de tranen verstikken mijn stem. Maar dit keer zijn het tranen van woede. Mijn hand verfrommelt mijn damasten servet dat vol zit met mascaravegen. Anna legt haar hand erbovenop.

'Kom,' zegt ze, 'dan breng ik je naar huis.'

Maar ik schud mijn hoofd. 'Nee. Ik raap mezelf wel weer bij elkaar, zoals altijd.' Eerst ga ik naar het toilet, waar ik de tranen van mijn gezicht was en mezelf een beetje fatsoeneer. En dan bestellen we het meest excentrieke menu dat er op de kaart staat. Ik heb honger, want ik heb al dagen niet goed gegeten.

Ik ga Angela weer begraven, precies zoals ze wat mij betrof al jaren begraven was.

'Waar woont ze dan?' vraagt Anna een halfuur later, en ze pakt nog een oester.

'Geen idee,' antwoord ik.

'Weet je vader...?'

Ik snuif minachtend.

'Waar kwam die ansichtkaart vandaan?'

De ober verschijnt om de lege schelpen af te ruimen.

'Een of ander Frans eiland. Île de Nog-wat,' zeg ik vermoeid.

Ik wil het liever over iets anders hebben, maar mijn hoofd zit zo vol met Angela, en Anna lijkt vastbesloten om de zaak tot de bodem uit te zoeken. Maar die bodem hadden we allang bereikt, want ik heb Anna alles verteld wat ik weet. En dat is niet bepaald veel.

'Waarom ga je er dan niet gewoon naartoe?' wil Anna weten, als de ober onze wijnglazen heeft gevuld.

'Waar moet ik dan naartoe?' vraag ik.

'Nou, naar dat eiland. Daar zal ze wel wonen!'

Dat had ik zelf ook al bedacht. Om gewoon in mijn bestelwagen te stappen en naar Frankrijk te rijden. Maar toen bedacht ik me ook dat ik niet eens weet wat mijn moeders achternaam is.

'O nee,' zeg ik plotseling zo fel dat een oudere dame aan de tafel naast ons zich omdraait, 'ik ga haar toch niet achternalopen. Als zij niks van mij wil weten...'

'Cari,' zegt Anna, 'wind je niet meteen zo op...'

De ober komt met de tweede gang. Ik zie een artistiek gedecoreerde salade met zachte plakjes vlees. Ik heb gewoon maar het menu van acht gangen voor ons besteld zonder me in de details te verdiepen. Het kan me vandaag helemaal niks schelen wat ik eet. Het gaat er vooral om dat ik een tijdje ergens mee bezig ben.

'Hmm,' zegt Anna, 'die lamsfilet ziet er heerlijk uit...' en ik voel hoe hongerig ik ben, en we wijden ons een poosje alleen aan het eten. Ondertussen sla ik Anna gade. Zij is tenslotte ook moeder. En zij zat net zomin op haar kind te wachten als Angela op mij. En toch heeft zij de vader niet aan de kant gezet.

'Hé,' begin ik, en ik weet niet precies hoe ik het moet formuleren. 'Ben jij... neem jij het je kind wel eens kwalijk dat jij... ik bedoel... het is toch ook niet niks, allemaal.'

'Victor?' onderbreekt Anna me, en ze lacht. 'Je kent hem niet. Helaas. Maar dat moeten we goedmaken! Dan zul je wel begrijpen dat je Victor nooit iets kwalijk kunt nemen.'

Ze kijkt naar een vork vol met rucola.

'En uiteindelijk... hij kan er ook niets aan doen, toch?'

Nee, denk ik, ik kan er ook niets aan doen...

'Maar heb je er nooit aan gedacht om hem op te geven voor adoptie op zo?'

'Jawel. Dat was het plan. Maar toen is hij geboren en... nou ja, toen wilde ik daar niets meer van weten. Dat is je instinct, denk ik.'

Anna lacht en trekt een vrolijke grimas. Maar ik voel me weer heel ellendig.

'Dan is mijn moeder dus een volkomen tegennatuurlijk wezen. Ik bedoel, iemand zonder natuurlijke instincten en zo...'

Anna houdt op met eten en kijkt me aan. Ik kan de blik in haar ogen niet verdragen. Medelijden is wel het laatste waar ik op zit te wachten.

'Ga er toch heen,' zegt Anna. 'Vraag het haar. Anders blijf je de rest van je leven gissen.'

Ik leg mijn bestek op mijn bord. Ik heb geen trek meer in salade.

'Dat kan helemaal niet!' zeg ik. 'Ik heb de zaak, dus zelfs al zou ik willen gaan, dan kan ik niet weg. Dat heb je toch gezien?'

'Jammer,' zegt Anna. 'Ik hoopte dat je ook een keer bij ons langs zou komen.'

Anna. Morgen gaat ze weer weg. De volgende gang eten we

zwijgend op, alleen Anna babbelt af en toe wat. Tussen de tarbot en de morieljemousse bedenk ik dat ik haar zal missen. Ik ben moe en ik zit vol en er groeit een onrust in me die ik niet kan verklaren. Het lijkt wel een voorgevoel.

Onzin, denk ik, als het dessert wordt opgediend, je hebt te veel gedronken, en het was ook een zware dag. We lepelen de sorbet op, en Anna heeft gelijk, dit is inderdaad het allerlaatste waar we nog plek voor hebben in onze maag.

'Wat is dat?' vraagt Anna, en ze spitst haar oren. 'Dat... gerommel?'

Het is koeler geworden. Anna schiet haar vest aan. Met het zachte aroma van limoen en bramen op de tong voel ik me uitgeteld, en een enorm gevoel van weemoed maakt zich van me meester als ik aan Anna's vertrek denk. Na haar heb ik nooit meer een echte vriendin gehad...

'Hoor jij dat dan niet?'

Ik schrik op. Ja, nu hoor ik het ook. En ik merk ook de onrust bij de uitgang van het restaurant. Mensen verdringen zich voor de deur, rekken hun halzen, maar niemand loopt de zaak uit.

'Wat is er aan de hand?' vragen we aan de ober.

'Het onweert,' zegt hij. 'De straten staan blank, en er komt geen taxi doorheen.'

Dat gevoel, het is er weer, indringend en onheilspellend.

'Hoezo, het onweert?'

'Het beste is dat u het zich hier nog een poosje gemakkelijk maakt,' zegt de ober. 'Want het lukt nu toch niet om naar huis te komen. Kan ik nog iets voor u doen? Een kopje koffie misschien?'

'Het was vandaan ook veel te warm voor de tijd van het jaar,' zegt Anna, 'dus dan is het niet gek dat het onweert.'

'Maar dit is geen regen, dat klinkt heel anders. Dit klinkt als... als...'

Hagel, wil ik zeggen. Maar in plaats daarvan sta ik op en loop direct naar de uitgang. Ik wurm me door de mensen heen, met veel geduw en gedrang. Ik zie niks en niemand, en wil de deur opendoen, maar iemand houdt me tegen.

'Ogenblikje, juffrouw,' zegt een man met een kale kop. 'U kunt nu niet naar buiten, dat is levensgevaarlijk.' Maar ik schud hem van me af en ruk de deur open. Meteen word ik omgeven door een ijzige wolk, en word ik van alle kanten bestookt door gemene speldenprikken. Het is net alsof ik in een koelcel ben beland. En dan hoor ik weer dat geluid, ik sta er middenin. Het is een griezelig geluid, onmenselijk, alsof alle mensen van de aardbol zijn gehaald en alleen dit kille, huiveringwekkende gekletter over is, alsof de hemel aan stukken is gescheurd en zich op mij neerstort.

En dan voel ik een klap op mijn hoofd die me bijna verdoofd. Het trommelt en klettert en hamert op me in, en het doet pijn, het doet verdomd veel pijn, die scherpe projectielen over mijn hele huid. Ik loop de straat uit op zoek naar een overkapping, en druk me tegen een overdekte ingang van een huis, terwijl het getrommel aanzwelt tot helse, oorverdovende sterkte. Stukken ijs storten neer op het asfalt, en versplinteren. Ze vallen dwars door voorruiten van auto's, beuken heel nauwkeurige ronde deuken in de daken van die auto's, de een na de ander. De wereld wordt volgestort met ijs, een bevroren zucht omvat de bomen, scheert het jonge groen van de takken, rukt hele twijgen en takken af, werpt me een bloesemtak voor de voeten, vermorzelt die en begraaft hem onder een laag van ijssplinters. Boven mijn hoofd breekt de glazen overkapping met een soort gierend lawaai, en de scherven vallen gestaag boven op me, alsof de hemel heeft besloten dat er niets meer mag overblijven van deze wereld. In elk geval niets dat van glas is gemaakt.

Van glas…

'Caroline,' hoor ik door het inferno roepen. 'Caroline, waar ben je? Kom direct weer binnen!' Maar ik luister niet. Al mijn gedachten zijn vervuld van dit verschrikkelijke lawaai. Mijn kas, ik moet meteen naar huis. Ik kijk om me heen, probeer me te oriënteren op deze wereld die kapotgemaakt wordt door de kou. Dan weet ik het weer, en ik zet het op een rennen. Twee kruispunten verder moet een ingang naar de U-Bahn zijn, en dat is mijn eerste doel. Ik steek mijn armen boven mijn hoofd in een poging mezelf wat te beschermen. Ik zie bijna geen hand voor ogen, en op mijn hoge hakken glijd ik de hele tijd uit. Bovendien ben ik doorweekt. Maar ik voel het nauwelijks. Dan wordt het ineens helemaal donker. De lantarenlampen begeven het en verder is er ook helemaal geen licht. De stroom zal wel zijn uitgevallen, denk ik. Nu heeft het dus ook de leidingen vernietigd, denk ik, maar dan denk ik niets meer, maar slaak een kreet, want ik ben ergens tegenaan gebotst. Het is een mens, een man, en van schrik springen we meteen weer van elkaar af en ik voel hoe ik uit balans raak. Maar twee armen grijpen me vast. 'God, wat laat u me schrikken,' zegt een stem heel dichtbij. 'Kom, we moeten hier weg.' Dan trekt hij me met zich mee en daarna houdt het ineens op met kletteren en donderen. We staan bij een inrit. Het is zo donker dat ik het gezicht van de man niet kan zien. Ik hoor hem alleen ademhalen, in horten en stoten, en ik voel wat warmte van hem af slaan. Dan hoor ik nog iets anders, en ik vraag me af wat het is. Het is mijn hart dat bonst alsof het in duizend stukjes uiteen wil spatten.

'We kunnen beter hier blijven tot het voorbij is,' zegt de man.

'Nee,' zeg ik. 'Ik moet naar huis.'

Hij zegt niets. We staan heel dicht bij elkaar, hij met zijn schouder tegen de mijne aan. De mouw van zijn jasje is nat, alles is nat. Het water stroomt van ons af, ook van mijn gezicht, en ik veeg het uit mijn ogen. Ik moet naar huis. Maar ik blijf staan. De man naast me verroert zich niet, en zijn adem is nu weer rustig. Ik bedenk dat ik hier het liefst zo de hele avond tegen deze arm geleund zou blijven staan, naast deze man die ik helemaal niet ken en die niks zegt. Ik vind het goed zo, even een adempauze. Ik weet het, het is maar een adempauze, een heel korte, voor alles over me heen komt, maar daar denk ik gewoon nog niet aan. Zelfs mijn gedachten houden zich even in, en sparen mij het scenario dat zich onherroepelijk zal voltrekken. Ik vraag me niet eens af waarom ik met alle geweld naar Nymphenburg moest. Ik doe mijn ogen dicht en voel de vreemde arm. De man zwijgt ook nog steeds, en ik ben hem dankbaar. Helaas wordt dit troostrijke moment verstoord door een andere stem. 'Als jullie denken dat jullie hier wortel kunnen schieten dan hebben jullie pech, want deze plek is al bezet.'

Ik verstar. De man naast me komt in beweging. Hij draait zich een beetje om, en legt beschermend zijn arm om mijn schouders. We turen allebei in het duister achter ons. Er vlamt een lucifer op, en op nog geen twee meter bij ons vandaan licht een halfronde nis in de muur op. Misschien stond hier ooit een waterpomp, maar tegenwoordig is het een kamp met dekens, krantenpapier en karton. Tussen de lompen zie ik een gegroefd gezicht, ogen waarin de lucifer wordt weerspiegeld en een hand die hem vasthoudt. Dan dooft het licht en laat een nog veel intensere duisternis achter.

Er gaat een schok door de man naast me. Ik voel zijn afkeer, zijn walging. Hij verstart. Zijn arm glijdt van mijn schouder.

'Waar moet u naartoe?' vraagt hij, en ook in zijn stem klinkt de kilte door die de wereld in zijn greep heeft.

'Naar Nymphenburg,' hoor ik mezelf zeggen. Ook mijn stem klinkt vreemd, alsof hij van heel ver weg komt. En dan is het er weer, alles, mijn kas, ik zie de autovoorruiten versplinteren, de een na de ander, en voel hoe het glazen dakje in scherven op me neerdaalde. De paniek slaat toe, ik moet door, ik kan niet maar zo'n beetje blijven staan en tijd verdoen. Ik moet naar huis. Ik kom in beweging, loop vastberaden naar de straat. 'Wacht,' hoor ik de man achter me roepen. Ik draai me even om, maar ik heb geen tijd te verliezen. Hij mag voor mijn part wachten tot de hemel weer bij zinnen is, dat is waarschijnlijk zelfs verstandiger, maar ik moet door. 'Tot ziens,' mompel ik, en ik loop de straat in.

Het duurt uren voor ik eindelijk thuis ben. De metro was onder water gelopen, het was een chaos op de weg, auto's stonden schots en scheef door elkaar, en de mensen waren hysterisch. Uiteindelijk word ik meegenomen door een brandweerwagen, die me voor mijn huis afzet. Het is al bijna ochtend als ik over de puinhopen van de neergestorte dakpannen klim en mijn voordeur opendoe. Als in een trance doe ik de deur naar de tuin open, knip het buitenlicht aan, en blijf als aan de grond genageld staan. Waar de kas stond, steken nu alleen nog ijzeren balken de opklarende lucht in. De laatste sterren breken door de wijkende wolken en dan komt ook de volle maan tevoorschijn. In dat kille licht begint de tuin te schitteren alsof er bergen edelstenen in liggen. Automatisch loop ik de traptreden af en stap ik door de glanzende scherven naar de plek waar zich een paar uur geleden nog het centrum van mijn leven bevond. Vrijdag heb ik een grote partij Braziliaanse boomvarens binnengekregen. Die liggen hier nog, net als al mijn andere planten, mijn eigen kweeksels, mijn hele vermogen en mijn liefde, alles ligt hier begraven onder een centimeters dikke laag scherven en ijs. Ik ontdek het zeil van mijn kweektentje in de struiken aan de oever van de beek. De plantentafels, die ook bedekt zijn met een dikke laag ijs en glas, staan als een kunstobject bijeengeschoven en op elkaar gestapeld tegen het ijzeren geraamte. Alleen de toonbank heeft zich staande gehouden in het inferno. Ik sla mijn handen voor mijn gezicht.

'Ga daar weg,' roept iemand uit het huis. Het is Anna. Ze probeert bij me te komen. 'Straks snijd je je voeten nog.'

Maar ik luister niet naar haar. Wat kunnen mij mijn voeten schelen? Wat mij betreft is nu immers alles voorbij.

Anna slaakt een kreet als ze mij ziet. Op mijn voorhoofd en armen heb ik talloze schrammen en sneden, opgedroogd en vers bloed kleeft aan mijn haar, en over mijn hele huid.

'Je ziet er verschrikkelijk uit,' zeg ze. Ze zoekt en vindt jodium in het badkamerkastje, en dept daarmee geduldig iedere wond. Met een pincet verwijdert ze piepkleine glassplinters. Het is net alsof het onweer een bizar patroon op mij heeft achtergelaten. Mijn lichaam lijkt wel in brand te staan en toch ril ik van de kou die ik vanbinnen voel.

'Je moet naar het ziekenhuis,' zegt Anna, 'je moet je laten verzorgen.' Ik zeg niets, en ze dept verder. Mijn jurk is naar de knoppen, en mijn schoenen ook. Elke ambulance van ieder ziekenhuis is nu als een dolle heen en weer aan het rijden, dat weet zij net zo goed als ik.

'Je moet je bed in,' zegt Anna, als ze klaar is en een badjas voor me pakt. 'Je bent door en door koud.' Maar ik reageer niet. Ik blijf zitten waar ik zit en Anna zet thee en doet heel voorzichtig dikke wollen sokken aan mijn gehavende voeten. Steeds kijkt ze oplettend naar mijn gezicht. Ze maakt zich zorgen, en weet niet wat ze moet doen. Ze maakt een warme kruik die ze onder mijn voeten schuift en ik laat haar begaan. Ik kan geen woord uitbrengen, ik kan me niet bewegen, en blijf alleen maar zitten wachten. Waar ik precies op wacht weet ik niet. Misschien eerst maar eens op de nieuwe dag. Mijn hoofd tolt. De vreemdste dingen vallen me in, en trekken als flarden film aan me voorbij. Oma's begrafenis, Angela's nepgraf, onweersnachten uit mijn jeugd, de kalmerende stem van mijn grootmoeder. Zodra het licht genoeg is, sta ik op, loop naar mijn slaapkamer, trek iets aan, prop mijn ingezwachtelde voeten in rubber laarzen en ga de tuin weer in. Daar blijf ik een poosje staan. Ik weet niet waar ik moet beginnen. Dan haal ik een schop en een hark uit de kelder en begin te zoeken naar 'overlevenden'.

En ineens komt mijn vader langs.

Hij staat boven aan het trappetje bij het huis en roept iets naar me. Ik heb geen zin om naar hem toe te gaan. De ijsbrokken beginnen weg te smelten, en ik waad door een afschuwelijke smurrie, vergeven van de glasscherven. Het is een hopeloze zaak. Van de varens die ik uit het puin trek, is er niet een meer te redden.

Plotseling zie ik alles als door een waas. Mijn vader praat op me in, maar ik hoor hem niet. Anna neemt me in haar armen, en ik begrijp niet wat ze tegen me zegt, wat het allemaal betekent: ze moet helaas weg, ze vindt het zo erg. Wat vind je dan zo erg, wil ik vragen, maar ik kan geen woord uitbrengen.

Ik laat me door haar in bed stoppen als een klein kind. Er komt een man die me bekend voorkomt. Ik breek mijn hoofd over de vraag wie hij ook weer is. Hij doet zijn leren tas open en haalt er een injectienaald uit. Terwijl ik in slaap val, weet ik het weer. Hij was oma's huisarts. Dan sta ik weer op het kerkhof, bij het graf met de engel, en oma plant wat driekleurige viooltjes. 'Nee,' roep ik, 'geen viooltjes, laten we liever rozen planten en een paar wijfjesvarens, je weet wel, die ook bij de beek groeien.' Maar dan verandert oma in een onbekende vrouw. 'Wat moet u bij mijn Angela?' vraagt ze kil, en de engel op de sokkel draait haar hoofd om, kijkt op me neer en steekt haar palmtak zo dreigend de lucht in dat ik wegloop en op zoek ga naar iets, of eigenlijk naar iemand. Maar ik kan me niet herinneren wie ik precies zoek. Ik loop door een woud van boomvarens en aan elke varen hangt een prijskaartje. Het is broeierig warm en ik zweet. Het lijkt wel of de varens met hun bladeren naar me slaan. Boosaardig heffen ze hun wortelstokken uit de zompige aarde, zodat ik struikel en mezelf nog net staande weet te houden. Ze slingeren hun loten om mijn enkels en als ik ze nog wil redden mag ik wel opschieten, maar wie, vraag ik me af, wie moet ik eigenlijk redden? Hoe harder ik loop, des te dieper zakken mijn voeten in de grond. Ik zit al tot mijn knieën in het moeras. Dan zie ik iets fels door het dichte groen schijnen. Daar is licht, redding, en als ik de laatste loot van me af schud, zie ik onder me een vlakte die glinstert en blinkt in het zonlicht. Ik ben verblind en wrijf in mijn ogen. Ik snap niet wat het felle licht is dat de bodem bedekt. Ik wil een stap zetten op die glinsterende vlakte, maar met een schreeuw trek ik mijn voet weer terug. Recht voor me ligt mijn oma onder een dikke laag glasscherven. Ze ligt heel stil, maar haar ogen zijn open en ze kijkt naar me op. 'Denk eraan,' zegt ze, 'als je ooit nog eens trouwt: altijd op huwelijkse voorwaarden!' En dan doet ze haar ogen dicht, en ik weet dat ze dood is. En ik huil en ik huil, en al mijn tranen die op de aarde druppelen veranderen in glasscherven en vallen rinkelend op de andere.

Ik word wakker en stel vast dat het al laat in de middag is. De zon staat aan een onschuldig blauwe hemel te stralen, alsof er niets is gebeurd. Mijn hele lijf doet pijn als ik me naar de keuken beneden sleep. Daar zit mijn vader te roken. Hij was toch al jaren geleden gestopt? Dat is mijn vader helemaal niet, dat is een vreemde.

'Gaat het weer wat beter?' vraagt hij.

Ik kijk uit het raam. Het ijs is nu helemaal gesmolten. Wat in het maanlicht nog een boosaardig, betoverd landschap leek is nu alleen nog maar een grote massa modder en puin. Het ijzeren geraamte van de kas steekt als een kooi boven de tuin uit.

Ik ben geruïneerd, denk ik. Maar ik voel het nog steeds niet echt. Het enige wat ik vanbinnen voel is onverschilligheid.

'Hoe heet Angela eigenlijk? Ik bedoel, wat is haar achternaam?'

Mijn vader kijkt op. Ik denk dat hij zich afvraagt of ik nog onder invloed van de medicijnen ben. Hij overweegt hoe hij met me om moet gaan.

'Ik zou graag willen weten hoe ze heet,' zeg ik ter verduidelijking.

'Je bent teleurgesteld dat ze niet is gekomen,' zegt hij. Het is geen vraag. Hij weet het antwoord op de vraag al. Vroeger bewonderde ik hem daarom. Maar nu veracht ik hem er juist om.

'Ik had het kunnen weten,' gaat hij verder, 'dat ze niet zou komen. Dat was toen ook altijd al haar stijl. Ze is een onberekenbare vrouw...'

'Hoe heet ze?' herhaal ik harder dan nodig.

Mijn vader, de vreemde, kijkt me aan en dan richt hij zijn aandacht weer op zijn sigaret.

'Ritter,' zegt hij.

Ritter, herhaal ik in gedachten. Angela Ritter. En ik probeer uit hoe het in combinatie met Caroline klinkt. Caroline Ritter. Zo zou ik hebben geheten als ik bij mijn moeder was opgegroeid.

'Hoe zag ze eruit?' vraag ik door. 'Heb je een foto van haar?'

Hoe ging dat bij mijn geboorte? wil ik vragen, en ik denk aan wat Anna zei. *Vertel me alles, was jij erbij...* Maar ik merk dat mijn vader zijn blik afwendt. Hij blaast rook de kamer in. Er staat iets tussen ons in, een soort onzichtbare muur.

'Hoe zag ze eruit,' herhaalt hij, en zijn stem klinkt nog vreemder. 'Ik kan het niet geloven. Daar buiten ligt alles in scherven. Op het huis rust een hypotheek waar ik al maanden niet meer van slaap, en dan wil jij weten of ik een foto van Angela heb?'

Ja, denk ik, precies. Maar ik zwijg.

'Ik vind dat er op dit moment wel andere dingen zijn om ons druk over te maken,' gaat mijn vader, de vreemde, verder. 'Toen jij lag te slapen, heb ik de verzekering gebeld. Het schijnt dat er iets niet in orde is. Je hebt de aanvullende polis die ik je had aangeraden niet afgesloten. Hier,' zegt hij, en hij schuift een stuk papier van zich af, 'de accountmanager heet Bohn. Ik heb ook een afspraak met mijn vermogensbeheerder gemaakt. We moeten hier een oplossing voor vinden. Ik heb nog geen idee hoe, maar we zullen wel wat verzinnen.'

'Het is mijn huis,' zeg ik. 'Dus jij hoeft er niet wakker van te liggen.'

'Hoe kom je erbij: "mijn huis"?' zegt hij fel. 'Dit huis is van je grootmoeder geweest...'

'En ik heb het van haar geërfd.'

Mijn vader kijkt me aan met een uitdrukking die ik nog nooit op zijn gezicht heb gezien.

'Jij hebt het niet geërfd om het meteen aan de bank cadeau te doen! Je hebt het allemaal verkwanseld, in nog geen halfjaar tijd. Wat zou zij daar van vinden, denk je? De bank heeft je in de tang, Caroline, doe nu maar niet net alsof het niet zo is. Jij hebt het in onderpand gegeven om een krankzinnig hoge lening af te sluiten. Ik heb je nog gewaarschuwd. Je wilde niet luisteren. Je moest zo nodig de allergrootste kas die je in de tuin kwijt kon. En al die technische rommel. Ventilatie, bewatering, weet ik wat allemaal. En alles moest het beste van het beste zijn. Ik heb nog gezegd, verzeker dat nou allemaal, en wel meteen, maar jij...'

Hij kan niet meer praten. Ik zie hoe zijn hand beeft terwijl hij zijn sigaret uitdrukt. Hij gebruikt een lege bloempot, en ik haat hem daarom.

Ik wil niet dat jij hier rookt, wil ik zeggen. Het is hier verboden te roken. Maar ik laat het gaan. Het is jouw huis niet meer, zou hij zeggen, en dan heeft hij nog gelijk ook. Hij heeft altijd gelijk, en op dit moment haat ik hem daarom.

'Ik heb de hele tijd zitten nadenken,' gaat mijn vader rustig door, 'terwijl jij lag te slapen. De enige mogelijkheid om het huis te redden is met mijn levensverzekering. Die was eigenlijk als pensioenvoorziening bedoeld, maar enfin, we gaan hem nu maar gebruiken om jouw hypotheek mee af te lossen. Maar ik heb een voorwaarde, Caroline. Het huis komt op mijn naam te staan. Dan kun jij ermee doen en laten wat je wilt. Je mag hier wonen en je hoeft geen huur te betalen en als ik dood ben, valt het weer aan jou. Maar zo lang ik leef zal ik het niet meer toestaan dat...'

'Ik wil jouw levensverzekering niet,' zeg ik, en ik verwonder me zelf ook over de kille klank in mijn stem.

Mijn vader, de vreemde, kijkt op. Zijn blik, door half toegeknepen ogen, wordt hard.

'Ik denk dat je geen andere keus hebt,' zegt hij.

Hij staat op en begeeft zich naar de deur.

'Dus je wilt weten hoe Angela was? Kijk in de spiegel. Je begint met de dag meer op haar te lijken.'

Hoofdstuk 6

Waarin Gregor alweer een succes boekt en zijn klok luidt

Ik kan niet verklaren hoe het komt, maar tijdens een bespreking, tijdens een controle, zelfs tijdens het squashen met Arndt – ineens is het er weer. De geur van het natte haar van die vrouw. Soms meen ik zelfs dat ik haar hoor ademen.

Ik was op een avond lopend naar de stad gegaan. Sinds ik van mijn gips af ben, grijp ik elke gelegenheid aan om mijn been te oefenen. Opeens brak de hel los en midden in die hel – was zij.

Ik wilde haar achternalopen. Ik heb maar een seconde geaarzeld, en in die ene seconde was ze verdwenen.

Ik heb haar zelfs nog nageroepen. Gelukkig kwam ik toen weer bij mijn positieven. Er was een helverlichte tent, dat was dat restaurant waar ik over had gelezen in de krant. 'Plant art', laat me niet lachen. Het staat er helemaal propvol met van die planten die ik tegenwoordig overal tegenkom en die me op de zenuwen werken. Ik staarde naar alle gezichten, maar in geen ervan zag ik iets zo schitteren als in het gezicht van de vrouw tegen wie opbotste in de hagelbui. De gezichten staarden terug, en toen ik op het toilet in de spiegel keek, begreep ik waarom. Ik zat onder het bloed. Besproeid met fijne rode druppeltjes. Op mijn witte overhemd, dat toch al doorweekt was, zat waar de vrouw en ik elkaar letterlijk tegen het lijf waren gelopen een heel patroon bloeddruppels. Ook mijn handen zaten eronder. Heel even werd het me zwart voor ogen. De laatste keer dat ik andermans bloed had gezien was toen ze mijn broer thuisbrachten...

Ik kijk in mijn agenda, ook al ken ik het programma voor vandaag uit mijn hoofd. Om 9.00 uur: bespreking met medewerkers, 10.00 uur: kort overleg met Arndt, 10.30 uur: kennismakingsgesprek met een senior copywriter die ik om 11.00 uur aan Max overlaat, zodat ze een beetje ingewerkt kan worden. Daarna lunch met een journalist van *Kapital*, dan een vergadering met de top van het cosmeticabedrijf.

De nieuwe campagne. Het wordt weer hard werken om de klant te overtuigen. Het is altijd hetzelfde liedje: zij eisen het beste van mij, en als ik dat dan kom presenteren, worden ze bang. Is dat niet een beetje te overdreven voor ons? Kunnen wij deze uitspraken ook wel hardmaken? Wat zegt de concurrentie? Zetten we onszelf zo niet voor gek?

En dat terwijl ze mij kennen en weten dat het met mijn strategie altijd goed heeft uitgepakt voor hen – wat heet goed, sinds ik hun reclame regel, is hun marktaandeel zo dramatisch gestegen dat ze er vast duizelig van zijn geworden. Nou goed. Het hoort nu eenmaal bij mijn takenpakket om mijn klanten er van te overtuigen dat ze lef moeten tonen. De telefoon gaat. De dag begint.

'En dat,' zeg ik, 'geeft heel duidelijk aan hoe we ons marktaandeel in het duurdere cosmeticasegment zeker stellen. Uit ons diagram kunt u opmaken hoe we dat trapsgewijs aanpakken. Gezichtsverzorging, lichaamsverzorging en dan het komende jaar ook de opbouw van een make-uplijn. Het tijdplan is heel precies gedefinieerd. Print, radio en tv, billboardacties en campagnes in de bladen zijn helemaal op elkaar afgestemd. Arndt Godenflo zal u nu wat voorbeelden tonen van de uitstraling en de look die ik voor u heb ontwikkeld. U zult zien dat de traditionele elementen met een moderne optiek zijn versmolten, wat aangeeft dat het hier gaat om een productlijn die voortborduurt op een vertrouwde basis.'

Ik neem plaats aan het hoofd van de grote tafel. Geruisloos zakken de jaloezieën voor de ramen. Arndt start de PowerPointpresentatie. De beelden op het scherm en de stem van mijn favoriete voice-overdame, waarmee we de slogan en een aantal van de nieuwe aanbevelingen hebben opgenomen, vullen de ruimte. Goed werk, feliciteer ik mezelf. Met deze campagne zullen alle aanwezigen over een paar jaar nog veel rijker worden dan ze nu al zijn. Ze zullen nieuwe fabrieken bouwen en mensen in dienst nemen, en ze zullen gelukkig zijn.

En dan, vraagt een stemmetje in mijn hoofd, wat dan?

Nog een campagne? En daarna nog eentje? Enzovoort enzovoort? Ineens zie ik mezelf, met Arndt aan mijn zijde, langzaam grijs worden, en ik hoor mezelf dezelfde woorden herhalen die precies dezelfde argumenten naar voren brengen of nieuwe variaties op de oude. Ik zie modes komen en gaan, ik zie hoe de ene trend voor de andere wordt ingeruild, tot ik ineens oud ben – is dat werkelijk wat ik wil?

Arndts presentatie nadert het einde. Het daglicht stroomt de kamer weer in. Ik kijk rond en zie het ene sceptische gezicht na het andere. Precies zoals altijd. Maar vanbinnen groeit tot mijn stomme verbazing een enorme woede.

Ik zwijg terwijl zij hun bedenkingen formuleren. Door de glazen wand die de kamer scheidt van het kerkschip zie ik hoe de zon van het ene westelijke raam naar het andere verspringt en grote ultramarijne velden over de vloer van travertijn laat zwerven. De vergaderruimte is in de gaanderij ingebouwd. Het is een glazen kist die boven het portaal zweeft en die het orgel aan de rugzijde omsluit. Hoe vaak heb ik dat lichtspel op de stenen vloer niet bekeken, terwijl mijn klanten worstelden met de vraag of zij mijn werk al dan niet waardig zijn? Nu neemt de productiemanager het woord. Ik weet nu al wat hij gaat zeggen. Ik kijk om me heen, en neem al die vertrokken en onoprechte gezichten in me op, en ik herken de sluwheid die er op te lezen staat, en de hebzucht. Ik kijk naar de glazen vergaderruimte en de kerk daaronder – en plotseling vind ik alles alleen nog maar opgeblazen en belachelijk. Een hok vol idioten, een zootje gekken, en ik zit er middenin. Ineens zie ik mezelf van buitenaf. Hoe ik me al die jaren in mijn kantoor heb opgesloten, met die klok boven mijn hoofd en de stad aan mijn voeten. Ik geloofde... ja, wat geloofde ik eigenlijk? Dat ik God was? Dat ik de wereld heb geschapen? En is dat dan soms niet zo? Eten er niet miljoenen mensen rechtsdraaiende yoghurt omdat ik dat jaren geleden zo bedacht had? Heb ik dan niet modes voorgeschreven die veel minder opvielen dan een nieuwe roklengte of een nieuwe trendkleur, maar die het leven van mensen op een veel subtielere wijze bepaalden? En waar heeft dat allemaal dan toe geleid? Is de mensheid er een beetje gelukkiger van geworden? Ach, wat kan mij de mensheid schelen, wat boeit het mij nou wat wildvreemde vrouwen op hun gezicht smeren? Wie ben ik, een soort kwaliteitsmessias? Ik barst in lachen uit en word overspoeld door een golf verveling, en ik walg van mezelf. Gregor Beer, zeg ik bij mezelf, dit kun je toch niet in ernst hebben gewild. Dit kan het toch niet zijn. En terwijl zij met onze juridisch medewerker alle eventualiteiten doorploegen waar ze wellicht voor aansprakelijk kunnen worden gesteld, weet ik nu al dat ze niets zullen vinden, omdat ik overal aan heb gedacht en alles al heb laten uitzoeken. En ik weet ook dat we met deze campagne weer eens een prijs zullen verdienen en ik zie mezelf in Londen of New York of Parijs of Wenen en hoe ik alweer een medaille of een oorkonde of wat ook krijg uitgereikt, en die gedachte maakt me ziek. Nee, zeg ik tegen mezelf, het is genoeg geweest.

Ik sta op.

Iedereen valt stil en kijkt naar mij. 'Zo,' zeg ik, 'dat was het dan, mijne heren, ik wens u veel geluk. U moet mij nu helaas verontschuldigen.' En dan loop ik de kamer uit. Heel even kijken ze allemaal verward. Dan praten ze verder. Hun wereld kan nooit veranderen. Niemand zou dit begrijpen.

Alleen Arndt komt me achterna. 'Is alles oké?' vraagt hij en hij probeert mijn blik te lezen.

'Het is meer dan oké,' antwoord ik, 'het is allemaal prima.'

Ik ga naar mijn kantoor, en kijk om me heen. Ik heb alles bereikt wat een man in mijn vak kan bereiken. Als ik zou willen, heb ik de allergrootste en meest begerenswaardige klanten in deze wereld voor het uitkiezen, en dan zou ik nog rijker kunnen worden, en dat zonder zelf ooit nog een vinger te hoeven uitsteken. Dan zijn mijn ideeën en mijn adviezen goud waard, en ik zie mezelf daar heel hoog bij het doel van mijn dromen, maar tegelijk zie ik dat ik niet gelukkig ben. Ik ben het niet en ik zal het ook nooit worden. En ik voel nu een enorme leegte omdat er niets meer is waar ik voor moet vechten nu het er alleen nog maar om gaat dat wat ik heb bereikt te verdedigen. *En na het hoogtepunt zet de afdaling in.* Waar heb ik dat ook weer gelezen? In de *I Tjing*, het boek der veranderingen, toen ik me in oosterse wijsheden verdiepte voor een of andere campagne. *De zon, als zij in haar zenit staat, moet weer ondergaan, en zo vreest de wijze de roem en bekommert hij zich om de tijd van de neergang.* Maar ik heb me daar niet om bekommerd. Ik keek nooit verder dan het succes, en nu is het me duidelijk dat dat succes me in wezen niets, maar dan ook helemaal niets kan schelen.

Ik weet precies wanneer iets voorbij is. Ik kijk omhoog naar de klok. Die klok heeft me een hele poos beschermd. Ik geloofde oprecht dat ik mijn bestemming had gevonden. Maar in werkelijkheid was het niets anders dan uitstel van executie.

Er is hier niets wat ik mee zou willen nemen. Mijn advocaat bel ik thuis wel. Ik ben al bij de deur als ik toch nog één keer terugloop. Ik klim de trap op naar de klokkentoren.

Het dreunen van de klok vult de ruimte en verspreidt zich door de hele basiliek, en door de hele wijk. Zo klink je dus. Overal kijken verblufte hoofden op. Mensen laten de handen zakken en vergeten waar ze net mee bezig waren. Van de stagiaires tot boven in de vergaderruimte: iedereen hoort het en verbaast zich.

Driemaal laat ik de klok klinken. Dan ga ik. Door de glazen wanden word ik door talloze ogen gevolgd.

'Is het weer zo ver?' vraagt mijn advocaat, een oude studievriend, die ik al jaren blind vertrouw. Hij klinkt een tikkeltje verrast.

'Dit keer heb je het toch lang volgehouden.'

'Alle aandelen,' zeg ik.

'En waar gaan we dit keer naartoe?'

'We gaan nergens naartoe,' antwoord ik koel. 'Ik ga op reis.'

Ik hoor hoe mijn vriend de adem inhoudt.

'Een sabbatical?' vraagt hij dan. 'Dat zal je goed doen.'

Voor hij aan het wauwelen slaat, maak ik een einde aan het gesprek.

Vervolgens bel ik de makelaar. Zij herinnert zich mij meteen. Morgen kan ze al langskomen met een koper.

Het enige wat ik wil houden, is mijn auto. Een Jaguar E-Type. De enige luxe die ik mezelf nog gun.

'We zullen toch op de een of andere manier moeten reizen,' zeg ik hardop tegen de urn. Ik vis de brief eruit en lees het laatste kantje. Dan vind ik wat ik zoek. Ik bel met inlichtingen en vraag om het nummer van ene Sebastian Nadler.

Hoofdstuk 7

Waarin Caroline kennismaakt met de heer Bohn en haar tas pakt

Ik heb het warm. De heer Bohn bladert nu al tien minuten door mijn papieren. En dan begint hij te praten. Het gaat me het ene oor in en het andere weer uit. Paragrafen. Alinea's. Oma zei altijd: 'Die verzekeringslui, dat zijn allemaal oplichters.'

Daar moet ik aan denken als de heer Bohn probeert om het onweer van onlangs in een categorie onder te brengen. Dat er regionale verschillen zijn, en zelfs verschillen van wijk tot wijk. Dat ik dien aan te tonen wat de precieze weersomstandigheden in mijn straat waren. Hij praat en praat maar, over uitsluitingsclausules met betrekking tot de aansprakelijkheid en over aanvullende polissen, die ik niet heb. 'Ze weten zich er altijd uit te kletsen,' zei oma, 'ze vinden altijd wel iets in de kleine lettertjes en dan heb jij mooi het nakijken.'

'We zullen een onderzoek instellen,' zegt de heer Bohn. 'Maar dat kan even duren. Hoeveel schadegevallen denkt u dat wij momenteel te verwerken hebben, na deze toestand?'

'Maar de bank...' sputter ik tegen.

De heer Bohn haalt zijn schouders op.

'U hoort nog van ons.'

En dan laat ik hem uit.

Sinds de ramp lijkt het wel of oma's huis veranderd is. Het is me ineens vreemd. De gordijnen voor de ramen naar de tuin heb ik dichtgetrokken en niet meer opengedaan. Ik kan de aanblik van die woestenij buiten nog altijd niet verdragen.

Het bureau, dat anders altijd vol lag met stapels papier, is leeggeruimd. Er ligt nog maar een brief, en ik kan me er maar niet toe zetten om die weg te gooien. *Beste Caroline, als je toevallig eens in de buurt van Île d'Ouessant bent, kom dan bij ons logeren. Anna.*

Ze heeft er een telefoonnummer bijgekrabbeld. Daaronder liggen de stukjes van de ansichtkaart die zorgvuldig bij elkaar zijn gezocht, als een puzzel. Ik staar er een poosje naar, en dan schuif ik de stukjes met een woest gebaar terzijde. De orde wordt weer opgeheven, de hemel barst open en de zee wordt verscheurd.

Ik blijf een hele poos alleen maar zitten en staar naar mijn handen. Ze dragen de sporen van mijn harde werken. Door het dagelijkse wroeten in de aarde zitten ze onder de kloven en mijn nagels zijn afgescheurd. Ik heb zo'n heimwee naar mijn planten, naar de vochtige geur in mijn kas. Voor ik weer ga huilen, trek ik de wegenatlas van Europa uit de kast. Ik sla hem open en begin te zoeken. Ik probeer de namen te ontcijferen van de eilanden die rondom de kust van Frankrijk te vinden zijn. Ik wil het net opgeven als ik het ontdek: in het uiterste westen ligt het, vlak voor de kust van Bretagne, Île d'Ouessant. Verder kon zeker niet, zeg ik geïrriteerd tegen de ansichtkaartsnippers. Dan zucht ik, zoek een rol plakband en plak alle kleine stukjes weer aan elkaar.

Ik leun achterover. Het valt me nu pas op dat ik mijn jas nog steeds aanheb. Mijn hoofd tolt.

Ik sta op. Gisteren kon ik het me nog helemaal niet voorstellen. In mijn slaapkamer trek ik mijn weekendtas uit de kast en doe die open. Ik ben nog nooit in Bretagne geweest, maar ik stel me voor dat het er hard waait en dat de dagen er helder zijn onder een hemel waarlangs de wolken jagen. Net als op de ansichtkaart. Ik zie mezelf in een dikke trui langs een strand wandelen. Er loopt iemand naast me. Iemand die er precies zo uitziet als ik. Maar dan ouder.

De tas vult zich als vanzelf. Als laatste loop ik naar het kantoortje. Alles is keurig. Alleen aan het prikbord hangen brieven die allang achterhaald zijn. Ik trek ze eraf en gooi ze weg, de een na de ander. Pas op het laatste moment ontdek ik de betaalcheque. Er staat drieduizend euro, in een koel, zwierig handschrift in het allerdonkerste blauw. De handtekening wordt gevormd door twee vinnige vinkjes, maar de opdruk laat geen enkele twijfel bestaan: Schmidt-Hoss & Beer, reclamebureau 'De Basiliek'.

'Ben je nou helemaal gek worden?'

Mijn vader is buiten zichzelf van woede.

Ik antwoord maar liever niet. Het was dom om hier te komen. Ik had beter onderweg even kunnen bellen, dan had ik mezelf dit kunnen besparen.

'Je kunt toch nu niet zomaar op reis gaan? Ik bedoel, juist nu! Wat moet er dan met het huis gebeuren?'

'De man van de verzekering zegt dat het nog wel even gaat duren.'

Mijn vader staart me aan en dan barst hij in lachen uit.

'O ja, zegt hij dat?'

Ik sta op, draai me om en wil weglopen. Maar mijn vader houdt me tegen.

'Caroline,' begint hij weer, en het is net alsof hij het tegen een klein kind heeft. 'Je bent helemaal in de war. Dat begrijp ik best. Maar wat jij nu van plan bent, dat kan helemaal niet. Juist nu kun je niet zomaar weg. Je moet voor je bedrijf zorgen. Je kunt niet gewoon de benen nemen en de boel de boel laten.'

Ik kijk om me heen naar de zitkamer waarin ik ben opgegroeid. Er is niets veranderd sinds ik hier weg ben. Ik zie alles nu met koude, vreemde ogen. Ik zie de diepe duisternis van de zware gordijnen, die zelfs de allerfelste zomerzon tegenhouden, het zandkleurige behang, de donkere houten lambrisering. Hier heb ik dus mijn jeugd doorgebracht. Geen wonder dat iedereen altijd zei dat ik zo'n ernstig kind was. Hoe kan een kind hier leren lachen. Wie weet wat er met me was gebeurd als ik Anna nooit had leren kennen.

'Ik moet hier weg,' zeg ik, en ik herinner me dat ik deze zin maanden eerder al een keer heb uitgesproken. Dat was toen ik had besloten om bij Fred weg te gaan, oma's huis te verbouwen en mijn eigen zaak te beginnen. En? Wat heeft dat voor zin gehad?

Sebastian gaat in zijn leren stoel zitten.

'Een eigen zaak hebben,' begint hij op een belerend toontje, 'wil niet alleen zeggen dat je verstand van je vakgebied moet hebben, dat heb ik je verleden jaar ook al gezegd. Anders kun je net zo goed ergens anders in dienst blijven. Als je werkelijk eigen baas wilt zijn...'

'Ach,' sputter ik tegen, 'en hoe kom jij aan die kennis? Jij, als levenslange ambtenaar...'

'Ik ken mijn eigen grenzen, vandaar. Ik heb nooit mijn eigen bedrijf willen hebben. En dat heb ik ook gezegd, ik mag hopen dat je je dat nog herinnert. Op mij hoef je niet te rekenen, heb ik gezegd...'

'Dat herinner ik me maar al te goed,' zeg ik, en ik sta weer op, 'en daarom doe ik ook wat mij zelf goeddunkt.'

'Waarom?' vraagt Sebastian bijna smekend, en hij buigt voorover in zijn stoel, 'Leg me dat dan tenminste uit. Waarom doe je mij dit precies aan? Wat heb ik je misdaan? Leg het me uit!'

Ik wil het niet, maar toch kijk ik hem aan. Een opwelling van genegenheid komt bij me naar boven. Wat heb ik veel van mijn vader gehouden en wat heb ik hem bewonderd. 'Je verafgoodt hem te erg,' zei oma altijd. 'Neem een ding van mij aan, een man mag je nooit verafgoden. En jouw vader is een man als alle andere, niet meer en niet minder. Als wij hen te veel aanbidden, dan zullen ze ons op een dag teleurstellen. Dat is nu eenmaal zo.'

'Begrijp je dat dan echt niet?' vraag ik, 'Na alles wat er is gebeurd? Na al jouw leugens?'

Ik loop de kamer door, en blijf staan bij de vitrine met de Chinese dodenmaskers.

'Toen ik klein was, dacht ik altijd dat Angela ook zo'n gouden gezicht had. Daar beneden, in haar graf. Je hebt geen idee hoe me dat altijd heeft beziggehouden. Ik stelde me haar voor als de engel op de grafzerk, maar dan met een gouden gezicht.'

Ik draai me om en kijk naar de ineengezakte figuur in de stoel.

'Weet je nog dat ik je vroeg wat voor beroep mijn moeder vroeger had? Kun je je nog herinneren wat jij toen hebt geantwoord?'

De figuur in de stoel verroert zich niet.

'Jij zei dat ze zangeres was. En ik schaamde me zo erg, omdat ik helemaal niet kan zingen. En toen ik wilde weten of jij niet ergens een opname van haar had, toen zei jij... toen zei jij dat ze nooit opnames wilde maken, omdat je de stem niet mag vastleggen. Dat de stem maar een keer zo mag klinken, in het nu, en dat het geluid zich altijd weer moet vernieuwen. Wat je dat nog? Ik herinner me elk woord dat jij hebt gezegd, en nu weet ik dat je alles heb bedacht. Snap je dat? Elke dag komen er nieuwe leugens boven, en soms voelt het alsof je me nooit iets anders hebt verteld dan leugens. Of wilde je soms beweren dat dat niet klopt?'

Sebastian zwijgt.

'Wat deed Angela echt? Wat studeerde ze?'

Het duurt even voordat Sebastian antwoord geeft.

'Ik heb geen idee. Dat heb ik je toch al gezegd. We hadden nooit iets met elkaar te maken.'

Ik barst in lachen uit. Hard en vals.

'Nee,' zeg ik cynisch. 'Jullie hadden niets met elkaar te maken. Behalve dan dat jullie mij op de wereld hebben gezet. Maar dat telt natuurlijk niet.'

Weer been ik met grote passen door de kamer.

'Ik ben niet zoals jij,' zeg ik dan fel. 'Als ik jou was, dan had ik willen weten wie mijn vader is.'

'Wie zegt dat ik daar niet naar op zoek ben geweest?'

Ik staar mijn vader aan.

'Heb jij...'

'Ja,' zegt hij vermoeid. 'Ik wilde ook weten wie mijn vader was. Natuurlijk wilde ik dat weten.'

'En?' vraag ik als Sebastian geen aanstalten maakt om verder te vertellen.

'Ik ben erachter gekomen dat het soms beter is om niet alles te weten.'

'Wat? En daar moet ik het dan maar mee stellen?'

'Dat zou wel beter voor je zijn, ja.'

'Hoe kun je dat nou zeggen?' roep ik uit.

'Ik heb jouw grootmoeder precies diezelfde vraag gesteld.'

'Maar je hebt niet naar haar geluisterd. Dus vertel me over je vader!'

Sebastian schudt zijn hoofd.

'Waarom niet?' vraag ik woedend. 'Wat is dit nou voor familie? Al dat zwijgen en al die leugens. Vergeet niet dat het ook mijn grootvader is.'

Sebastian rommelt wat in zijn jaszak, en haalt een pakje sigaretten tevoorschijn waar hij een sigaret uit vist, die hij omstandig opsteekt.

'Weet je,' zegt hij, en hij blaast de rook uit, 'wij mensen nemen onszelf veel te serieus. "Wie was mijn grootvader?" "Wie is mijn moeder?" Kijk nou eens om je heen. Alles wat je hier ziet getuigt van de mateloze zelfoverschatting van de mens. Zelfs tot na de dood willen ze voortbestaan. Hun individualiteit behouden. Ik stam van die en die familie af, enzovoort. Wat doet het er nou toe wie er precies in zo'n graf ligt? En of er überhaupt iemand in ligt? Het enige wat telt is toch wie er bij wie wil zijn zolang er nog warm bloed door onze aderen stroomt? Mijn vader wilde niets van mij weten. Nou, goed. Daar had ik me bij moeten neerleggen. En Angela wil niets van jou weten. Waarom respecteer je dat niet?'

Hij heeft gelijk. En toch, als dat waar is, waarom heeft ze dan die ansichtkaart gestuurd?

'Wat zij doet, is haar zaak,' zeg ik uiteindelijk. 'Maar ik wil iets van haar weten, en dat is per slot van rekening mijn goed recht. En jij, jij kunt mij niet tegenhouden.'

Mijn vader loopt niet met me naar de deur. Hij blijft gewoon daar zitten, in zijn stoel. Ik haat hem, denk ik, terwijl ik de motor start. En ik weet dat dat niet waar is. Waarom zijn mensen niet zoals varens, vraag ik me af. Die kennen geen liefde en geen haat. Die kennen alleen de stille wens om te mogen bestaan. Een paar druppels water, meer hebben ze niet nodig.

Hoofdstuk 8

Waarin Gregor de schepen achter zich verbrandt en zich opmaakt voor een avontuur

Het begint al vroeg in de avond. De telefoon staat roodgloeiend, maar ik neem uiteraard niet op.

'Het moet een misverstand zijn,' hoor ik Schmidt-Hoss tegen mijn antwoordapparaat zeggen. 'Alles is bespreekbaar, Gregor, je moet me terugbellen, wat het ook is, we regelen het wel...'

En aangezien de tamtam binnen de branche zijn werk al heeft gedaan, meldt zich de ene headhunter na de andere, en allemaal willen ze me nieuwe, aanlokkelijke aanbiedingen voorleggen. Ik ben niet geïnteresseerd. De enige keer dat ik opneem is als Arndt belt.

'Mag ik langskomen?' vraagt hij.

'Uiteraard,' antwoord ik.

Wat hem betreft spijt het me wel. We waren het gedroomde team. Maar onze tijd samen zit er op.

De telefoon gaat weer over. Het is mijn moeder. Een mooie gelegenheid om afscheid van haar te nemen, voor een poosje. Denk ik.

'Wat ga je nou met hem doen?' valt mijn moeder met de deur in huis.

'Met wie?' vraag ik argeloos.

'Wat ben je met hem van plan? Je kunt hem toch niet eeuwig in je linnenkast blijven verstoppen.'

'Moeder,' zeg ik, 'ik vind het fijn dat je belt, want ik wilde jullie net vertellen dat ik een poos op reis ga.'

Aan de andere kant valt het stil. Zo stil dat ik haar over de lijn kan horen ademen.

'Heeft hij je soms iets geschreven? Een brief of hoe je dat ook maar noemt in zo'n geval?'

Ik doe net alsof ik haar niet heb gehoord.

'Het kan dus zijn dat je een poosje niets van me hoort. Dit telefoonnummer wordt morgen afgesloten.'

'Maar, Gregor, luister nou,' zegt mijn moeder, en haar stem klinkt heel vreemd, 'wat hij je ook heeft geschreven, je moet er geen woord van geloven, hoor. Hij heeft altijd al van alles lopen verdraaien, en overal zijn eigen waarheid van gemaakt, onthoud dat goed.'

'Moeder,' zeg ik, 'ik weet niet of je het over mijn peetoom hebt, maar die is dood. Wat zou die dus nu nog kunnen verdraaien? Ik ga op reis. Meer niet.'

Weer blijft het een tijdlang ongewoon stil.

'Dat is precies wat hij jaren geleden ook zei.'

Wat? wil ik vragen, *wat heeft wie ook gezegd?* Maar ze heeft al opgehangen en dat is in mijn drieëndertigjarige carrière als zoon nog niet een keer voorgekomen.

'Je komt niet meer terug, hè?' vraagt Arndt en hij kijkt me met een open blik aan.

'Nee,' zeg ik.

Arndt draait zijn glas in zijn hand. Hij heeft kringen onder zijn ogen, want hij had ook nachtrust opgeofferd om de campagne presentabel te maken. Hij staart naar de parketvloer en ik voel zijn teleurstelling en de twijfel aan zichzelf. Wat heb ik verkeerd gedaan, denkt hij, is dit soms mijn schuld?

'Arndt,' zeg ik, en hij schrikt op, 'jij bent een van de allerbeste reclamemensen. Jij hebt mij niet meer nodig.'

Hij kijkt me verrast aan, en dan glimlacht hij. Het is een droevige glimlach, maar hij heeft het begrepen. Wij hadden nooit veel woorden nodig. We hebben allebei een hekel aan lange redevoeringen. Toch heeft hij nog iets op het hart.

'Waarom?' vraagt hij uiteindelijk.

Tja, denk ik, goeie vraag. Waarom? Omdat een klok die niet mag luiden net zoiets is als een vogel die niet vliegt?

'Misschien heb ik te lang op één plek gezeten,' zeg ik, en dan bedenk ik dat die zin niet van mij zelf is.

'Duidelijk familie,' zegt Sebastian Nadler de volgende ochtend, en hij vraagt me binnen te komen.

Hij merkt kennelijk op dat ik de inrichting vliegensvlug in me opneem, want hij zegt met zekere trots: 'Dat is een sarcofaag uit Jemen, en dit hier komt uit China.'

Ik werp een blik op de ongebruikelijke voorwerpen, maar dan kijk ik de man zelf weer aan. Sebastian Nadler heeft een fles Schotse whisky in de hand.

'Uw oom hield erg van whisky, zal ik...?'

Ik sla het aanbod af. Niet op dit tijdstip.

'Tja, kapitein Beer...' zegt oom Gregors vriend, en hij schenkt zichzelf een vingerbreedte whisky in voor hij zich in zijn leren stoel laat vallen die door de tijd heel donker is geworden. 'We hebben elkaar leren kennen op een boottocht van China naar Europa. Ik doe namelijk opgravingen, en dan moet je zo het een en ander mee heen en terug vervoeren. Dat was niet altijd zo eenvoudig... u begrijpt wel wat ik bedoel.' Nadler lacht breeduit.

Ik begrijp het. Zo komen dus die sarcofaag uit Jemen en de maskers uit China hier, terwijl ze eigenlijk in een museum in hun land van herkomst thuishoren.

'En je hebt ook altijd ongebruikelijke spullen mee te nemen, instrumenten, proefmonsters... in uw oom trof ik een begripvolle partner.'

Nadler neemt een slok uit zijn glas.

'En op die lange reis zijn wij bevriend geraakt. Enfin, meestal pakte ik zelf het vliegtuig. Maar ik heb mezelf een aantal keer het plezier gegund om met uw oom de zeeën te bevaren... dat zult u zelf ook wel kennen.'

Ik zwijg. Nee, ik weet niet hoe het is om met mijn oom de zee te bevaren. Het steekt en doet pijn om te bedenken dat deze man hier zoveel vertrouwder met hem was dan ik. Bovendien had hij het mij nog eens beloofd, bedenk ik opeens tot mijn verbazing. Dat was tijdens zijn laatste bezoek, toen ik een jaar of elf, twaalf was. Heinrich was al dood. Toen had oom Gregor me beloofd: 'In de zomer neem ik je mee naar zee.' En vervolgens heeft hij nooit meer iets van zich laten horen.

'Hij was een bijzondere man,' zegt Sebastian Nadler, 'en het verbaasde mij niet dat hij me vroeg om deze brief voor u te bewaren. Ik had alleen niet gedacht dat u hem al zo snel zou komen halen. Het spijt me zo. Hij was een geweldige vent.'

'Wanneer heeft hij u de brief dan gegeven?' vraag ik.

'Hij heeft hem per post gestuurd,' zegt Nadler, 'pas een paar weken geleden.'

'Wist u... weet u of hij ziek is geweest?' vraag ik.

Mijn gastheer kijkt me verwonderd aan.

'Ik? Nee. Was hij dat dan? Hij maakte een kerngezonde indruk toen ik hem voor het laatst zag. Maar dat is natuurlijk al weer even geleden... Twee jaar. Misschien. We hebben daarna nog een paar keer met elkaar getelefoneerd. Maar hij heeft het nooit over ziekte gehad. Waar is hij aan overleden?'

Weer zwijg ik. Dat zou ik zelf ook zo graag willen weten, denk ik. Maar ik ben niet in de stemming om deze onbekende man over onze familieverhoudingen te vertellen.

Sebastian Nadler kijkt mij vol verwachting aan, maar als mijn zwijgen de hele ruimte vult – mijn god, wat een interieur, denk ik, en ik laat mijn blik over de vitrines en planken glijden die bomvol staan met zeldzame objecten, religieuze voorwerpen, en, neem ik aan, grafgiften. Is dat daar nou echt zo'n gekrompen hoofd? Dan wendt Nadler zijn blik van mij af.

'Uw oom had een ongebruikelijke kijk op de dood,' zegt hij, en ik weet niet of mijn zwijgen hem gekrenkt heeft. 'Terwijl in de heersende opinie de dood het eind van alles is, was hij van mening dat het juist pas het begin was van iets anders. Ik wil daarmee niet zeggen dat hij religieus was. Hij was uiteraard geïnteresseerd in de wereldreligies en we hebben veel gediscussieerd over de verschillende opvattingen over de dood, maar ik kan u met zekerheid vertellen dat uw oom geen enkele religie aanhing. En toch beweerde hij dat het allerbelangrijkste wat hij in zijn leven zou doen pas na zijn dood zou plaatsvinden. Ik heb het nooit uit hem kunnen trekken wat hij daar precies mee bedoelde.'

De reis, denk ik. Hij doelde op onze gezamenlijke reis. En ik schud ook mijn hoofd. Het heeft allemaal geen zin. Wat weet deze professor, deze smokkelaar van antiquiteiten, eigenlijk echt over Gregor Beer senior? Hij was een fantast, hoor ik mijn moeder zeggen, en dat heeft hij met deze grafschender gemeen. En dan zie ik haar weer huilen bij de aanblik van de urn, precies zoals ze huilde toen men haar dode zoon bij haar bracht. Ik heb het onbehaaglijke gevoel dat de wereld aan het doordraaien is en vraag me af hoe ik dit huis vol met dingen uit het dodenrijk zo snel mogelijk achter me kan laten.

Ik hoor Nadlers uitwijdingen over het karakter van mijn peetoom nog een poosje aan en kijk naar foto's waarop kapitein Beer in een fraai uniform op de brug van zijn schip staat, of in de mess zit. Nadler laat zich de kans niet ontnemen om mij een heel speciale foto te geven. Maar als de professor zichzelf een tweede glas whisky inschenkt en onmerkbaar overgaat op een vertrouwelijk toontje, en over zijn dochter begint te vertellen, die hem de laatste tijd veel zorgen baart, begin ik toch echt mijn aftocht voor te bereiden.

'Ik vind,' zegt Nadler, 'dat men het verleden moet laten rusten, wat vindt u?'

Ik sta wat abrupt op. 'Hartelijk dank dat u zoveel tijd voor mij hebt ingeruimd,' zeg ik, en ik schuif de brief en de foto in mijn zak, en vertrek.

Opgelucht hoor ik de deur achter me in het slot vallen. Veel te veel mensen, denk ik als ik met rasse schreden het tuinpad afloop naar de straat. Ik heb mijn leven tot nu toe aan veel te veel mensen verspild. En ik begin me te verheugen op de eenzame reis die voor me ligt. Ik zie mijn Jaguar E-Type als een zilveren pijl door onbekende landschappen schieten. Ik zal alleen zijn, ik zal niet te dicht bij andere mensen komen. Alleen de wonderlijke stem van oom Gregor zal in mijn oren klinken.

Zo, denk ik, als ik thuis een kop koffie zet, het overvolle antwoordapparaat negeer, en het me op de bank gemakkelijk maak. En wat is dan precies mijn reisbestemming?

Ik maak de envelop open. Voel een zekere spanning. Ik heb al vaker mijn schepen achter me verbrand. Maar ik heb nog nooit een ander laten bepalen waar ik daarna naartoe ging. Ik weifel, leg de brief opzij en pak de foto op. Ik kijk eens goed naar dat gezicht en dit keer word ik overspoeld door een hele golf herinneringen. Het eerste wat bij me opkomt, is de stemming die bij ons thuis heerste als oom Gregor op bezoek was. Het gevoel dat mijn moeder het aan de ene kant goed vond, heel goed zelfs, om ons samen te zien, maar aan de andere juist weer helemaal niet. Ik voelde me heen en weer geslingerd tussen haar tegenstrijdige stemmingen, en tussen mijn eigen wensen. Want zo klein als Heinrich en ik waren, zo verbeten was de peetoomstrijd die we voerden, en aangezien oom Heinrich altijd aanwezig was en oom Gregor maar zo zelden langskwam, was hij de geheimzinnige kandidaat – hij prikkelde de verbeelding veel meer. Op een keer, dat herinner ik me nu ook ineens, heeft hij ons meegenomen naar het planetarium. Hij nam ons altijd alle twee mee, dat liet hij zich niet uit zijn hoofd praten, terwijl ik hem juist zo graag voor mijzelf had gehad. Eén mens op de hele wereld die er helemaal voor mij alleen was. Maar die wens vervulde hij nooit – in elk geval niet voordat Heinrich dood was. De foto toont een man in zijn beste jaren: als de jeugd voorbij is, en de ouderdom haar sporen nog niet al te genadeloos heeft achtergelaten. Hij is rond de vijftig, slank, knap, een smal gezicht met intelligente, sceptisch geloken ogen, alsof hij ze wilde verstoppen. Alsof hij een geheim had. Dan die mond met de volle lippen, die zo graag lachte, wat ook wordt verraden door de lijntjes om zijn ogen en mondhoeken. Een treurige of een ironische lach, alsof hij zich ergens vrolijk over maakte.

Waarom ben jij eigenlijk nooit getrouwd, vraag ik aan de foto. En bij wijze van antwoord denk ik: dat kan ik jou ook vragen. Drieëndertig. Dan hebben de meeste mensen toch al een gezin. Maar jij wilt niemand om je heen, en zo was het voor mij ook. Maar er is nog iets anders, iets wat onder die geloken oogleden verborgen blijft. Iets wat oom Gregor niet wil prijsgeven. Nog niet.

De telefoon gaat drie keer over, en dan springt hij op het antwoordapparaat. Het is de makelaar die vraagt of ze al wat eerder langs kan komen met mensen die in mijn huis geïnteresseerd zijn.

Twee uur later is alles in kannen en kruiken. Zonder aarzelen ga ik akkoord met het bod. Mijn advocaat regelt de rest. Morgen laat ik dit allemaal achter me. En ik heb geen greintje spijt.

DEEL 2

De wet der beweging

Hoofdstuk 9

Waarin Gregor pech heeft en hulp krijgt uit onverwachte hoek

Je hebt dus besloten, mijn beste Gregor, om met me op reis te gaan. Wat heerlijk! Ik hoop maar dat Sebastian niet al te veel onzin over me heeft verteld want hij overdrijft vaak. In elk geval schenkt hij altijd een magnifieke whisky en ik neem aan dat hij je daar een glas van heeft aangeboden?
Ik zal je niet langer in spanning houden. Ons eerste reisdoel is het meest westelijke punt van Frankrijk, op een eiland. Het is een behoorlijk ruige en winderige plek. De mensen leven er al generaties van de visvangst, ook al is dit een gevaarlijke aangelegenheid. Elke familie heeft een lange stoet doden te betreuren, die allemaal door de zee zijn opgeslokt. Voor mij is het dan ook een soort dodeneiland, maar niet in de duistere zin, nee, het is allesbehalve een griezelige plek. Het baadt juist in het zonlicht of het schijnsel van de sterren. Daarom wil ik ook zo graag dat een deel van mij daar voor altijd zal blijven, of dat daar, afhankelijk van hoe je aankijkt tegen een zeebegrafenis, een deel van mij voorgoed oplost.
Wat is het eigenlijk, een Ik? Wat blijft er van ons over als we deze aarde verlaten? Als jij dit leest, weet ik het antwoord op die vraag inmiddels. Maar terwijl ik dit schrijf, blijft het voor mij ook nog speculeren. Net als voor jou.
Er is me tijdens mijn leven altijd veel aan gelegen geweest om me niet aan iemand te binden. De andere zeelui, die een vrouw thuis

hadden, hadden altijd medelijden met me, maar ik lachte hen dan uit en dacht: die arme drommels horen toch bij hun gezin te zijn. Wat is dat voor leven, zes maanden op zee en dan drie maanden thuis, allemaal ruzie en gekijf, en als je dan net weer aan elkaar gewend bent, moet je alweer afscheid nemen.

De enige die ik ooit had was ikzelf. Ik weet niet of jij het je nog herinnert dat ik in het begin, toen jullie nog klein waren, wat vaker langskwam. Je moeder vond altijd dat ik er of te vaak of niet vaak genoeg was en ik ben er nooit helemaal achter gekomen waar de waarheid lag. Ik kwam in elk geval wel elk verlof naar jullie in het Zwarte Woud, totdat je moeder mij te verstaan gaf dat men niet meer op mijn bezoekjes zat te wachten. Ik heb mijn schouders opgehaald en bespaarde mezelf de rit, maar nu weet ik hoe erg ik eigenlijk gekwetst ben door de afwijzende houding van je moeder. En toch had ze gelijk. Waarom, dat zal ik je later vertellen.

Ik wil je nog één ding op het hart drukken: weet je nog toen je broer overleed? Ik kon niet bij zijn begrafenis zijn, omdat ik op weg was naar China. Het staat me nog heel helder voor de geest. Het was een eenzame avond op de brug, toen mij het bericht bereikte. Ik kon pas vier maanden later komen, en jullie keken me allemaal aan alsof ik een barbaar was, of op zijn minst een vreemde. Ik heb je toen beloofd dat ik je mee zou nemen naar zee, weet je dat nog? Ik heb het je bij hoog en laag bezworen, en ik heb er ook van alles voor op touw gezet. Toevallig was er precies in jouw zomervakantie ook een geschikte vaart, niets gevaarlijks, gewoon naar Scandinavië en weer terug. Maar toen ik je ouders hierover vertelde, heb ik een lang gesprek gevoerd met je moeder. Zij heeft me zonder omhaal verteld dat ze er geen toestemming voor gaf. Ze zou jou nooit naar zee laten gaan, en al helemaal niet met mij, dat waren haar woorden. Al helemaal niet met jou. En ze zei het met zoveel afschuw in haar stem dat ik het onderwerp ook nooit meer heb aangesneden. Eigenlijk heb ik vanaf toen het contact met jou, dat toch al vrij spaarzaam was, helemaal laten verwateren. Je moeder is een vrouw met een sterke wil, dat heb ik gedurende mijn leven meerdere keren ervaren. En bij al die gelegenheden ging het om ons beiden. Om jou, Gregor, en om

mij. Maar ik denk dat je een vrouw die heeft moeten meemaken wat jouw moeder heeft meegemaakt zulke dingen maar moet vergeven. En zo heb ik me over het algemeen naar haar wensen gevoegd.
Het is vreemd dat onze lichamen voor eeuwig van de aardbodem kunnen verdwijnen, maar dat de herinneringen die we achterlaten, blijven. En hoewel ik op het moment dat ik dit schrijf nog leef en mijn lichaam nog aanwezig is op deze aarde, kan ik je toch pas nu, als jij deze regels leest en ik dood ben, werkelijk nabij zijn.
En omwille van deze herinneringen ben jij nu op weg naar Île d'Ouessant. En mocht je het moeilijk vinden om het eerste deel van mijn as daar in zee te strooien, vraag dan de vuurtorenwachter, Jacques Malgorne, om raad. Hij is een vriend van me en hij weet ervan. Van hem krijg je ook een tweede brief met alle informatie die je nodig hebt voor het vervolg van onze tocht.

Goede reis gewenst,
Je oom Gregor

Drieëndertig jaar lang was mijn oom in leven, en heeft hij me nog nooit een regel geschreven, en nu hij dood is krijg ik ineens de ene brief na de andere. En hoe langer ik achter het stuur van mijn titaniumkleurige Jaguar E-Type richting het westen suis, des te kwader word ik op mijn moeder. Het is een kinderlijke woede: waarom gunde ze me die zeereis niet, dat zou ik wel eens willen weten. Waarom heeft ze zich tussen mij en mijn peetoom geplaatst, en waarom probeert ze dat tot op de dag van vandaag nog steeds, zelfs over de dood heen? Wat kan ze daar in vredesnaam voor goed doordachte reden voor hebben gehad? Zeker, ze had net een zoon begraven, dus het is begrijpelijk dat ze de overlevende zoon met alle mogelijke middelen wil beschermen. Maar toch. En tussen Stuttgart en Karlsruhe, in een volkomen onnodige file, veroorzaakt door twee arbeiders die op een stuk van drie kilometer twee rijstroken tegelijk hadden afgezet om op hun dooie akkertje het gras in de middenberm te maaien, laait mijn boosheid nog eens op.

Dit keer ben ik kwaad op oom Gregor die zich er door de nukken van zijn schoonzus van liet weerhouden om met mij een betekenisvolle relatie te onderhouden. Toen ik Karlsruhe eindelijk voorbij was en me richting Straatsburg begaf, was ook deze boosheid verdampt. Je kent je moeder toch, hou ik mezelf voor. En als oom Gregor zelfs maar een heel klein beetje op mij leek, dan is het nog een wonder dat hij zich de eerste jaren überhaupt om mij heeft bekommerd.

Ik volg de A4 richting Parijs, steek een grenspost over die geen grenspost meer is, en dan kan ik eindelijk mijn zes cilinders laten knallen. Op de passagiersstoel naast me staat de urn van oom Gregor, zilver met zwart en met vleugels in plaats van handvatten, en die past uitstekend bij mijn auto. Ik zou wel willen zingen, maar ik weet niet hoe dat moet. Ik kan me niet herinneren of ik ooit wel gezongen heb. En dus fluit ik maar zo'n beetje voor me uit terwijl de omgeving verandert en mijn E-Type en ik door een golvend heuvellandschap glijden met weides waarop ivoorkleurige koeien staan te grazen alsof ze daar al eeuwen zo staan. Dan strekt het land zich uit tot veel weidsere proporties, en wordt het nauwelijks nog onderbroken door dorpen en steden. De lange neus van mijn auto ploegt zich door deze weidsheid als de boeg van een schip dat naar het westen koers zet. Waarom ben ik eigenlijk niet eerder zo op reis geweest? We zijn een perfect stel, en het is toch het doel van een automobilist om op reis te zijn.

Het diepe, donkere geronk waarmee de 4.2 liter motor moeiteloos zijn 265 paardenkrachten losgooit, heeft iets ongelofelijk geruststellends. De Jaguar E-Type is de non plus ultra in de geschiedenis van de automobiel, het resultaat van een grootse ingeving van de vliegtuigbouwer Malcolm Sayer. Ervoor noch erna is ooit een auto gebouwd met zo'n perfecte vorm. De harmonie en esthetiek dienen niet alleen zichzelf, nee, de elegante ellipsvorm heeft een aerodynamische functie. Het is dan ook een pragmatisch kunstwerk op wielen. Tijdens een bezoek aan het Museum of Modern Art in New York zag ik een broertje van mijn eigen model tentoongesteld, ook een bijzondere uitvoering van de tweede serie uit 1964, die al een volledig gesynchroniseerde vierwielaandrijving had en een dashboard van wortelnotenhout. Maar mijn E-Type is beter onderhouden, en de zeldzame keren dat ik hem op straat parkeer, vind ik regelmatig briefjes onder de ruitenwissers met hoge biedingen en telefoonnummers van gretige autofreaks.

Maar mijn auto is niet te koop.

We schieten lekker op. Vlak na Parijs drink ik ergens koffie en eet ik een broodje. Zoals altijd trekt mijn wagen een hoop bekijks. Dat is eigenlijk het enige nadeel, vind ik. Het liefst ben ik alleen met hem, om te genieten van de schoonheid en efficiency, maar ik hoef hem maar ergens te parkeren en hij wordt omringd door mensen van alle leeftijden en van beide geslachten. Door het raam van het wegrestaurant kijk ik naar een stel haveloos geklede jongeren die om de wagen lopen, alsof het een ufo is. Een meisje met steenrode rastalokken gaat zelfs op de neus zitten, en ik laat mijn koffie staan en storm naar buiten. Ik trek haar van mijn auto. Er landt een elleboog in mijn buik. Een etnische mix uit de Franse overzeese koloniën komt van alle kanten op mij af. Het meisje boort haar donkere ogen in de mijne en begint tegen me te schreeuwen. Ik ben blij dat ik haar taal niet versta. Of het nu Frans is – ik zou het niet durven zeggen. Pas als er twee potige types van het tankstation komen aanlopen, laten ze me gaan.

'Te veel mensen,' zeg ik tegen mijn Jaguar als ik instap en ik de motor start. Veel te veel mensen. Op dat eiland zal het hoop ik anders zijn. In zeven seconden trek ik op van nul tot honderd. De rastalokken blijven in een stofwolk achter.

'Au revoir,' zeg ik, en ik geef gas.

Twintig kilometer verder, draai ik een parkeerplaats op. Een korte plaspauze, meer niet. Vanavond zullen mijn E-Type en ik Brest binnenrijden. Dertien uur en negen minuten, zegt mijn gps. We zullen zien of we niet samen een record kunnen vestigen.

Maar als ik de struiken uit kom, stap ik een nachtmerrie in. Eerst zie ik de gebutste auto. Dan vijf paar zwarte ogen. Steenrode rastalokken achter het stuur. Het meisje geeft gas. Niet van nul tot honderd in zeven seconden, maar hard zat. Ze stormt op de ellipsvormige achtersteven van mijn Jaguar af. Een afgrijselijk lawaai van op elkaar botsend metaal. Als een geschrokken dier doet mijn E-Type een sprongetje naar voren, en boort daarbij zijn neus in een boom. Gierende banden die achteruitrijden, een koppeling die knarst, een motor die aanzwelt. Baf. De boom boort zich nog dieper in de zilveren neus.

Ik sta als aan de grond genageld. Ik zie toe hoe deze onvoorstelbare scène zich nog eens herhaalt, zie de triomfantelijke gezichten, de tongen die naar me worden uitgestoken. Ik zie hoe de pure schoonheid stukje bij beetje wordt stukgemaakt, en ik zie het bloed, nee, de benzine, die onder de mishandelde tors vandaan druppelt. Dan kom ik los uit mijn verstarring. Als een woedende stier storm ik op de vandalen af. Ik grijp me vast aan hun deurgreep en word opzij gesleurd. Nog een dreun die mijn trommelvlies beschadigt. Moeizaam krabbel ik op. Mijn linkerhiel doet pijn bij het opstaan.

Het is stil geworden. Ik hoor alleen mezelf hijgen. Toch is er nog een ander geluid. Een heel klein, delicaat geluid. Het is een lucifer die wordt afgestreken. Ik kijk op. Daar staan ze. Ze zien er tevreden uit. Het meisje steekt een sigaret op. En dan weet ik wat er gaat komen. Ik strompel op haar af. Maar het is al te laat. Met een vloeiende beweging gooit ze de brandende lucifer van zich af. Precies naar de plek waar de benzine het asfalt donker kleurt.

Met een klap wordt het heet, heel erg heet. Iemand brult, en ik merk dat ik het zelf ben. Ik word door iets teruggetrokken. Ik sluit mijn ogen. Wil het niet zien. Houd niet op met brullen.

En dan val ik op de grond en rol de berm af. Iemand sproeit water over mijn gezicht.

'Kalm maar,' zegt een stem. Ik schud het water van me af als een natte hond en spring op. Voor me staat een vrouw, jong, met kort, donker haar. Een goedkoop T-shirt. Ik heb dit ergens eerder gezien. Boven haar hoofd stijgt een zwarte rookpluim op naar de lucht. Dan volgt een explosie. Metaaldelen vliegen door de lucht.

'Ik vermoord ze,' snuif ik.

'Ze zijn al weg,' zegt zij.

Maar er komen anderen. Opeens is de lucht vol sirenes. Politie. Brandweer. Twee agenten komen haastig op ons afgelopen. Gerechtigheid, denk ik, en ik strompel op hen af. Wraak. Ze zullen de boosdoeners oppakken en ter verantwoording roepen.

Maar ze begrijpen me niet. Ze schuiven mij terzijde en richten zich tot de jonge vrouw. En dan gaat het heen en weer en ik heb geen idee waar ze over discussiëren, in plaats van achter die bende aan te gaan.

'Betalen? Wat krijgen we nou?'

'Voor de brandweer,' zegt ze, en ze kijkt ongelukkig op.

Ik hap naar lucht.

'Ze geloven me niet. Ze zeggen dat u de wagen zelf tegen een boom hebt gereden.'

'Maar... u hebt het toch ook gezien!'

'Ze geloven me gewoon niet,' roept ze boos uit.

Ik loop naar de politieagent, zo waardig als maar kan, met deze pees. Ik heb wel eens ergens gelezen dat het uniform van de Franse politie door Karl Lagerfeld is ontworpen. En dat zeg ik tegen deze ijdele sufkop. Ik zeg: 'Een uniform van Karl Lagerfeld maakt nog geen held van jou, sukkel die je bent! Als je dan echt niks anders kunt dan je hand opsteken als een paar losgeslagen relschoppers uit de *banlieues* de auto's van buitenlanders tot schroot maken...'

Maar verder kom ik niet.

'Les papiers,' zegt de agent met de Dolce & Gabbana-zonnebril.

Ik grijp naar mijn jaszak. Ik voel oom Gregors brief. Mijn autopapieren lagen in de auto. Ik vloek. Zonnebril wisselt een veelzeggende blik met Lagerfeld.

'Passeport.'

Godlof heb ik mijn portemonnee in mijn broekzak. Daar zit mijn paspoort in. De man trekt hem uit mijn hand en loopt er mee naar de surveillanceauto.

'Wat gebeurt er allemaal?' vraag ik aan de jonge vrouw.

Ze haalt haar schouders op. Ik zie aan haar dat ze er spijt van heeft dat ze zich hierin heeft gemengd. Besluiteloos kijkt ze naar haar eigen auto. Het is een groene bestelwagen. DE WERELD DER VARENS staat erop. Een adres in Nymphenburg. Varens. Ik kijk haar nog eens goed aan. En dan weet ik het ineens weer.

'Hé,' zeg ik, 'hebt u niet eens een keer mijn neus gebroken?'

Ze kijkt me boos aan. Ze weet kennelijk precies wie ze hier voor zich heeft. Ze doet haar mond open om iets te zeggen, maar dan komt de agent terug, met een brief in zijn hand. Driehonderdzestig euro staat daarop.

'Geen sprake van,' zeg ik, 'ik ben verzekerd. Ik zal mijn advocaat...'

'Les papiers?'

De kerel grijnst en ik kan hem wel slaan. Hij zegt iets en wijst op de rekening. Hij zegt nog veel meer en wijst naar de verkoolde resten van mijn auto. Hij zegt nog iets en wijst naar de surveillanceauto.

'En?' vraag ik de hovenierster.

'Hij zegt dat u moet betalen, omdat u anders mee moet naar het bureau. Hij zegt dat ze u een kwitantie geven en dat u daarmee het geld later weer teruggestort kunt krijgen. Hij zegt dat het ook altijd hetzelfde liedje is met die Duitsers. Bovendien wil hij u een blaastest laten doen. En als ik u een goede raad mag geven, dan zou ik maar niet meer zo tegen hem schreeuwen.'

Ik heb er nooit tegen gekund dat iemand mij vertelt wat ik moet doen. Maar ik kan me beheersen. Gregor Beer heeft zichzelf onder controle. In iedere situatie. Ook in deze. Ik trek mijn portemonnee. Er zit driehonderdzestig euro in. Een tel later is hij leeg.

Ik mag me tenslotte niet laten ophouden, ik heb een doel, en dat doel heet Brest…

Dan bedenk ik ineens iets. Ik krijg het warm en koud tegelijk. De urn! Ik haast me naar wat er nog over is van mijn auto.

Bij die aanblik springen de tranen in mijn ogen. Bestaat er iets pijnlijkers dan verwoeste perfectie? In het vuur toonde mijn E-Type nog een zekere grootsheid, maar wat er onder de spuiten van de brandweer tevoorschijn is gekomen, heeft niets meer met mijn auto te maken. Het wrak stinkt naar rubber en verbrand plastic en naar nog veel meer vieze dingen. Over de carrosserie kruipt grijs blusschuim. De motorkap is tegen een boom gedrukt en heeft zich om de stam gebogen. Ook de achterklep met de geïntegreerde ruit, ooit een segment van het eivormige geheel, is weggeslingerd. Van mijn reistas is niets meer over dan een verkoold hoopje. Het linnen dak is verschroeid, net als de lederen stoelen, en de metalen veren uit de stoel zijn zichtbaar. Het skelet van een dierbare vriend. En dan zie ik hem ineens. Onder de druipende console met de kapotte instrumenten, tussen het gaspedaal en de rem ingeklemd. Ik probeer hem los te trekken en verbrand daarbij mijn vingers. Ik wikkel een zakdoek om mijn hand, en nu krijg ik hem los. Staal verbrandt niet. En as al helemaal niet.

'Oom Gregor,' fluister ik, 'nu ben je twee keer het vuur in geweest.'

Hoofdstuk 10

Waarin Caroline kennismaakt met oom Gregor en op een etentje trakteert

Het wordt tijd om verder te reizen. Wat gaat mij dit allemaal eigenlijk aan? In plaats van verder te gaan, kijk ik wat hij daar nog uitspookt bij het autowrak, nu de rekening betaald is.

'*Qu'est-ce que c'est, ça?*' vraagt de agent ook.

'Afblijven met je tengels,' antwoordt Gregor Beer, en hij klemt zijn armen om een of ander idioot ding.

'Zegt u tegen hem,' zegt hij tegen mij, 'dat dit een persoonlijke zaak is. Dat het hem niks aangaat.'

Maar de Zonnebril heeft het ding al van hem afgepakt. Met een ruk opent hij het deksel en kijkt erin. Hij schuift zijn bril omhoog. Dan kijkt hij Gregor Beer doordringend aan. '*Qu'est-ce que c'est,*' herhaalt hij een octaaf lager, en dan komt zijn partner er ook bij staan, werpt een blik in de pot, zegt iets wat klinkt als 'cocaïne'. Ik heb het gevoel dat ik in een of andere foute detectiveserie ben beland, want de agent maakt ook nog een vinger nat en doopt die in de pot. 'Nee,' kreunt Gregor Beer, 'dat is een urn, zegt u tegen hem dat het een urn is, en dat het de as van mijn oom is.' Maar de agent steekt zijn wijsvinger al in de mond, likt hem af, schudt zijn hoofd en de twee agenten praten, beginnen druk met elkaar te praten tot de ander uiteindelijk ook proeft.

'De as van uw oom?' vraag ik verbluft, en dan schiet ik in de lach, ook al weet ik dat het stom is, heel stom. Want zoals alle mannen denken de twee agenten dat het over hen gaat. Je moet nooit lachen in het bijzijn van uniformen, heeft mijn grootmoeder me altijd ingeprent, want ze denken altijd dat je hen uitlacht. *'C'est une urne,'* haast ik me te zeggen, terwijl ik schud van het lachen. *'Son oncle mort'*, en dan gaat er een schok door de beide uniformdragers, en mij is ook het lachen even snel vergaan als het opkwam. Het volgende moment wordt Gregor Beer in de handboeien geslagen en naar de politiewagen gebracht. Maar agent nummer één stapt bij mij in de bestelwagen en gebaart me het blauwe licht te volgen.

Op het bureau zetten ze ons elk in een aparte ruimte. Daar moet ik twee uur en vijftien minuten blijven zitten, en dat is lang genoeg om afwisselend kwaad te worden op Gregor Beer en op mezelf. Uiteindelijk moet ik wat formulieren invullen en vragen beantwoorden, die ik allang beantwoord heb.

Dan laten ze me wachten tot de andere agent komt om mij nog meer vragen te stellen, en net als ik met de gedachte begin te spelen om mijn vader te bellen om hem om hulp te vragen, gaat de telefoon. *'Oui,'* zegt de agent. *'Oui, d'accord. Oui.'* En ik zie hoe hij zelfs in zijn stoel in de houding springt.

Een kwartier later kan ik gaan. Op de gang tref ik Gregor Beer. Buiten is het al donker. 'Wat doen we nu?' vraagt Gregor Beer.

'Geen idee wat u gaat doen. Ik ga in elk geval een plek zoeken om te overnachten.'

Gregor Beer verroert zich niet. Onder zijn arm heeft hij de urn geklemd. Hij ziet er verloren uit. Zijn bagage zat in de auto. Die krankzinnige urn is het enige wat hij nog over heeft.

'Waarom hebben ze ons ineens laten gaan?' vraag ik.

'Een paar telefoontjes,' zegt Gregor Beer. 'Mijn advocaat. Die heeft wat collega's in Parijs, en die kennen weer andere mensen, enzovoort.'

'Aha,' zeg ik. 'Fijn dat u zulke geweldige connecties hebt. Dan redt u zich verder ook wel zonder mij.'

Gregor Beer kijkt om zich heen.

'Zou u misschien... ik weet dat ik u al zoveel ongemak heb bezorgd...'

'Ach,' zeg ik, 'het geeft niet. Ik wilde zeggen, nu staan we quitte. Ik heb uw neus gebroken en u hebt mij bij deze ellende betrokken. Kan ik verder nog iets voor u betekenen?'

Ik kon hem daar gewoon niet zo laten staan, in dit boerengat, met niet meer dan die urn onder zijn arm.

Maar het verhaal wordt alleen nog maar complexer. De geldautomaat waar ik hem naartoe rijd slikt zijn Gold Card in en geeft hem niet meer aan hem terug.

'Misschien hebt u niet voldoende saldo,' merk ik op, maar dan wordt hij woedend, en begint op de geldautomaat in te slaan tot zijn vuisten pijn doen, wat al vrij vlot gebeurt. 'Die honden,' roept hij, en nog een heleboel andere dingen die ik niet begrijp. Zo langzamerhand begin ik de balen van die man te krijgen. Het dringt tot me door dat ik niet zo snel van hem af ben als ik had gehoopt en ik speel met de gedachte om gewoon in mijn bestelwagen te springen en weg te rijden, en deze briesende man aan zijn lot over te laten. Heb ik dan niet genoeg gedaan? Ik vervloek het toeval dat me uitgerekend naar die parkeerplaats bracht.

Gregor Beer komt wat tot bedaren, veegt zijn hand over zijn gezicht en grijpt dan naar zijn broekzak en doorzoekt die, duidelijk tevergeefs. Hij schudt zijn hoofd, duwt zijn handen weer voor zijn gezicht, leunt tegen de geldautomaat aan, kromt zijn rug, en slaat tegen zijn voorhoofd. Zo zoetjes aan begin ik kwaad te worden. 'Hé,' zeg ik, 'doe toch eens rustig, wat bezielt u?'

Dan kijkt hij me aan. 'Ik was totaal vergeten dat die kaart op naam van mijn bedrijf staat,' zegt hij ten slotte. 'En al mijn andere bankpassen, mijn privépassen, mijn mobieltje, alles lag in de auto.'

Allemachtig, denk ik, wat een pechvogel. Maar dan begint

het me te dagen dat ik juist pech heb. Caroline, zeg ik streng tegen mezelf, jij smeert hem nu. Maar ik kan het niet. Die man lijkt me niet in staat zichzelf te redden in dit vreemde land. Nee, we moeten iets doen voordat hij straks zijn eigen schedel nog stukslaat.

Dus ontferm ik me over hem. Ik zet hem weer in mijn bestelwagen. Ik geef hem wat druppeltjes tegen de shock. Ik druk hem mijn mobieltje in de hand. 'Belt u nog een keer met uw advocaat,' zeg ik. 'Als hij u van de Franse politie kan redden dan regelt hij dit vast ook wel voor u.'

Ik nodig hem uit voor het diner in het restaurant van een keurig hotel. Eigenlijk is dit een heel mooi stadje. Als je een ophaalbrug overgaat kom je op de binnenplaats van een heus slot. Oeroude treurwilgen laten hun takken in de slotgracht hangen, en het hotel schijnt in vroeger tijden een soort postkantoor te zijn geweest. Ik ben blij dat we nog een tafeltje kunnen krijgen, want het restaurant zit vol met lachende en elkaar overschreeuwende stemmen. Er hangt een geur van in wijn gestoofd vlees, van rozemarijn en van geitenkaas.

'Zo,' zeg ik, als we zitten, 'en nu eten.' En later zal ik een kamer voor deze arme drommel vragen, denk ik heimelijk. Ik betaal vooraf, en dan peer ik hem daarna voorgoed. Het geld dat ik bij me heb is toch al van hem. Twee dagen geleden heb ik de cheque met zijn handtekening eindelijk ingewisseld, en dat was kennelijk geen dag te vroeg.

We bestellen het *menu du chasseur*, een fazantenterrine en daarna konijn in rode wijn. Hier kan hij in alle rust de overboeking van zijn bank afwachten, denk ik, en dan is alles weer in orde. Ik zou heel graag willen weten waarom een man op pad gaat met een urn, en waarom zijn creditcard geblokkeerd is, maar Gregor Beer prikt wat rond in zijn terrine, zwijgend, in gedachten verzonken. Hij treurt, denk ik. Het verlies van zijn auto valt hem zwaar. Maar dan kijkt hij ineens op en vraagt: 'Wat doet u hier eigenlijk midden in Frankrijk? Hoe moeten uw planten zich zonder u redden, mentaal en fysiek? Die zijn toch zo gevoelig?'

'Vakantie,' zeg ik koel en ik denk, nou ja, op die manier krijg jij van hem ook niks los. Maar wat zou het voor nut hebben om hem over Angela te vertellen? Het gaat hem toch eigenlijk niks aan.

'En u dan?' vraag ik. 'Hebt u uw baan aan de wilgen gehangen?'

In zijn ogen kan ik zien dat ik in de roos schiet, en ik ben oprecht verrast. Hij leek me een hotshot daar bij dat reclamebureau, en zijn naam stond per slot van rekening ook in het briefhoofd.

Ik kijk hem gespannen aan, maar hij prikt doodkalm een stuk fazant aan zijn vork, brengt dat naar zijn mond, kauwt en slikt.

'Ik was toe aan verandering,' zegt hij dan. 'Je kunt niet altijd maar blijven zitten waar je zit.'

Ik knik, en houd mijn hoofd schuin.

'En de urn?' vraag ik.

Gregor Beers ogen knijpen ietsje samen.

'Dat is een lang verhaal,' zegt hij. 'Langer dan dit etentje zal duren.'

O, wil ik zeggen, *ik heb anders de hele avond de tijd.* Maar ik laat het gaan. Hij heeft gelijk. Je moet dit soort dingen niet overdrijven. Het is al genoeg dat we deze dag met elkaar hebben moeten doorbrengen. Twee verhalen die elkaar kruisen hoeven niet per se met elkaar te worden vervlochten.

Bij het afrekenen vraag ik naar de kamers.

'Mais non,' zegt de hoteleigenaresse met een glimlach, alsof ik een heel domme vraag stel. *'Je regrette. Nous sommes complets.'*

Ik leg uit dat het alleen gaat om een eenpersoonskamer voor meneer, en dat het desnoods een rommelhok mag zijn, maar Madame legt mij in een lange stortvloed van woorden uit dat ze tot de nok vol zit.

'C'est la chasse,' zegt ze. Het jachtseizoen is net geopend. En

net als haar hotel zijn verder alle hotels en pensions in de wijde omtrek volgeboekt, tot en met dit weekend.

'Het spijt haar,' vertaal ik voor Gregor Beer, 'maar binnen een straal van vijftig kilometer is geen kamer meer vrij.'

'Het geeft niet,' zegt hij buiten en hij probeert zich kranig te houden. 'Dan blijf ik toch de hele nacht wakker.'

Buiten het restaurant klinkt bulderend gelach. Jagers onder elkaar. Ondertussen staan er cognacglazen op de tafels te fonkelen, en de waardin komt er met het bijschenken nauwelijks nog door. Dichte rookwolken maken ons het afscheid gemakkelijk. 'U kunt voor in de auto slapen,' stel ik voor. 'De stoelen zijn best comfortabel.'

Maar hij trekt een arrogante kop, springt van het ene been op het andere en schudt van nee.

'Dank u,' zegt hij, 'maar doet u geen moeite.'

'Praat toch geen onzin, het wordt koud vannacht, en u kunt toch niet de hele tijd...'

'Luister,' valt hij mij in de rede, 'ik ben niet een van uw tere plantjes die u moet bemoederen.'

Dan word ik kwaad, en ik zeg: 'Wat u wilt.' Dan draai ik me om en wil ik weggaan.

'Wacht even,' zegt Gregor Beer, en ik denk dat hij zijn verontschuldigingen wil aanbieden. Het is ook te gek, eerst kan hij niks zonder mijn hulp, en dan nu dit. Maar hij zegt alleen: 'De urn staat nog bij u in de auto.'

'Nou en?' vraag ik bot, 'die kan daar toch best tot morgenochtend blijven staan? Of moet uw oom soms ook de hele nacht opblijven?'

Dan werpt hij mij een blik toe waarin ik de oude Gregor Beer uit zijn basiliek herken. Zo'n blik van ik-sta-boven-alles-en-vooral-boven-u.

'Ik wil hem liever niet meer uit het oog verliezen,' zegt hij.

Hoofdstuk 11

Waarin Gregor een vriend krijgt en ook weer verliest

'Nou,' zeg ik tegen oom Gregors urn, 'we zijn niet bepaald ver gekomen.'

Ik heb een bankje onder een van die bomen uitgezocht waarvan de takken tot de grond reiken. Achter me ligt het slot. Ik heb net zolang door het stadje gewandeld tot er bezorgde gezichten opdoken vanachter de gordijnen en mijn voet pijn begon te doen. Mijn val van vanmiddag heeft mijn pees niet bepaald goed gedaan. En toch kan ik niet stilzitten.

Mijn Jaguar. Ik had niet gedacht dat het verlies van een ding mij zoveel verdriet kon doen. Vanbinnen brandt een onuitsprekelijke woede tegen alle rasta's in de hele wereld, en ook, en dat is al helemaal pijnlijk, tegen mijzelf. Steeds weer beleef ik dat onbegrijpelijke ogenblik opnieuw. Mijn ogen vallen nog niet dicht of ik hoor het lawaai van in elkaar schuivend metaal en dan ben ik weer wakker, klaarwakker, bal mijn vuisten, loop heen en weer naar de moerasachtige slotgracht, waarin de kikkers een hels kabaal maken. Heen en weer. Tot de pijn in mijn voet me dwingt weer te gaan zitten. Ik heb geen idee hoe laat het is. Het drankgelag in het hotel lijkt zo zoetjes aan tegen zijn eind te lopen. Daar had ik dus ook nauwelijks een oog dicht kunnen doen. Uiteindelijk, alsof iemand een commando heeft gegeven, verlaten de gasten het restaurant in groepen, klimmen in hun jeeps en rijden weg. De laatste lichten in het stadje doven en achter mij slaat de klok twaalf keer. Mijn slaapdronken gedachten dwalen af naar mijn eigen klok in de basiliek. Dat is jouw klok niet meer, denk ik, en dan glijd ik in een onrustige slaap.

Ik word wakker van het onaangename gevoel van de kou. Ik ben er helemaal van doortrokken, tot in mijn gezicht. Ik doe mijn ogen open en kijk midden in een borstelig gezicht. Een natte tong likt over mijn neus. Ik schrik op. Alles doet me pijn. Ik kan me niet herinneren dat ik op het bankje ben gaan liggen, met oom Gregors urn tegen mijn ribben aan gedrukt. Voor mij staat een schepsel, een kruising tussen een schapendoes, een collie en een terriër. Een cocktail, van alle hondenrassen ter wereld, op vier poten.

'En wie mag jij dan wel zijn?' vraag ik.

De hond kijkt me aan en kwispelt met zijn staart. Het lijkt net of hij glimlacht, en vanaf zijn lippen druipt een draad speeksel tot op de grond. Ik zoek in mijn jasje naar een zakdoek om mijn gezicht mee af te vegen. 'Moet je nou eens kijken,' zeg ik tegen de hond. 'Dit is alles wat ik nog overheb. Een portefeuille. Een zakdoek. De brief van oom Gregor, die ik in mijn borstzak heb gestoken toen ik hem voor het laatst heb gelezen.' En weer word ik door woede overvallen. Ik zou wel tegen de bank willen trappen en tegen de stam van de boom willen slaan, maar ik doe het niet, want het levert me niks anders op dan veel pijn.

De hond gaat op mijn schoenen zitten. Eerst wil ik hem wegjagen, maar dan merk ik hoe koud mijn voeten zijn en hoe warm het hondenlijf is. En terwijl hij zich tegen mijn schenen aan vlijt overwin ik mijn afkeer en probeer ik er niet aan te denken hoe smerig dit mormel waarschijnlijk is, en wat voor parasieten zich in zijn vacht verstoppen, en ik kriebel hem over zijn kop. Dat vindt hij wel lekker, hij rekt zijn hals om nog dichter bij mijn hand te kunnen komen, en geroerd zie ik hoe hij vol vertrouwen zijn kop in mijn koude handpalmen legt.

Als jongen had ik zo graag zo'n hond gewild, maar mijn moeder was er tegen. 'Je hebt alleen maar last en viezigheid van die beesten,' zei ze altijd. 'Ze krabben je deuren stuk en ze verspreiden allergieën.' Maar na Heinrichs dood kreeg ik met kerst een grasparkiet, waar ik nooit om gevraagd had. Toen die in de daaropvolgende herfst dood in zijn kooitje lag, treurde niemand om hem. Mijn moeder niet, en ik ook niet. 'Zie je nou,' zei ze, toen we hem in de tuin hadden begraven. 'Het is niet zo gemakkelijk als jij denkt. Een dier heeft toewijding en liefde nodig.' Alsof ik niet in staat was tot dat soort dingen.

De hond heeft zich omgedraaid en legt zijn brede kop op mijn knie. Hij kijkt vol verwachting omhoog. Mijn pak kan hij al niet meer verpesten, dat was toch al aan zijn eind.

'Heb jij dan geen baasje?' vraag ik aan de hond. 'Ben jij, net als ik, iemand die niet weet waar hij thuishoort?'

En dan luister ik naar mijn eigen woorden en ik vraag me af: Gregor Beer, wat is er van je geworden? Je bent nog geen dag uit de dagelijkse sleur, een beetje avontuur, en nu al mis je een knus nestje?

Dan denk ik na over mijn situatie, voorzover ik kan denken met zo'n koud hoofd. Wat gebeurd is, is gebeurd. Ik ga gewoon weer op zoek naar een nieuwe Jaguar, zodra ik van deze reis terug ben. Het laatste restje verzet tegen deze gemene vernielzucht, de woede over het feit dat deze wandaad ook nog ongewroken zal blijven, slik ik in. Maar dan weet ik ineens heel zeker: er zal niet nog een E-Type in mijn leven komen. Ik had mijn hart verpand aan die ene, en die is nu weg.

'Maar we moeten vooruitkijken,' zeg ik tegen de hond, die aandachtig naar me luistert, zich laat kroelen en die mijn benen warm houdt. 'We moeten goed nadenken hoe we nu verder moeten.' En dan denk ik aan de urn. 'Mag ik je voorstellen,' zeg ik, 'dit is mijn oom Gregor. En dit hier is "hond", geen idee hoe hij echt heet.'

Ik kijk, maar het dier heeft geen halsband. 'Dat dacht ik al,' zeg ik. 'Je lijkt me geen jachthond, dus die cognacdrinkers en Gaulloiserokers konden niks met je, hè?'

Die grasparkiet had ik Old Shatterhand genoemd, zomaar, zonder reden, behalve dan dat mijn moeder het uiteraard belachelijk vond. Ik verslond in die tijd alles van Karl May, zoals alle jongens van mijn leeftijd. En dan bedenk ik dat Karl May een prima naam is voor een hond.

Ik laat mijn kin op mijn borst zakken. Waarom zou ik niet gaan slapen nu ik iemand heb die bij mij de wacht houdt? Dus ga ik weer op de bank liggen. Maar mijn gezicht bevindt zich ter hoogte van de hondenkop en mijn nieuwe vriend laat de kans niet onbenut om me te likken. Onderhandelen heeft geen zin. En dan ben ik weer klaarwakker, en maak ik nog maar een wandelingetje rond het slot. De hond volgt me op de voet, en wijkt geen meter van mijn zijde.

De hovenierster. Dat ik haar nu uitgerekend tegen het lijf moest lopen. Maar eigenlijk heeft zij zich geweldig opgesteld. Hoe ze met de agenten in discussie ging, alsof het haar eigen auto betrof. En later... maar daar wil ik liever niet aan denken. Ik geneer me voor die scène bij de geldautomaat. Dat Julius zo snel mijn rekening zou laten blokkeren, nog voor de onderhandelingen zelfs maar begonnen zijn! Dat had ik echt nooit gedacht.

De schade is enorm, maar ik mag me daardoor niet uit het veld laten slaan. Ik moet me richten op hoe het verder moet. Mijn advocaat zei dat hij een bedrag zal overboeken. 'Dat kun je morgen bij de bank ophalen,' had hij gezegd. Dan zal ik dat meisje, ik weet niet eens hoe ze heet, terugbetalen wat ik haar verschuldigd ben. En daarna huur ik een auto, koop ik nieuwe kleren, en dan reis ik verder. 'Wil je dat ik iemand stuur om je te halen?' had mijn advocaat gevraagd. Alsof ik het na één dag al zou opgeven. Dat ligt niet in Gregor Beers aard.

'Ik ben een behoorlijk vasthoudend mannetje,' zeg ik tegen Karl May, die naar me opkijkt met een iets te onbeschaamde grijns op zijn bek.

Rond halfvier heb ik het echt zwaar. Al wil ik het niet toegeven, toch heb ik spijt dat ik het aanbod van het meisje heb afgeslagen.

'Ik was niet echt heel aardig tegen haar,' zeg ik tegen de hond, die voor de bank ligt, met zijn snuit tussen zijn poten. Zo nu en dan, als ik iets tegen hem zeg, tilt hij heel even zijn oogleden op, maar verder maft hij door. Nee, denk ik. Na alles wat zij voor mij heeft gedaan was dat behoorlijk ongepast van mij. Bovendien had ze gelijk: het is ook echt verdomd koud. En het wil maar geen ochtend worden.

Op een gegeven moment moet ik toch weer in slaap zijn gevallen, want ik word wakker van het gerammel van een vuilniswagen die om zes uur 's ochtends door de straten van het stadje kruipt. Karl May ligt opgerold voor de bank. Ik sta op, en rek en strek mijn ledematen.

De bank gaat pas om negen uur open, dat was het eerste wat ik gisteravond heb uitgezocht. In het muntenvakje van mijn portefeuille heb ik nog een paar euro, en als om zeven uur het café tegenover het hotel opengaat, verlaat ik mijn nachtelijke plek onder de treurwilg. De hond sjokt achter me aan.

Hij blijft bij de ingang staan, vastbesloten om op me te wachten. De geur van versgemalen koffie komt me tegemoet. Een jong meisje komt net een bakblik vol croissants binnenbrengen. Ik bestel een *café au lait* en een croissantje. Hij is nog warm. Ik heb niet genoeg geld om aan een tafeltje te gaan zitten, waar andere prijzen worden gerekend dan voor wie aan de bar blijft staan, en in de ogen van de man achter de toog kan ik aflezen dat ik een beroerde indruk maak.

Later, op de wc, krijg ik dat bevestigd. Een nacht op een bankje in het park laat zo zijn sporen na. Mijn pak is verkreukt en smerig, mijn haar, al is het nog zo kortgeknipt, zit in de war. Geen kam. Geen tandenborstel. Donkere kringen onder mijn aan elkaar geplakte oogleden. Dit landlopersleven gaat me niet in de koude kleren zitten.

Ik tel mijn laatste munten en bestel nog een koffie. Ik wil de krant pakken om me achter te verschansen, maar een man met een smal snorretje en een cigarillo tussen zijn vingers, die vol met ringen zitten, grijpt hem vlak voor mijn neus weg. Ook best. Ik kan toch geen Frans lezen. Ik geniet van elke slok, en drink zo langzaam mogelijk om zoveel mogelijk tijd te rekken. Maar toch blijven er nog anderhalf uur over waarin ik me moet zien te vermaken. Dan hoor ik gejank bij de deur. Er staat een man breeduit op straat tegen de hond te schelden. Ik ga meteen naar buiten, en Karl May kijkt me vertwijfeld aan, ontwijkt handig een trap, drukt zich tegen mij aan en verstopt zich achter mijn benen.

'Laat u die hond toch met rust,' zeg ik tegen de man. Hij heeft zo'n petje op dat een echte Fransman kennelijk nog altijd draagt, en daaronder heeft hij een breed gezicht met boze ogen onder borstelige wenkbrauwen.

Hij spuugt op het trottoir en zegt iets.

'Laat hem met rust.'

De man is een kop kleiner dan ik, maar zeker twintig kilo zwaarder. Hij komt heel dicht bij me staan. Zegt nog iets. Ik haal mijn schouders op. Hij wijst met zijn vinger naar de hond die zich tegen mijn knieholtes aan drukt en steekt een hele woordenvloed af. De mannen uit het café komen er ook bij staan, en bekijken ons met nieuwsgierige gezichten, die meeste van hen met een idiote grijns om hun mond. Uiteindelijk zegt de man met het snorretje iets.

'U bent Duits?' vraagt hij met een zwaar accent.

Ik knik.

'Dat is zijn hond,' zegt hij, en hij wijst naar de baret.

Ik verroer me niet. De hond verroert zich ook niet.

'Begrijpt u?' herhaalt hij, en hij wijst eerst met zijn cigarillo naar de hond, en dan naar de man, die breeduit voor me staat. 'De hond is zijn eigendom.'

'Maar hij draagt geen halsband,' zeg ik.

Een honend lachje trekt de mond van Snorremans de breedte in.

Hij vertaalt mijn zin, en de man die voor me staat komt nog iets dichterbij. Als hij niet zo klein was, zou ik zijn adem kunnen voelen. Hij balt zijn vuisten en zet die in zijn zij, en net als ik denk dat hij me nu in mijn maag gaat stompen, hoor ik een hoge stem. De hovenierster steekt met grote passen het plein over. 'Wat is hier aan de hand?' vraagt ze aan mij, en dan zegt ze iets in het Frans. Alsof de aanwezigheid van een jonge Duitse vrouw mij bestaansrecht geeft, slaan de gezichtsuitdrukkingen om, de lichaamshoudingen ontspannen en de kleine dikke overspoelt haar met geklets. Zij knikt en glimlacht en kijkt met grote ogen en zegt: *'oh, eh bien'*, en in de tussentijd stoot Karl May me aan met zijn neus, werpt een smekende blik omhoog alsof hij wil zeggen: *Nee, ik hoor niet bij deze etterbak. Red mij toch, alsjeblieft, neem me mee, de wijde wereld in.*

'Wat is dat voor gedoe met die hond?' vraag het meisje. 'Die man denkt dat u hem wilde stelen.'

'Hij draagt geen halsband,' zeg ik, 'en bij ons wil dat zeggen dat hij geen baasje heeft.'

Dan knikt ze. 'Aha, een misverstand.' En dan legt ze omstandig uit aan de Fransman dat het allemaal een misverstand is, en dat ik die hond natuurlijk niet wilde stelen.

'Maar hij moet die hond niet zo afranselen,' zeg ik, en zij vertaalt, of doet net alsof. En dan breekt het groepje mannen haastig op, ze stappen in hun jeeps en zwaaien interessantdoenerig met geweren.

'Ach ja,' zegt het meisje, *'la chasse.'* En dan rijden ze weg. Alleen de dikke man met de blauwe pet schreeuwt nog altijd bitse bevelen in de richting van de hond, die zich langzaam, alsof hij vecht tegen een onzichtbare kracht, van mij losmaakt en nog altijd hartverscheurende blikken naar me werpt, totdat de man hem bij de kladden pakt en wegsleurt. De hond schudt zich los uit de greep van zijn baas.

'Het ga je goed, ouwe jongen,' zeg ik tegen beter weten in, en de hond sjokt weg, met hangende oren en een ingetrokken staart.

'Hij slaat hem,' zeg ik.

Het meisje kijkt me peinzend aan. Ik wil helemaal niet weten wat er omgaat achter die mooie, donkere ogen.

'Hebt u al ontbeten?' vraagt ze, en dan bijt ze op haar lip. 'O,' zegt ze, 'sorry. U wilt helemaal niet bemoederd worden.'

Maar voor ze zich kan omdraaien, pak ik voorzichtig haar arm. 'Het spijt me,' zeg ik en ik voel dat ik rood aanloop. 'Dat was niet erg aardig van me, gisteren, en ik bedacht net dat ik u niet één keer heb bedankt.'

Ze kijkt me aan, en dan lacht ze.

'Nee,' zegt ze, 'dat hebt u inderdaad niet gedaan.'

'Dan doe ik dat nu,' zeg ik. 'Dank u wel. Voor alles. En als ik dadelijk mijn geld heb gehaald bij de bank, mag ik u dan uitnodigen voor de lunch?'

Ze weifelt even.

'Dan ben ik al weg,' zegt ze dan vastberaden. 'Ik moet door.'

Ik ook, denk ik. En ik heb een huurauto nodig. Maar ik moet eerst geld op zak hebben, en dan regelt het zich vanzelf wel.

'Jammer,' zeg ik.

'Goed,' zegt ze, 'veel succes.'

Dan verdwijnt ze in het café. Ik kijk op de klok. Nog een klein uurtje, tijd genoeg om uit te vinden waar ik hier een auto kan huren, of in het ergste geval een taxi, naar de dichtstbijzijnde grotere stad.

Het wordt negen uur, maar de bank gaat niet open. Het wordt halftien, er gebeurt niets. De minuten slepen zich voort, en ik word weer overvallen door een zinloze woede. Ik loop naar de dichte deur en probeer me te beheersen, maar de vermoeidheid, in combinatie met mijn met de minuut groter wordende kwaadheid, stijgt me naar het hoofd en heeft een verwoestende uitwerking op mijn hele lijf. Terwijl ik, puur routinematig, en alleen om iets te doen te hebben, mijn paspoort uit mijn zak haal, trilt mijn hand.

Als ik tien metalige klokslagen uit de klokkentoren van het slot hoor komen, is het genoeg. Er komt een vrouw deze kant op, met in elke hand een overvolle boodschappentas. Al van verre monstert ze me wantrouwig. Ik ga voor de deur staan. 'Wanneer doet u deze vervloekte bank eens een keertje open?' vraag ik aan haar. '*Quand* gaat *la banque* open?'

'Ah, la banque,' antwoordt ze, en dan volgt alweer zo'n stortvloed aan woorden. Ik vrees het ergste als de vrouw haar tassen neerzet, beide onderarmen uitstrekt en die herhaaldelijk kruist. Dat wil zeggen dat de bank niet opengaat.

'Maar hoezo niet?' vraag ik woedend, en ik stamp met mijn voet, wat ik beter kan laten want het maakt mijn sluimerende peespijn wakker.

'Fermée pour la chasse,' zegt de vrouw, en dat betekent de jacht, dat weet ik ondertussen wel.

Gesloten wegens de jacht. Dat geloof je toch niet? Maar in dit land is het meest absurde mogelijk, en ik begin te vermoeden dat er aan deze martelgang voorlopig nog geen einde komt. Bovendien is het vandaag vrijdag, dringt het keihard tot me door, dus zit ik een heel weekend zonder geld, zonder kleren, zonder auto. Ik ga op zoek naar de hovenierster, want zij is de enige die me kan helpen. En hoewel ik het vreselijk vind om haar alweer om een gunst te moeten vragen, een gunst waarvan ik de omvang nog niet eens kan inschatten, valt me zo geen andere uitweg te binnen. Ik heb misschien nog tien cent op zak. Daar kan ik niet eens een telefoontje mee plegen. Het enige wat ik heb is... en dan bedenk ik tot mijn grote schrik dat ik de urn van oom Gregor ben vergeten, daar in het café. Daar heb ik hem laten staan toen de hond buiten begon te janken en ik sla af en steek het plein over, hol het café in, en hoop vurig dat het meisje er nog is en dat zij ondertussen op de urn heeft gepast. Maar er is van haar geen spoor te bekennen en de urn is ook weg.

Buiten adem sta ik daar te staren naar de plek waar ik twee uur eerder mijn ontbijt heb genuttigd. Niks. Uiteindelijk raap ik mijn moed bij elkaar en vraag ik het.

'Dat meisje...' probeer ik, want om meteen naar de urn te vragen vind ik pijnlijk. 'Het meisje...' Maar de barman haalt alleen zijn schouders op, poetst zijn glazen met een doek en keurt me geen blik waardig.

'Ah, monsieur is weer terug,' hoor ik de stem met het nasale accent achter mij zeggen. Het is die man met het baardje, die daar nog steeds zit met een krant. 'U zoekt het meisje. Die is al weg, al lang.'

Een zware klap. Dan blijft oom Gregor nog over.

'Ik heb hier iets laten staan,' zeg ik. 'Een soort beker.' De man trekt zijn wenkbrauwen omhoog, schokschoudert, wisselt een paar woorden met de man achter de toog. 'Nee,' zegt hij, 'die is hier niet.' En dan grijnst hij en ik zou hem het liefst op zijn bek slaan.

'Ik geloof er niks van,' zeg ik. 'Dat ding is heel erg belangrijk voor me.'

'Als dat zo is,' zegt hij, 'waarom past u er dan niet wat beter op?'

En terwijl hij dat zegt, zie ik hem staan. Natuurlijk, die plant naast de toog, daar had ik hem achter gezet om niet nog meer bekijks te trekken.

Mijn knieën trillen als ik er op af loop. 'Dat scheelde weinig,' zeg ik tegen de urn en ik probeer me te herinneren waar het meisje gisteravond haar bestelwagen heeft neergezet. En als ik een paar straathoeken omsla, hoor ik opeens achter me een bekend gehijg. Karl May kijkt me stralend aan.

'Jij weer,' zeg ik, 'ga toch terug naar je baasje, ik heb al genoeg ellende aan mijn hoofd.' Maar hij wijkt niet van mijn zijde en ik heb ook wel wat anders aan mijn hoofd om me druk over te maken. Hopelijk is ze de stad nog niet uit. Ik heb geen idee waar ik heen loop. Dan bereik ik het plaatsnaambordje, waarachter zich de velden en weilanden ontrollen, en daar staat, als een fata morgana, de bestelwagen. Het meisje doet net de dop op haar tank, en ik loop zo snel ik kan en roep en wenk en gebaar. Ze staat op het punt in te stappen en weg te rijden, maar dan draait ze zich toch om, herkent me, aarzelt. Ik zie aan haar houding dat ze niet bepaald blij is mij weer te zien, maar dat kan me nu niet schelen. Het is een zaak van leven of dood, ja, die melodramatische gedachte schiet me op dat moment door het hoofd, en ik was nog nooit zo blij om iemand te zien als deze vrouw, wier naam ik niet eens weet.

'Daar bent u weer,' zegt ze. 'Wat is er nu weer gebeurd?'

'De bank,' hijg ik. 'De bank is dicht. Vanwege de jacht.'

'Vanwege de jacht?' vraagt ze, en dan begint ze te lachen. Ze heeft de bijzondere gave om op de meest kritische momenten een klaterende lach te laten klinken. 'Is dat echt zo, dat geloof je toch niet?' Dan komt ze tot bedaren, en er verschijnt een kleine, recht lijn op haar voorhoofd. 'Dus dat wil zeggen dat u geen geld hebt?'

Ik schud mijn hoofd.

'En nu?'

Ik kijk naar mijn schoenen. Die zijn ook naar de knoppen. Italiaanse schoenen van boterzacht leer, zo goed als nieuw.

'Geen idee,' zeg ik. 'Ik dacht... ik bedoel, ik heb nog een paar centen op zak...'

Ze zwijgt meedogenloos, en kijkt me aan met zo'n blik die mij er steeds meer van overtuigt dat hij dwars door me heen kijkt en dingen ziet waar ik zelf geen idee van heb.

'Weet u wat,' zegt ze uiteindelijk, 'u begint me zo langzamerhand behoorlijk op de zenuwen te werken. Doe ik aardig tegen u, stoot u mij voor het hoofd. En u bent nog geen paar uur alleen, of u werkt zich in de nesten en ik moet u er weer uit helpen. Het scheelde nog geen twee minuten of ik was weg geweest. Wat had u dan gedaan?'

Maar voor ik iets kan zeggen, ziet ze de hond, die braaf naast ons is gaan zitten, en enthousiast naar haar opkijkt, met zijn tong en een draad slijm uit zijn bek.

'En dan dit mormel! Wat moet die nou weer hier?'

'Het is geen mormel,' hoor ik mezelf zeggen. 'Het is mijn vriend.' Dat was duidelijk het stomste wat ik had kunnen zeggen.

'Nou prima,' zegt zij, 'dan vraagt u hem toch om hulp?' Ze doet haar portier open en wil instappen.

'Alstublieft,' zeg ik, 'laat me hier niet achter. Ik betaal u alles, alles terug, dubbel en dwars.' Maar dat is duidelijk ook niet goed. Ze trekt wit weg en knijpt haar ogen tot spleetjes en onwillekeurig doe ik een stap naar achteren. De hond merkt het ook, en hij begint voorzichtig te grommen.

'Dubbel en dwars, ja,' zegt ze dreigend, 'dat is precies wat me zo gruwelijk tegenstaat. Er zijn namelijk dingen in het leven, Gregor Beer, die je met geld niet kunt kopen. Dat lesje zou u moeten leren, anders komt u niet ver. In elk geval niet bij mij.' Dan stapt ze in, start haar auto en rijdt weg zonder nog maar een keer om te kijken.

Ik kijk om me heen. Geen mens te zien. Dit is een automatisch pompstation, met zelfbediening. Ik ga op een muurtje zitten. De hond komt bij me zitten, en bekijkt me bezorgd. Ik ben zo moe dat ik bijna omval, en het kan me allemaal niks meer schelen. Ik vraag me in alle ernst af of ik misschien daar achter in het weiland kan gaan liggen slapen. Maar ik kan me niet meer bewegen. Na een poosje, geen idee hoe lang het duurt, hoor ik een motor dichterbij komen, uit de andere richting, niet uit het plaatsje. Ik ben zelfs te moe om mijn hoofd op te tillen. En dan stopt er een auto, recht voor me. Ik kijk, het is een groene auto, een bestelwagen. Het portier aan de passagierskant gaat open, en het meisje leunt naar voren en kijkt ons aan.

'Stap in,' zegt ze nors.

Ik gehoorzaam. Voor ik de deur kan sluiten, neemt de hond een vertwijfelde sprong mijn kant op. Het meisje slaakt een kreet, en ik heb ineens het achterste van de hond in mijn gezicht. De staart geeft me een paar harige klappen, en te oordelen naar de klanken die de hovenierster uitstoot, maakt haar gezicht kennis met de tong van Karl May. Maar ze aarzelt niet lang, opent haar portier en werkt mijn vriend meteen weer naar buiten.

‘Hebt u die vervloekte urn?’ vraagt ze. Ik knik.

‘Goed,’ zegt ze.

En dan geeft ze gas. In de zijspiegel zie ik hoe Karl May ons verbouwereerd nastaart. Dan zet hij zich vastberaden in beweging.

Hoofdstuk 12

Waarin Caroline op zoek gaat naar haar moeder en een sculptuur vindt

'Dat u het even weet,' zeg ik, 'ik ga voor u geen enkele omweg meer maken.'

Hij knikt.

'Ik neem nu de meest directe route naar Bretagne, en als dat u niet schikt dan stapt u meteen maar weer uit.'

'Bretagne,' herhaalt hij verbluft.

Ik rem.

'Als u die kant niet op moet, dan is daar de deur.'

Hij staart me aan.

'Nee, nee,' zegt hij meteen, 'Bretagne is perfect. Dat komt juist goed uit. Uitstekend zelfs.'

Ik kijk eens wat beter naar deze verfrommelde figuur. De nacht heeft hem weinig goed gedaan. Hij ziet grauw en als ik in zijn oververmoeide ogen kijk, smelt mijn irritatie een beetje weg. Nog geen kilometer later slaapt hij.

En terwijl ik door het land tuf, omdat ik geen zin heb de grote weg op te gaan, en terwijl de ochtend stralend boven de velden verdwijnt, slaapt Gregor Beer als een kind. De benen uitgestrekt, een hand onder zijn rechterwang, zijn hoofd tegen het raam geleund. Ik sla af en rijd een veldweg op, en loop de bosjes in. Als ik terugkom, zit Gregor Beer gehurkt langs de weg, en is hij alweer een hond aan het aaien.

'Kijk nou,' zegt Gregor Beer, en hij kijkt stralend naar me op. 'Hij is achter ons aan gerend! Dat hele stuk! Hij is helemaal kapot.'

Het is echt zo. Het is de hond uit de stad. Hij hijgt reutelend, alsof hij bijna doodgaat, en zijn vacht glanst van het vocht.

'Heb je wat water voor hem?' vraagt Gregor Beer met een onschuldige blik en ik zucht, haal een plastic fles uit de auto, en giet daar wat water uit in de kom die hij met zijn handen maakt. Dan kijk ik toe hoe de hond dat met zijn lange, roze tong opslobbert, met hijgende tussenpozen.

'We moeten hem meenemen,' zegt Gregor Beer.

Ik doe mijn mond open, maar klap hem weer dicht. Ik slik. Haal diep adem. Ik kijk naar de hond die volkomen uitgeteld op de veldweg ligt te hijgen. Hij trilt over zijn hele lijf en hij kijkt me aan met slimme, barnsteenkleurige ogen.

Nou ja, denk ik, we kunnen hem moeilijk hier achterlaten.

'En als hij ziektes heeft?' vraag ik. 'Of parasieten, of wormen?'

'Karl May heeft geen wormen,' zegt Gregor Beer, en ik vermoed dat hij nu echt is doorgedraaid.

'Wie,' vraag ik voorzichtig, 'is Karl May?'

Gregor Beer staat op en klopt het stof van zijn pak, een overbodig gebaar, want het pak is toch al smerig. Hij heeft nieuwe kleren nodig, denk ik. We moeten straks maar even naar een *hypermarché*.

'Ik noem hem Karl May,' zegt hij.

'Dat is toch geen naam voor een hond,' breng ik daar tegen in, en ik moet lachen.

'Hoezo niet?' vraagt Beer. 'Het is een prima naam voor iemand die iets van de wereld wil zien.'

'Nou goed,' zeg ik, en ik loop terug naar mijn wagen, zoek achter de stoel naar een deken, gooi die over de bijrijdersstoel, en zeg: 'Stap maar in, meneer Beer en meneer May.' De hond maakt een sprongetje en draait een paar keer om zijn eigen as, voor hij op de deken plaatsneemt.

Het duur even voor ze er uit zijn wie waar wel en niet mag

zitten. Gregor Beer moet zich klein maken, terwijl de hond zijn kin in het halfgeopende raam legt en de rijwind om zijn snuit laat waaien.

In de hypermarché heeft Gregor Beer een eeuwigheid nodig om een tandenborstel en een scheermes uit te zoeken.

'Waarom duurt het zo lang?' vraag ik, als ik genoeg proviand heb gepakt voor een heel reisgezelschap, waaronder hondenvoer, een borstel, een riem en een etensbak.

'Ze hebben hier niks goeds,' zegt hij, 'geen kwaliteit.'

Ik kijk naar het aanbod. Er staan minstens dertig verschillende soorten tandpasta, even zoveel soorten scheercrème. Alles is in grote hoeveelheden verkrijgbaar.

'Kies nou maar wat,' zeg ik.

Met tegenzin gooit hij een paar dingen in de boodschappenkar.

'Dit soort winkels,' zegt hij, 'zijn de schuld van alles. Ze verpesten de kwaliteit. De mensen weten niet meer waar ze het moeten zoeken. Alles staat door elkaar. De zeep naast de kaasafdeling, plastic speelgoed naast voorverpakte taartbodems. Kunnen we niet naar een betere winkel?'

Ik begrijp niet wat hij bedoelt.

'We hebben een paar dingen nodig en die hebben ze hier. Dus drijf me nu niet verder tot waanzin.'

Hij zucht, en trekt een somber gezicht. Hij kiest nog wat spullen uit.

'En dan nu kleren,' zeg ik.

Hij schudt zijn hoofd.

'Onmogelijk,' zegt hij, 'ik kan toch niet…'

'Moet u eens goed luisteren,' zeg ik, 'u koopt hier gewoon een spijkerbroek. U bent vies. En al is het dan een Armani-pak, ik geneer me voor u.'

Uiteindelijk koopt hij daadwerkelijk een spijkerbroek. En een T-shirt. Het enige T-shirt in deze hele hypermarché dat van honderd procent katoen is gemaakt. En wit, want het mag in geen geval gekleurd zijn.

'Weet u,' zegt hij als we bij de kassa staan, 'hoeveel chemische troep er in die kleren zit?'

'Nee,' zeg ik, 'en dat wil ik ook helemaal niet weten.'

En dan zwijgen we, tot we eindelijk onze spullen in veel plastic tasjes naar de auto dragen, waar Karl May ons enthousiast begroet.

'Waar moet u eigenlijk naar toe met uw urn?' vraag ik Gregor Beer als we even pauzeren.

'Naar een eiland,' zegt hij. 'Île d'Ouessant heet het.'

Ik verslik me in mijn koffie.

'Dat ligt helemaal in het uiterste westen van het land. Ik had er voordien ook nog nooit van gehoord. Voorzover ik weet gaat er een boot naartoe vanuit Brest. En u? Waar bent u naar op weg?'

Ik heb even wat tijd nodig om dit nieuws te verwerken.

'Ik moet daar ook naartoe. Dat is bijna niet te geloven, toch?'

Nu is hij degene die zijn ogen wijd openspert.

'Naar datzelfde eiland? Maar dat is geweldig!' roept hij dan uit.

'Omdat de taxi u dan voor de deur afzet?'

Ik kan me soms niet inhouden. Misschien doe ik hem onrecht, want hij kijkt wat gekwetst, en doet weer afstandelijk.

'Het spijt me dat ik u zo op de zenuwen werk,' zegt hij. 'Ik ben in alle opzichten volledig van u afhankelijk...'

'Nee,' val ik hem in de rede. 'Slechts in één opzicht, en dat opzicht heet: geld. Ik wil u een voorstel doen. Ik leen u wat. Genoeg om het weekend mee door te komen. Dan zet ik u in het eerstvolgende stadje af, en nemen we daar afscheid. Wat vindt u daarvan?'

Hij kijkt me aan. Ik wil wegkijken, maar ik kan het niet. En het dringt tot me door dat ik het heel erg jammer zou vinden als hij er mee in zou stemmen. Maar hij zegt: 'Kunnen we niet gewoon vrede sluiten?'

En ik denk terug aan dat halve uur waarin ik hem bij het pompstation had laten staan. En ik herinner me hoe mijn gedachten alleen om hem draaiden, tot ik er helemaal geen lol meer in had om alleen op reis te zijn en ik uiteindelijk maar omkeerde, om hem daar op te pikken. En mijn woede, toen hij weer bij me in de auto zat, lag meer aan het feit dat ik me aan mijzelf ergerde, omdat ik niet wil toegeven dat ik hem best graag mag, die krankzinnige kerel. Dat ik hem miste. En ook nu wil ik dat niet onder ogen zien. Maar als hij me vraagt waarom we niet samen verder reizen, aangezien we allebei deze wonderbaarlijke bestemming hebben, zeg ik: 'Nou, goed dan.'

Dan lichten zijn ogen op.

'Overigens, ik heet Gregor. Wil je me niet gewoon tutoyeren?'

En dan begint hij te lachen.

'Zal ik je eens wat zeggen?' vraagt hij, 'ik heb geen idee hoe jij heet.'

'Caroline,' zeg ik. 'Caroline Nadler.'

'Nadler,' herhaalt hij. 'Ik ken een zekere Sebastian Nadler. Professor in de… in de…'

'Antropologie,' help ik hem. 'Ja,' zeg ik, en ik trek een gezicht, 'dat is mijn vader. Ken je hem?'

We komen vandaag tot net voorbij Rennes. Het lijkt wel steeds breder te worden, dit land, hoewel ik in feite geen haast heb. En Gregor zo te zien ook niet.

We zoeken en vinden een hotel. Er zijn geen eenpersoonskamers, en aangezien honden er niet zijn toegestaan, weet Gregor me ervan te overtuigen dat ik in het hotel moet slapen en dat hij wel met Karl May in de auto blijft.

Het avondeten verloopt vreedzaam. Gregor vertelt over de grasparkiet, die hij ooit als kind kreeg in plaats van een hond, en dat hij die Old Shatterhand had gedoopt. En ik vertel over mijn varens en hoe die stukje bij beetje, en tegen de zin van mijn vader, ons huis veroverden, tot uiteindelijk de luchtvochtigheid bijna een mummie in onze zitkamer weer tot leven had gewekt. 'En het scheelde niks,' vertel ik, 'of er waren paddenstoelen uit de vitrine ontsproten.'

'Wat vond je moeder daar allemaal van?' vraagt Gregor, 'Ik bedoel, die mummies en zo.'

Dan word ik ernstig. 'Mijn moeder? Ik heb geen moeder.'

'O,' antwoordt hij, 'dat spijt me.'

'Ja, mij ook,' zeg ik. En dan vertel ik hem alles. Ik vertel hem dat mijn moeder zesentwintig jaar dood was, om pas dit voorjaar ineens een kaartje te sturen. En dat ik nu op weg ben om haar op te zoeken en ter verantwoording te roepen. En zij mag bij god hopen dat ze een goede verklaring heeft voor haar gedrag...

'O ja,' zegt Gregor meevoelend, 'ik heb nu al met haar te doen.' Dan lachen we samen, en ik bedenk dat dat wel eens fijn is, voor de verandering.

Mijn blik valt op de urn, die altijd en overal met ons meegaat. *Vertel eens over je oom?* wil ik vragen, maar ik laat het er bij. Op een dag vertelt hij het me wel uit zichzelf.

Dan gaan we slapen. Mijn hotelkamer is behangen met een verbleekt rozendessin. Het bed ziet er uitnodigend uit, maar als ik ga liggen, rol ik naar het midden waar ik in een diepe kuil verdwijn, en ik begrijp dat ik bij deze slaapplaatsenruil aan het kortste eind heb getrokken.

De volgende ochtend doet mijn rug pijn van de bovenste wervel tot mijn stuitje. Ik sla het ontbijt af, haal croissantjes bij de bakkerij, wandel naar de parkeerplaats, waar Gregor al op is, de slaapzak heeft uithangen over een openstaande portier, en zijn ochtendtoilet maakt, samen met Karl May. De spijkerbroek en het T-shirt staan hem erg goed.

'Kijk eens wat een mooie hond Karl May wordt!'

Met veel kracht bewerkt hij de hondenvacht met de borstel die ik had gekocht. Karl May glimlacht verzaligd.

Dan verslinden we de croissants. Sinds gisteren lopen we liever met een boogje om de cafés in kleine Franse stadjes heen.

Als we vertrekken jagen ons vanuit het westen donkere wolken tegemoet. Nauwelijks een halfuur later duiken we een massa mist en regen in, en in een oogwenk staat er een flinke laag water op het asfalt dat in golven opspat, en de auto voor ons is nauwelijks nog te zien. Mijn bestelwagen wordt een duikboot, tot de wolkbreuk even plotseling als hij ons overviel, wegebt, en omslaat in een motregen. De mist trekt net genoeg op en de zon stort een onwerkelijk licht over ons uit. Dan spant er een regenboog over de weg, als een poort, en het natte wegdek voor ons gloeit rood en oranje op. 'Kijk dan,' zeg ik zachtjes, en we kijken allemaal aandachtig hoe dit licht ook op ons straalt. Zo zitten we opeens zelf midden in de regenboog. De waterdruppels om ons heen glinsteren en glanzen en het is net alsof de tijd is opgeheven, samen met de ruimte en we verblijven in een soort eeuwigheid, ook al rijden we door. Geen van ons durft te ademen, ook Karl May niet, die de oren gespitst houdt en de ogen wijd opengesperd, totdat de weg een bocht maakt en het voorbij is. De boog van licht blijft achter ons. Maar wij blijven nog wel heel lang stil.

Tegen de middag komen we in Brest aan. Met vereende krachten zoeken en vinden we de haven en de juiste veerboot en boeken we een overtocht. Daarbij krijgen we twee teleurstellingen te verwerken: we moeten de auto hier laten, want er mogen alleen personen van het vaste land naar het eiland reizen, en er is maar één afvaart per dag en die is morgenochtend om halfnegen.

'Hoe denk je haar te vinden?' vraagt Gregor bij het avondeten. Voor ons staan enorme borden *moules frites*.

Daar heb ik nog helemaal niet over nagedacht.

'Er zal toch wel zoiets zijn als een bevolkingsregister?' denkt hij hardop.

'Of we kijken in het telefoonboek,' opper ik. 'En we vragen het in alle bars, zoals in de film. Ik denk dat het op de een of andere manier wel zal lukken.'

En opeens word ik heel zenuwachtig.

Aan boord van de veerboot is Karl May niet op zijn gemak. 'Hopelijk heeft hij een beetje zeebenen,' zegt Gregor.

De boot vaart uit. In de baai van Brest is de tocht nog kalm, maar we zijn nog niet op open zee, of de golven smijten ons van links naar rechts. Karl May legt de oren plat tegen zijn kop en zet zijn poten schrap tegen de wind.

'Dit wordt een stormachtig stukje zee,' zegt Gregor geheel ten overvloede, 'en er zijn zoveel rotsen in het water dat de veerboten soms helemaal niet uitvaren.'

'Hoe weet jij dat allemaal?' roep ik tegen het lawaai om ons heen in, en ik klamp me vast aan een reddingsboot.

'Dat heb ik gelezen,' roept hij terug. Hij draagt de urn in een rugzakje dat hij in de hypermarché heeft gekocht en staat te rillen ondanks de wollen trui die ik hem heb geleend.

Ineens wordt het me allemaal duidelijk. Hij gaat daar iemand naar zijn laatste rustplaats brengen, want waarom trek je anders dwars door Europa met een urn? Hij moet heel veel van zijn oom hebben gehouden, denk ik. Hij is in de rouw, en ik doe de hele tijd zo kattig tegen hem.

Het duurt niet lang voor het duidelijk wordt dat we geen van allen erg zeewaardig zijn. Een harde wind zweept de golven op, het schip schommelt heen en weer, van boeg naar achtersteven en iedere keer dat het schip frontaal tegen een golf opbotst gaat er een ruk door haar romp, door onze lichamen en vooral door onze magen. We trekken ons al snel terug in de wachtruimte. Gregor haalt koffie voor ons in papieren bekertjes, maar als hij op me af komt, maakt het schip een zwaai naar opzij, en de inhoud van de bekertjes komt op zijn nieuwe spijkerbroek terecht.

'Het is niet zo erg,' probeer ik hem te troosten. 'Koffievlekken op een spijkerbroek zijn lang niet zo erg als gras en aarde op een Armani-pak. En misschien is het maar beter dat ik geen koffie drink.' En dan haast ik me naar de toiletten, vooralsnog puur als voorzorgsmaatregel, meer niet. Later ga ik liever weer aan dek, want als ik naar de op en neer deinende horizon kan kijken, houd ik het geschommel toch het beste uit.

Als ik daar een smalle strook ontwaar, roep ik Gregor en Karl

May. Het wolkendek scheurt open, en een dramatisch licht stroomt over de kuststrook die als een plaat aangespoeld zilver boven het water zweeft. Op die plaat staat hier en daar een helverlicht huis, als een hand verstrooide kiezelstenen. In de haven waakt een dubbele toren over onze aankomst.

'En nu?' vraag ik me af, nadat alle andere passagiers te voet verdwenen of afgehaald zijn. 'Hoe moet het nu verder?'

'Vous avez une réservation?' vraagt een man met een ruw accent. Hij heeft zijn pet diep over zijn voorhoofd getrokken, en het kost me moeite hem te verstaan.

'Non,' antwoord ik, *'pas de réservation.'* Ik vraag hem of hij ons iets kan aanraden. Hij krabt wat achter op zijn hoofd, kijkt ons onderzoekend aan en bekijkt Karl May. Dan doet hij een voorstel, maar ik versta er geen woord van.

Kort daarop ratelen we in zijn Renault over het eiland.

We komen door een dorp waarvan de kerktoren zich als een naald in de hemel boort, we passeren een haven, en onze chauffeur zegt 'Lampol' en voegt er nog wat woorden aan toe, die ik helaas niet versta. Het eiland is zo vlak dat je van het ene eind naar het andere kunt kijken. Lichtgrijs graniet steekt uit boven de weilanden en de met heide en helmgras begroeide vlakten. Karl May registreert ieder schaap, al staat het nog zo onbeweeglijk in de wei, en hij snuift de geur op. Grijze huizen staan weggedoken in nauwelijks zichtbare duinpannen, en voor een groepje van die gebouwen met blauwe luiken voor de ramen trapt monsieur onverhoeds op de rem.

'Voilà,' zegt hij.

'Ja,' zegt de waardin, ze heeft nog twee kamers voor ons, halfpension, als we willen, en voor Karl May haalt ze een mand.

Vanuit mijn raam zie ik de zee. En ver daarbuiten, omgeven door golven, staat een vuurtoren, gebouwd van de grijze steen van dit eiland, en bekroond met een rood koepeldak, fel afstekend tegen de inmiddels blauwe hemel.

'Je moeder weet de mooie plekken wel te vinden,' zegt Gregor, als we op het punt staan een wandeling te maken. Karl May trekt al onrustig aan zijn riem. 'En anders mijn oom wel.'

We lopen tot aan het eind van de klippen die in zuidwestelijke richting wijzen, en vergeven zijn van de zeevogels. De vuurtoren met zijn rode dak doet eenzaam aan, daar midden in de open zee. Aan de noordzijde ligt een baai, met daarachter weer een strook land. Daar staat nog een vuurtoren, een moderne, van metaal. Nog verder weg, klein als een wijsvinger, staat er nog eentje, een zwart-wit gestreepte, als uit een prentenboek.

Karl May verzet zich tegen zijn riem, hij kan het gebodsbordje 'Honden moeten aangelijnd' niet lezen, maar Gregor kent hem nog niet goed genoeg om te weten of hij de verleiding kan weerstaan om overal achter aan te jagen. Meeuwen, schapen, of wie weet welk ander gedierte zich op de heide ophoudt. En ja hoor, hij houdt zijn neus alleen nog maar bij de grond en snuffelt opgewonden, nu eens hier, dan weer daar, en hij is helemaal door het dolle heen.

'Kijk,' zegt Gregor en hij wijst op een bijzonder bouwsel aan het eind van de weg. Daar steekt een metalen paal uit een betonnen sokkel, waaruit weer uitsteeksels in de lucht steken. Het zijn zilvermetalen vormen, sommige doen misvormd aan, andere bewegen onaangenaam in de wind. Het geheel ziet eruit als een door de storm toegetakelde vogel. Of als een behoorlijk gehavende vogelverschrikker.

'Kunst,' zegt Gregor, en hij trekt een gezicht. 'Althans, dat wat de wind ervan heeft overgelaten.'

Ik loop naar de sokkel toe. Er zit nog een plaatje op. '*De wet,*' vertaal ik, '*der beweging.* Windsculptuur van...' en dan stokt mijn adem, maar Gregor staat nu naast me en leest op: '... van Angela Ritter.'

Hoofdstuk 13

Waarin Gregor een nat pak haalt en een ontmoeting heeft met een vuurtorenwachter

Enfin, wat kan ik er van zeggen, het is een vreselijk lelijk ding.

'Dit is in elk geval een spoor,' zeg ik bemoedigend tegen Caroline. 'Ze is dus daadwerkelijk op dit eiland.'

De rest van de avond zegt ze geen woord meer, en kijkt ze alleen nog maar peinzend voor zich uit. Zo lelijk is dat ding nu ook weer niet, denk ik.

Maar dat is niet de reden voor Carolines zwijgzaamheid. Ik heb de indruk dat het ook een hele schok voor haar was om de naam van haar moeder zo onverwacht tegen te komen. Wie verzint zoiets ook. Een kunstenares, en dan ook nog eens een enorm slechte. Ik heb geen idee hoe lang Caroline überhaupt al weet van het bestaan van haar moeder, maar zeker is wel dat ze tot vandaag een schim was. En als ik Caroline zo zie, en hoe ze in haar eten prikt, dan denk ik: ze probeert te wennen aan het idee dat deze vrouw echt bestaat. En ze bereid zich erop voor dat alles wel eens heel anders kan zijn dan ze zich had voorgesteld.

Maar dat is haar zaak. Ik heb andere zorgen. Het is niet zo eenvoudig om as in deze zee te verstrooien, dat wordt me duidelijk als ik de volgende ochtend het eiland ga verkennen. Steile klippen met rotsen ervoor, wind die om de minuut van richting verandert. Zeker, er zijn ook beschutte zandstrandjes op dit eiland, maar wie zou de as van zijn oom in ondiepe golven strooien die het meteen daarop weer aan land spoelen, waar kinderen hun zandkastelen bouwen?

In mijn zak ritselt de croissantzak van gisteren. Een derde van de as heb ik daarin overgeheveld, om niet de hele tijd die urn met me mee te hoeven slepen. Maar nu moet ik uit zien te vinden wat de ideale plek is voor de eerste akte van de zeebegrafenis.

Ik vouw voor de zoveelste keer de tweede brief van mijn oom open. Jacques Malgorne, vuurtorenwachter. Ik zucht. Het probleem is, dat ik niet met hem zal kunnen praten. Misschien dat Caroline me kan helpen...?

Maar die gedachte zet ik meteen weer van me af. Caroline heeft haar eigen problemen. En het staat me nog altijd tegen om haar – of wie dan ook – te vertellen wat het doel van mijn reis is.

Elke feitje dat men prijsgeeft lokt een onafzienbare hoeveelheid vragen uit, en een ondoordacht woord leidt al snel tot de meest intieme jeugdherinneringen, en het laatste waar ik met Caroline Nadler over wil praten is mijn familie.

Vrouwen zijn anders, die beschikken doorgaans over een onnavolgbare behoefte om het over dingen te hebben, vaak gekoppeld aan een onderontwikkeld gevoel voor hoeveel een ander hoeft te weten. En het feit dat Caroline me over haar moeder heeft verteld, verwonderde me dan ook niet. De meeste vrouwen geloven dat ze een man een bijzonder, onschatbaar geschenk geven als ze hem inwijden in hun persoonlijke problemen – die vaak helemaal niet zo uniek zijn als ze zelf geloven. Hoe vaak ze mij niet precies dezelfde verhalen hebben toevertrouwd – en dan verwachten ze als tegenprestatie een soortgelijke bekentenis. Maar als ik er goed over nadenk, dan heeft Caroline me al een hele tijd niets meer over de urn gevraagd, en dat is ongebruikelijk. Ze is tenslotte een vrouw.

Ja, ze is een vrouw, en nog een behoorlijk aantrekkelijke

vrouw ook. Als ze zich over Karl May buigt, verschijnt er tussen de band van haar jeans en haar T-shirt een klein stukje huid, waaronder zich een heel delicate driehoek aftekent, haar heiligbeen, zou mijn chiropractor zeggen, en tot mijn eigen verbazing trekt dat stukje huid telkens weer mijn blik naar zich toe. Het is niets bijzonders, gewoon een stukje huid, en ook helemaal niet op een bijzonder opwindende plek. En gelukkig draagt Caroline niet van die broeken die van achter nauwelijks over de billen komen en die van voren nog maar net de venusheuvel bedekken. Nee, Caroline draagt een keurige, ouderwetse Wrangler, en tamelijk hooggesloten bovenkleding, en het enige wat af en toe zichtbaar wordt is dat plekje vlak boven het heiligbeen, een plekje dat me nog bij geen enkele andere vrouw is opgevallen. Het ziet er zacht uit, fluwelig, en ik betrap me op de gedachte dat ik wel wil weten hoe het aanvoelt, dat plekje. En dan zwerft mijn blik langs die rug omhoog, waar onder haar T-shirt haar wervelkolom zich aftekent, niet heel sterk, maar net zichtbaar, net als de schouderbladen. En dan komt ze meestal alweer overeind, en wend ik snel mijn blik af, voor ze die nog verkeerd zou uitleggen.

Nee, als we weer terug zijn in Brest zullen onze wegen scheiden. Maar eerst moet ik een manier vinden om het eerste deel van oom Gregor te begraven. Of moet ik zeggen: te water laten?

Tegen de middag eet ik een kleinigheid in een restaurant in de haven van Lampaul. Zo heet het dorp met de spitse kerktoren. Ik heb geluk, want de sproeterige serveerster spreekt een beetje Engels, en bij het afrekenen vraag ik haar naar Jacques Malgorne. 'O,' zegt ze, 'Malgorne, zo heet iedereen hier.' Ze roept iets naar de waardin, die zich naar mij omdraait, en me monstert alsof ze bij de geheime dienst werkt. Dan komt ze naar ons toe en vraagt wie dat wil weten.

'Hij was een vriend van mijn oom,' verklaar ik aan de serveerster, die dat vertaalt, en dan wordt me verteld dat ik 's avonds moet terugkomen, want dan kan ik Jacques Malgorne hier vinden. Klaarblijkelijk is hij hier stamgast.

Als ik mijn koffie drink, bestudeer ik de kaart die de waardin me in de hand heeft gedrukt. Dit eiland heeft de vorm van een krab met twee scharen, die allebei naar het zuidwesten wijzen. Precies in de baai tussen die scharen ligt het stadje Lampaul. Op de zuidelijke schaar bevindt zich ons hotelletje. Ik heb het gevoel dat oom Gregor zou willen dat ik een plek aan de westzijde uitkies, en dus besluit ik om de middag te benutten om tot het uiteinde van de tweede schaar te lopen, dat nog meer in het licht van de ondergaande zon is ondergedompeld.

Een keurig zandpad voert langs de kust van de Baie de Lampaul, en slingert als een slang over de rug van de landtong. Ik laat Karl May van de riem, en hij springt in het rond als een groot uitgevallen konijn. Daar waar het plateau van het vasteland eindigt en voor de zee begint, is het land omringd door een kluitje rotsen, dat lijkt op een zilveren puntkraag. Een krachtige wind waait me de hele tijd tegemoet.

Al van ver zie ik de vuurtoren van Nividic op een rotspunt voor de kust, en daarvoor, op klippen dichter bij de oever, staan twee bijzondere beelden als ouderwetse straatnaamborden, of lantarenpalen. Deze beelden zijn ook in beton vastgezet, en ik denk even dat Carolines moeder hier ook de hand in heeft gehad. Samen met de vuurtoren lijken ze een eenheid te vormen, een samenhang, die mij niet toelaat, en plotseling voel ik hoe vreemd mij deze wereld van de zee is, met zijn seinen, zeebanken en stormen. En ik voel ook weer een vervreemding tussen mij en oom Gregor, wiens resten ik in een bakkerszakje met me meesjouw. Ik heb totaal geen benul van deze wereld, die door het weer wordt geregeerd, en door stromingen en getijden. Ik ben een landrot, die terugverlangt naar – ja, naar wat eigenlijk? Naar de bergen, naar de Blauen Tötz, die een obstakel vormt dat ik kan bedwingen. Maar dit water dat zich uitstrekt tot zover mijn ogen reiken en nog verder – wat kan ik daar tegenoverstellen?

Plotseling is de lucht vol vogels. En niet alleen de lucht, maar ook de rotsen, zwart en glanzend in het tegenlicht, worden door de vogels in beslag genomen. En als die hier hun kreten slaken, elkaar proberen te verjagen en gretig dingen van de rotsen pikken, bedenk ik dat ik het hier misschien zou kunnen doen, als het me lukt om over de rotsen naar die boei te klimmen. Dit zou wel een goede plek zijn voor deel één van de begrafenis.

Zo gezegd, zo gedaan. Ik klim over de rotsen, spring over wat rotsspleten en Karl May blaft verontwaardigd achter me, draalt, en loopt langs de oever van de zee heen en weer. Ook hij is een landrot, dat werd onderweg hierheen al duidelijk, en wat ik van plan ben, lijkt hem niet erg te bevallen. Ik zwaai naar hem, en dan verzamelt hij ook moed en springt me achterna. Al vlug merk ik dat ik weinig heb aan mijn Italiaanse schoenen, omdat de gladde zolen nauwelijks grip bieden. Maar ik denk er niet aan om het op te geven en zwoeg door, tot ergernis van de zeevogels die mij, maar vooral Karl May, imponerend klapwiekend omcirkelen, vervaarlijke kreten uitstoten, en in een schijnaanval op ons afstormen. Ik kijk achterom. Ik ben nog niet bepaald ver gekomen. Karl May staat als een wachter op een diep gespleten rots en hij blaft, zo hard hij kan. Hij blaft hysterisch tegen de vogels en de golven, en bezorgd om mij. Maar deze plek lijkt mij nog steeds niet ideaal. Verder dus. De afstanden tussen de rotsen worden groter, hun oppervlakte glibberiger, en ik overweeg even of ik mijn schoenen niet beter kan uittrekken, maar de vastgegroeide mosselschelpen zijn zo scherp als scheermessen. Op handen en voeten klauter ik verder, en dan slaat er een enorme golf stuk op de rots onder mij, en ik ben doornat, tot mijn middel. Ik vloek. Kijk naar de flank van de rots. Wat nu als de vloed opkomt en me de terugweg afsnijdt? Een tweede golf slaat bijna mijn voeten van de rots, en dit geweld jaagt me zoveel schrik aan dat ik als de donder maak dat ik terugkom. Karl May komt me opgelucht tegemoet. Plotseling ben ik bang, om hem: als er nog zo'n golf komt zal hij zonder meer van de rots worden gespoeld.

We bereiken het vaste land en dat is dan ook geen minuut te

vroeg. De lage rotsen vlak bij het vaste land staan al onder water. De vogels lijken me te bespotten. Rillend ga ik op de heide zitten. Karl May schudt zich uit, komt op me aflopen, en probeer mijn gezicht af te likken.

'Brave hond,' zeg ik, 'je had ook gelijk.' Dan trek ik mijn schoenen uit en schud het water eruit. Ik grijp naar oom Gregor in de papieren zak. Die is droog gebleven.

Met soppende schoenen en een doornatte broek kom ik een uur later in Lampaul aan. Karl May is weer in opperbeste stemming, maar ik klappertand van de kou. In de haven vind ik een eilandtaxi, die ons naar ons hotel brengt.

Moeizaam trek ik de natte spijkerbroek uit. En ik moet lachen, omdat hij, stijf van het zeewater, bijna vanzelf rechtop blijft staan in mijn kamer. Mijn bovenbenen zijn uiteraard blauw verkleurd. Je moet ook nooit kleren kopen in een hypermarché, en al helemaal geen merkloze jeans. Ik moet er niet aan denken wat voor giftige stoffen het zeewater uit de stof heeft losgeweekt. Op weg naar de douche kom ik Caroline tegen, op de gang, met frisgewassen haar en een badjas aan. Ze kijkt geamuseerd naar mijn blauwgeverfde benen.

'Wat is er met jou gebeurd?' vraagt ze en ja hoor – ze barst weer in een klaterlach uit.

'Iemand heeft me gedwongen om een goedkope spijkerbroek in een supermarkt te kopen.'

Caroline houdt haar hoofd schuin en grijnst onnavolgbaar. Dat kan alleen zij zo.

'En?' ga ik verder. 'Heb je haar gevonden?'

Caroline schudt haar hoofd. Haar lach sterft weg. Ze ziet er ineens bedroefd uit en voor me iets troostrijks te binnen schiet vraagt ze zonder verder inleiding: 'En jij, heb je de as nou al verstrooid?'

Ik staar haar aan. Hoe weet zij dat nou? Ik heb het haar in elk geval niet verteld. 'Ben je daar zo nat bij geworden?' voegt ze eraan toe, en dan verdwijnt ze in haar kamer, en ik maak dat ik in de douche kom, om met het warme water dat Caroline nog over heeft gelaten de verf van mijn benen te schrobben.

Bij het avondeten probeer ik te bedenken hoe ik het best in Lampaul kan komen zonder Caroline op sleeptouw te nemen.

'Ik moet hierna nog een keer naar het stadje,' zegt Caroline na een poosje, en ze kijkt me vluchtig aan. 'Naar Lampaul...'

'O,' zeg ik, 'dat treft.'

Caroline kijkt me verrast aan. En dan snap ik dat zij, net als ik, een afspraak heeft. Eentje die met haar moeder samenhangt. Misschien heeft ze zelfs wel met haar afgesproken en wil ze mij er helemaal niet bij hebben. Natuurlijk niet En ik zeg: 'Luister, Caroline, ik neem aan dat je een afspraak hebt en dat je liever alleen gaat.' En nog voor ze iets kan terugzeggen, vervolg ik: 'Dat geldt voor mij precies zo. Dus laten we samen een taxi nemen, en dan vanaf de haven elk onze eigen weg gaan. Of als je liever niet met mij gezien wordt, nemen we gewoon elk een eigen taxi.'

Ze staart me gekwetst aan.

'Wat jij allemaal verzint,' zegt ze uiteindelijk, 'daar zou een zinnig mens nou nooit opkomen. Dat vond ik vanaf het begin al zo onuitstaanbaar aan jou, dat jij denkt dat je alwetend bent. Je vergist je namelijk, Gregor Beer. Je hebt echt geen idee.'

En dan verloopt de rest van het avondeten in een ijzig zwijgen, en aan het eind weet ik nog steeds niet of ik nu zelf een taxi moet bestellen of niet.

Vrouwen, denk ik. Daar valt ook geen touw aan vast te knopen.

En datzelfde zeg ik tegen Karl May, die treurig gejank laat horen als Caroline het pand uit stormt, op de rode fiets van Madame stapt en wegfietst richting Lampaul.

Als ik het restaurant betreed, herken ik het bijna niet meer terug. Een hele familie, van kleinkind tot en met de oudjes aan toe, piekfijn in de kleren gestoken, staat net op van tafel. Het is zondagavond, de dag van de uitgebreide diners, naar het schijnt. Ik zie de serveerster met de zomersproeten nergens en een andere vrouw loopt met een dienblad vol vuil servies tussen de tafeltjes door. Ik kijk om me heen. Aan een tafeltje in de hoek zitten een paar mannen met visserspetten en door weer en wind gebruinde gezichten onder die petten. Ik loop op hen af, en gooi een vragend 'Jacques Malgorne' in de groep. Dan wordt het stil, en ze bekijken me allemaal zonder een spier te vertrekken. Dan zegt er eentje iets en de anderen lachen. Ze hebben gelijk ook, denk ik. Maar dan ziet de waardin dat ik er ben, en ze wenkt me en drukt me een papier in handen waarop staat:

Malgorne, Jacques
Route du Créac'h

Dat zal zijn adres wel zijn. Ik ga morgenochtend vroeg meteen naar hem toe. Ik bedank haar en verdwijn weer. Karl May, die de hele tijd tegen mijn benen aan gedrukt stond, lijkt opgelucht.

'Je houdt niet zo van een volle kroeg, hè?' vraag ik aan hem. En hoewel er een frisse wind over het eiland blaast, besluit ik de twee, drie kilometer naar huis te lopen. Per slot van rekening willen we niet nog eens bij Caroline om geld hoeven bedelen. En tijdens onze wandeling kijk ik naar de lichten van de vuurtorens om me heen, die hun seinen, elk op zijn eigen unieke manier wat betreft kleur en pauzes tussen het oplichten, over het eiland en de zee sturen. Een stil concert met drie, vier, vijf solisten.

De volgende ochtend heeft Caroline al ontbeten en is ze al vertrokken als ik bij Madame beneden in de zitkamer kom. Het verontrust me. Caroline is anders nooit zo vroeg al in de benen. Ze is toch niet boos op me, vraag ik me af. Maar waarom zou ze? En ik kom tot de slotsom dat Caroline misschien toch een uitzondering is onder de vrouwen, terwijl ik juist geneigd was te geloven dat je die typisch vrouwelijk gevoeligheden over je heen moest laten komen, stoïcijns en gelaten, net zoals het weer.

Dat weer is vandaag in elk geval heerlijk. De hemel is blauw en glanst als een knikker, en als ik Madame alweer om een taxi vraag, vraagt ze mij waarom ik niet op de fiets ga. Ze heeft gelijk, denk ik, en ook Karl May grijnst van oor tot oor. Nadat ik me heb laten uitleggen hoe ik op de Route du Créac'h kom, kar ik weg. Karl May springt met grote sprongen dan weer voor me uit, dan weer achter me aan. 'Karl May!' roep ik af en toe, en ja hoor, hij hoort me en komt dan bij me, en kijkt me vrolijk vragend aan. Hij heeft zijn naam dus al geaccepteerd.

In Lampaul ontdekt ik Carolines rode fiets op het kerkplein. Ik kijk vlug om me heen, maar zie haar zelf nergens en heel even vraag ik me af of ze misschien helemaal niet thuis is gekomen, gisteravond, maar de nacht hier heeft doorgebracht. En tot mijn verbazing merk ik dat ik dat helemaal geen leuke gedachte vind. Nee, helemaal niet, zelfs. Gregor Beer, vraag ik me streng af, je bent toch zeker niet jaloers?

Ik heb niet goed opgelet en ben weer op het zandpad terechtgekomen dat ik gister nam toen ik naar Phare de Nividic ben gelopen. Ik keer om, roep Karl May, kom bij een splitsing, maar weet niet precies welke richting ik nu moet inslaan. Maar dan zie ik een bordje: *Phare du Créac'h, Musée des Phares & Balises*. Dat moet het zijn. En al van ver zie ik hem op een verhoging liggen: de zwart-wit gestreepte vuurtoren.

Vanaf de straat buigen onverharde paden af. Die leiden naar verscholen boerenhuisjes, gemaakt van hetzelfde graniet dat uitsteekt tussen het groen van de planten waarmee deze rotsplaat midden in de Atlantische Oceaan zo spaarzaam is bedekt. In het graniet zijn letters gebeiteld, en ik ontcijfer: 'Malgorne'. Ik had het nog bijna over het hoofd gezien. Daar, in een kom, staan twee stenen huisjes. Op een afstandje staan een paar schapen, wit en zwart, te grazen. Ik lijn Karl May aan, hoewel die tot nu toe nog geen uitgesproken jachtinstinct aan de dag heeft gelegd, een eigenschap die hem waarschijnlijk bij zijn vroegere baas niet echt geliefd heeft gemaakt.

Als we het huisje van Malgorne naderen, slaat een hond aan. Hij komt op ons af. Hij is groot en zwart, en ik stap van de fiets, en overweeg een overhaaste aftocht want ik heb geen idee wat ik met die hond aan moet. En ik heb geen zin in een vechtpartij tussen de honden, en Karl May weet zo te zien ook niet wat hij ermee aan moet. Hij jankt, snuffelt, en dan is het al te laat. De vreemde hond is al bij ons. Hij is veel groter dan Karl May en behoorlijk indrukwekkend en ruwharig. Maar in plaats van Karl May naar de keel te vliegen, begint hij aan hem te snuffelen en kwispelt hij met zijn staart en Karl May lijkt ook zeer verheugd, dus ik haal opgelucht adem.

Dan hoor ik een fluitje. De zwarte hond spitst de oren. *'Eehhh,'* klinkt een langgerekte kreet, *'viens-ici.'* Er staat een potige kerel voor het huis, de hond loopt braaf naar hem toe en Karl May trekt flink aan zijn lijn omdat hij er achteraan wil.

'Gregor Beer,' zeg ik, als ik bij hem kom, en ik steek mijn hand naar hem uit. Zijn gezicht is precies als dit eiland: grijs en verweerd, stoppelig, en zijn ogen lichten op in allerlei tinten grijsblauw, zoals de weerspiegeling van de hemel in het water.

'Jacques Malgorne,' zegt hij, en hij drukt me de hand.

Hij bekijkt me grondig en neemt er de tijd voor. Dan werpt hij een blik op Karl May. 'U kunt hem hier wel van de lijn laten,' zegt hij in keurig Duits, 'Brima is altijd snel vriendjes met reuen. Goed dat u geen teefje hebt meegebracht.'

Hij wenkt me om mee naar binnen te komen.

Ik moet bukken, om niet mijn hoofd aan de deurpost te stoten. Binnen is het halfdonker, en ik herken een tafel en een stoel en ga zitten. Malgorne schenkt me iets in uit een karaf en zet dat voor me neer. 'Op uw komst,' zegt hij, en we drinken erop. De cider prikt zurig in mijn keel, en al na de eerste slok proef ik dat dit geen appelsap is. Ik denk aan de vruchtenwijn die we vroeger wel eens kregen als oom Heinrichs appelbomen een goede oogst hadden opgeleverd en hij ons royaal een vaatje cadeau deed.

'U draagt dezelfde naam,' stelt Malgorne vast, 'en u lijkt ook erg op hem.'

Hij drinkt zijn glas leeg en blijft mij daarbij aankijken. 'Hoe komt het dat u zo goed Duits spreekt?' vraag ik hem, hoewel ik niet zeker weet of dat wel een goed begin is. Malgornes gezicht vertrekt tot een glimlachje. Dat ziet er zo wat grimmig uit, en ik verwacht een verschrikkelijk verhaal, eentje uit de Tweede Wereldoorlog. Krijgsgevangschap of iets dergelijks. Maar Malgore zegt: 'Ik heb gevaren, en het toeval wilde dat ik op een Duits schip terechtkwam. Daar heb ik Gregor leren kennen. Hij was nog een jonge officier, toen hij bij ons begon.' Hij kijkt naar zijn handen, waarin hij zijn glas vasthoudt. Dan kijkt hij op.

'Hoe gaat het met hem?' vraagt hij, en dan wordt het me duidelijk dat hij het nog niet weet. Ik slik, voel me vreselijk, want ik ben degene die steeds maar weer slecht nieuws moet brengen. Een doodsbode. Leuk hoor, oom Gregor. En ik merk dat mijn hand voorzichtig op mijn jaszak klopt, daar waar ik de papieren zak met zijn as bewaar, en vraag me af wat Jacques Malgorne ervan zou zeggen als hij wist dat een deel van mijn oom hier in een papieren croissantzakje zit.

'Hij is dood,' zeg ik.

Maar Malgorne lijkt allesbehalve verrast. Hij knikt. Trekt zijn woeste wenkbrauwen nog dichter naar elkaar. Alsof hij het had verwacht.

Dan staat hij op, loopt naar een buffetkast, pakt iets uit een lade. Het is een brief.

'Hij heeft me geschreven,' zegt hij, als hij weer moeizaam aan tafel gaat zitten, 'dat jij zou komen. Vroeg of laat. En dat jij het bericht van zijn dood zou komen overbrengen. En nog iets anders.'

Dat andere is de as, denk ik. Dus hij weet het inderdaad.

Malgorne vult onze glazen, en we drinken. Het is een ritueel, misschien ter ere van mijn oom, en ik vraag me af hoe het komt dat al deze vreemde mensen hem zo goed kenden, zijn vertrouwen hadden, en dat alleen ik, die precies dezelfde naam had als hij, helemaal niets van hem weet. Echt niets. Er begint iets onder mijn borstbeen te branden, een gevoel van spijt, een gevoel van een onherroepelijk verlies. Waarom, denk ik, heb je er niet eerder werk van gemaakt. Toen je nog in leven was. Waarom moest je eerst doodgaan om dichter bij me te komen staan. Dat heeft toch helemaal geen zin?

Vanbuiten komt een fel, tweestemmig geblaf. Malgorne staat op, loopt naar de open deur, en de schaduw van zijn massieve gestalte steekt af tegen de heldere hemel. Een fluitje. Zijn langgerekte *Eeeehhh*. 'Het is de postbode,' zegt hij, 'elke ochtend is het weer hetzelfde liedje.' Dan wendt hij zich tot mij.

'Kom mee,' zegt hij, 'ik wil je iets laten zien.' En ik ben blij dat ik uit deze lage, donkere keuken weg kan, maar stoot toch mijn hoofd aan de deurpost. Malgorne gaat me voor, en fluit naar de honden. Karl May heeft alleen nog maar oog voor zijn nieuwe vriendin. We lopen in de richting van de vuurtoren, maar dan slaat Malgorne een pad in dat tussen de rotsen door voert. Hij kijkt niet één keer om of ik hem wel volg. Dan zie ik een baai waar een bootje ligt. Zo'n bootje als vissers hebben, zonder opbouw, een lange roeiboot van hout.

'Kom,' zegt Malgorne als ik aarzelend blijf staan. 'Kom mee.'

En dus loop ik met hem mee naar beneden naar de kleine baai. Malgorne springt in de boot, trekt aan het touw waarmee het aan een paal aan de oever is vastgemaakt, zo dicht mogelijk bij de rotsen.

'Springen,' zegt hij en ik gehoorzaam en spring in het bootje dat vervaarlijk begint te schommelen. Malgorne lacht bulderend. 'Je bent niet echt een zeeman, nee, dat kun je zo zien.' En achter mij springt Brima in het bootje. Karl May kijkt vertwijfeld, maar wil duidelijk geen figuur slaan tegenover dit leuke vrouwtje en dus springt hij ook. Hij landt op vier poten tegelijk en Malgorne moet nog harder lachen, alsof hij wil zeggen: jij en je hond zijn een mooi stel. Dan start hij de motor.

De zee is kalm en stralend blauw van kleur. We varen snel weg van de oever, en ik kijk achterom naar de vuurtoren van Créac'h die er vanaf de zee uitziet als de koning der vuurtorens. Verheven en toch vriendelijk, met zijn witte en zwarte strepen.

'Hij mag dan oud zijn,' zegt Malgorne, 'toch is hij de sterkste. Zijn licht reikt wel tot tachtig kilometer. Daar in Engeland, op Land's End, staat zijn tegenhanger, en samen tonen ze de schepen hoe ze het Nauw van Calais kunnen bereiken zonder de kiel open te rijten.'

Malgorne zet de motor af. In de plotselinge stilte hoor ik het lawaai van het water, alsof het een levend ding is dat me draagt. Het bootje schommelt naar eigen goeddunken en drijft naar waar het maar wil gaan. De oever is nu nog maar een streep. Ik vind het bootje behoorlijk klein voor deze enorme hoeveelheid water om ons heen en onder ons. En zelf voel ik me verschrikkelijk nietig.

'Dit is beter dan over de rotsen te klimmen, of niet soms?'

Malgornes ogen hebben een andere kleur aangenomen. Hierbuiten lichten ze op als de zee.

'Je hebt het toch bij je?'

Ik knik. Trek de zak uit mijn jas. Malgorne vertrekt geen spier.

Ik heb geen idee hoe ik dit moet aanpakken. Het moment heeft toch iets heiligs. Moet ik hem dan maar gewoon zo overboord strooien?

Malgorne is iets aan het neuriën. Het klinkt eerst nog als gebrom, maar dan herken ik een melodie. Het doet vreemd aan, Iers, of Keltisch of zo. Ik doe de zak open, giet de as in mijn hand, aarzel, wil Malgorne de zak aanreiken zodat hij ook een deel kan verstrooien, maar hij schudt zijn hoofd en gaat verder met het neuriën van de melodie. Dan zingt hij ook de woorden, in een wonderlijke taal. Waarschijnlijk Bretons. Een windvlaag waait een deel van de as uit mijn hand en ik draai me vlug om zodat ik oom Gregors as niet in mijn gezicht krijg. Ik zie niet waar de as het wateroppervlak raakt. Het lijkt eerder alsof ik het in de wind strooi, in plaats van in het water. En ik knik. Ja, denk ik, zo moet het ook zijn. En terwijl ik het laatste restje uit de zak schud, mijn hand in de golven doop en afwas, zingt Malgorne nog een strofe van zijn lied, legt Karl May zijn kop op mijn knie en knippert Brima loom tegen de zon in. Ik kijk naar de zee, in de richting waarin de wind de as heeft meegenomen en zo blijven we een hele poos zitten, totdat Malgorne zijn lied laat verstommen en het geluid van de zee weer het enige is wat in de stilte weerklinkt.

'We hebben geluk,' verbreekt Malgorne op een gegeven moment het zwijgen. 'Zo stil is de zee hier maar zelden.'

Hij kijkt me niet aan. Zijn blik zwerft over het water. 'Je hebt geen idee hoeveel gezonken schepen hier op de zeebodem rusten. Het ligt hier vol met scheepswrakken. En met doden.'

Ik trek mijn hand uit het water. De diepte onder mij krijgt een nieuwe dimensie. Het is net alsof ik word gedragen door de dode zielen die in deze zee zijn opgegaan, en nu is oom Gregor ook een van hen.

'Dit is een verraderlijk stuk zee,' gaat Malgorne verder. 'Vol met rotsen die je niet kunt zien. Geloof me, als ik jou het roer zou geven om terug te varen naar de oever, dan zouden we alleen per ongeluk heel terugkeren. Daarmee bedoel ik niet dat jij zo'n bootje niet kunt besturen. Heb je wel eens van *proëlla* gehoord?'

Ik schud mijn hoofd. Malgorne kijkt weer uit over zee.

'Een oud gebruik op het eiland. De mensen leven hier van de visvangst. En veel mannen kwamen niet meer terug van hun vaart. Als een lijk niet aanspoelt, wat vaak voorkomt, dan viert men na verloop van een bepaalde periode proëlla. Een dodenfeest zonder doden.' Malgorne begint weer te zingen.

'*Il y a proëlla chez toi ce soir, ma pauvre enfant…* Dan spreiden de vrouwen twee lakens uit op tafel, en die vouwen ze zo dat ze als een wit kruis op elkaar liggen. Daarop zet men een klein kruisje van was – om de vermiste mee aan te geven. En na de wake en een paar rituelen wordt dat allemaal begraven.'

Malgorne neuriet, en kijkt naar de zee.

'Voor mijn vader was er proëlla, en voor mijn grootvader ook. En na tien jaar op zee dacht ik: het wordt tijd om naar huis te gaan. Ik trouwde met een knap meisje hier van het eiland, en werd vuurtorenwachter.'

'Op deze vuurtoren?' vraag ik en ik wijs naar de kust. Malgorne schudt zijn hoofd. 'Nee,' zegt hij. 'Niet op de Créac'h. De mijne was de La Jument. Daar zie je hem, met dat rode hoedje.'

'En wie is daar nu dan?'

'Niemand meer,' zegt Malgorne, en hij kijkt somber. 'Toen ik La Jument verliet, kwam er geen nieuwe vuurtorenwachter. En afgelopen maart hebben Jean-Philippe en Brian ook de Kéréon verlaten. Die wordt tegenwoordig, net als alle andere vuurtorens, centraal aangestuurd vanuit Créac'h. Elektronisch. Ze hebben geen vuurtorenwachters zoals wij meer nodig.'

En dan trekt Malgorne de motor weer aan en zet koers richting kust.

'Trouwens,' vraag ik hem als het bootje is aangemeerd en we weer vaste grond onder de voeten hebben, 'woont hier op het eiland ook een vrouw die Angela Ritter heet?'

'Nee,' zegt Malgorne.

'Weet je het zeker?' vraag ik. 'Ze is kunstenares. Ze heeft zo'n ding gemaakt, aan de andere kant van het eiland, zo'n windsculptuur.'

Malgorne blijft staan en neemt mij scherp op.

'O, die,' zegt hij. 'Wat heb jij met die vrouw te maken?'

'Ik? Niks,' zeg ik verrast. 'Maar ik ken iemand die haar zoekt.'

Malgorne blijft me scherp aankijken. Dan loopt hij door.

'Dan kun je tegen die iemand zeggen dat hij ergens anders moet zoeken, want ze woont hier niet meer. En daar is niemand rouwig om.'

Hoofdstuk 14

Waarin Caroline een stormachtig verhaal aanhoort en er zelf in een verzeild raakt

'De mensen hier zijn gewoon niet aan moderne kunst gewend.'

Pierre-Michel Dodant kijkt alsof hij lijdt.

'En dat de sculptuur de eerste storm niet overleefde, heeft de acceptatie niet bepaald bevorderd. Madame Ritter was ervan op de hoogte dat windstoten van tweehonderd kilometer per uur hier heel gebruikelijk zijn, vooral in het voorjaar. Drie dagen na de feestelijke onthulling, stond er een storm van negen Beaufort. Die noemen we de *Kornog*. En die wind heeft de sculptuur gewoonweg met de grond gelijkgemaakt, en tweederde ervan in zee gesmeten, ffftt, weg was het. Tja. En sindsdien heb ik er niets dan ellende van.'

Pierre-Michel Dodant is de voorzitter van de kunstvereniging op Ouessant. En als ik mag geloven wat de eilandbewoners me gisteren al hebben verteld, zal hij dat niet lang meer blijven.

'Weet u,' zegt hij, en hij leunt achterover in zijn stoel, 'de opdracht was heel duidelijk. Overal op het eiland vindt u *girouettes*, die in de wind draaien en aangeven uit welke richting hij waait. En zo'n beeld moest natuurlijk ook de wind kunnen weerstaan, dat spreekt toch ook voor zich. Madame Ritter had de wedstrijd gewonnen. Hier is de maquette, ziet u. Die heeft ze hier zelf gepresenteerd en iedereen was enthousiast. Iedereen, let wel, ook degenen die er nu niets meer van willen weten. Goed, hoe het ook zij... hier, ziet u, een sculptuur dat beweegt in de wind, en dat speciaal voor dit eiland en de plek bij Porz Doun is ontworpen. De spiegelende driehoeken moesten de kleuren van de lucht reflecteren en qua vorm herinneren aan de zeilen van de vissersbootjes. Nou, dat deden ze ook, drie dagen lang zag het er werkelijk uit alsof de sculptuur elke moment van de grond los kon komen en de lucht in kon zweven. Stom genoeg heb ik zoiets ook gezegd bij de onthulling. En drie dagen later gebeurde het dus. Denkt u eens in, dat hele ding steeg op en al wat er overbleef, nou ja, dat hebt u zelf gezien. Het is doodzonde, maar madame Ritter had haar biezen al gepakt, het honorarium was betaald en aangezien ze tot op de dag van vandaag niet heeft gereageerd op onze telefoontjes en brieven zullen we een advocaat in de arm moeten nemen om haar ertoe te bewegen het kunstwerk in de oorspronkelijk staat terug te brengen, en wel zo dat het de weersomstandigheden kan weerstaan. Anders moet ze een deel van het honorarium terugbetalen.'

Pierre-Michel Dodant leunt dodelijk vermoeid achterover. Ik bekijk de maquette. *De wet der beweging*, ja, ik vind het mooi, deze sculptuur, en dat is een pak van mijn hart. Dat de storm er mee aan de haal is gegaan, daarvoor heb ik medelijden met Angela. Een andere soort noodweer heeft immers mijn kas vernield.

Nee, Angela woont niet meer op dit eiland. Ze heeft haar opdracht afgerond, en in die periode heeft ze aan mij gedacht, aan mij en aan mijn vader, heeft een ansichtkaart gekocht zoals je die hier nu ook nog kunt kopen. In de draaistandaards in de kiosk bij de haven heb ik precies dezelfde kaart ontdekt. Het kan zijn dat ze daar heeft gestaan, de standaard met haar hand heeft laten draaien, de wet der beweging, en dat die toen precies zo piepte als nu, en dat hij toen stilstond en haar blik viel op de kaart met de stormachtige wolken voor de rotsachtige kust. Die kocht ze, krabbelde er een paar zinnen op en deed hem op de post. En hier, in dit kantoor, op deze stoel, heeft ze ook gezeten, en Pierre-Michel Dodant heeft haar zeker de hand geschud, ook al wenst hij haar nu naar de hel.

Iedereen heeft me iets anders over Angela verteld. En niemand had een goed woord voor haar over. Onze waardin kent haar naam niet, maar ze heeft natuurlijk wel gehoord van het schandaal met de sculptuur. Bij het Toeristenbureau was men uiterst beleefd, maar helaas, het kunstwerk is door het weer vernietigd. En toen drukte men mij een brochure in de hand over het vogelcentrum, het vuurtorenmuseum, de rondleiding langs Bretonse kruisen en over de windmolens en het natuurhistorisch museum. In de kroeg viel iedereen over haar heen, een weggelopen kunstenares, ach wat nou, kunstenares: een oplichtster, een femme fatale die Dodant het hoofd op hol heeft gebracht. Dat moet het geweest zijn, want waarom zou Dodants vrouw anders halsoverkop het eiland hebben verlaten...

'Omdat haar moeder, die op het vasteland woont, ziek is,' probeert de waardin te sussen.

'Ach wat,' zeiden ze toen, 'waarom zou hij die Duitse anders de opdracht hebben verleend. Uitgerekend een Duitse terwijl er genoeg Franse kunstenaars van naam zijn, en er zelfs een Breton had meegedongen. Maar nee, dat gigantische stuk kinderspeelgoed van stukjes spiegel had gewonnen, dat totaal ongeschikt was voor dit eiland en de eerste voorjaarsstorm niet zou doorstaan, wat iedereen vooraf al had geweten.' En even verrassend als ze ineens was gekomen, was ze ook weer verdwenen. En eentje wist heel precies te vertellen dat ze de kas had meegenomen met daarin het volledige budget van de kunstvereniging van dat jaar.

Ik heb maar niet gezegd dat zij mijn moeder is. Ik moet toegeven dat bij mij ook de twijfel toesloeg, of ik wel echt de dochter van zo'n moeder kan zijn. Tenslotte is mijn vader de enige getuige, en mijn vader is een leugenaar, dat staat wel vast.

De vraag is: was hij de zesentwintig jaar sinds mijn geboorte steeds al een leugenaar, of is hij dat pas geworden toen die ochtend in mijn kas, toen de ansichtkaart gekomen was?

Maar nu ik hier voor Pierre-Michel Dodant zit en met mijn wijsvingers heel voorzichtig over Angela's maquette van draad en spiegelfolie ga, stel ik me voor hoe ze dit fragiele beeld heeft ontworpen. En als ik de tekeningen oppak die Dodant voor me heeft uitgespreid, prachtige schetsen van potlood en Oost-Indische inkt, dan raak ik van trots vervuld. Trots op deze moeder, die in staat is zoiets te maken en aan de rand van de vellen papier herken ik haar hanenpoten. *Sokkel van gewapend beton*, ontcijfer ik, *2,40 x 2,40 meter x 1,50 meter, 5 meter diep verankerd.*

'Ja,' zegt Dodant, als hij mijn blik volgt, 'de sokkel is blijven staan, die zal tot het eind der tijden blijven staan. De fout zit hierboven.' En hij haalt nog meer schetsen tevoorschijn, strijkt ze glad met zijn mouw. 'Hier,' zegt hij, en hij wijst met zijn wijsvinger naar de smal uitlopende middelste as. 'Dat is veel te dun, heeft onze statisticus berekend, en bovendien, zelfs al had die het gehouden, dan hadden de bewegende zeilen de storm nooit overleefd.'

'Waarom hebt u dat voordien nooit bedacht?' vraag ik.

Dodant duikt ineen alsof hij deze vraag niet voor het eerst hoort.

'Ben ik soms een kunstenaar?' roept hij uit. 'Nee. Ben ik een statisticus? Nog eens nee. Madame heeft er voor getekend dat zij instaat voor alle bouwtechnische details, en daarmee zullen wij elk proces winnen.'

'Woont ze in Frankrijk?' vraag ik zo terloops mogelijk.

Dodants gezicht betrekt.

'Dat is het hem nou juist,' zegt hij. 'Dat maakt de zaak zo lastig. Maar ik zeg u één ding, al heeft ze zich in de verste uithoek van Portugal verstopt, ze moet niet denken dat ze er zo makkelijk vanaf komt.'

'Portugal?' O god, denk ik, verder kon zeker niet.

'Zou ik misschien haar adres mogen?' vraag ik.

De leider van de kunstvereniging kijkt me aan over de rand van zijn bril. Hij aarzelt.

'Ik werk bij een Duits kunsttijdschrift,' lieg ik. 'En ik zou graag over deze zaak schrijven.'

En dan is hij een en al oor.

'Geweldig,' roept hij, 'ja, dit moet in de openbaarheid. Hiermee doet men de hedendaagse kunstwereld onrecht aan, weet u. Het zal nog jaren, zo niet decennia duren voor wij hier weer eens iets voor elkaar kunnen krijgen dat de regionale kunstwereld overstijgt, dat kan ik u bezweren. Een schandaal als dit richt schade aan, schrijft u dat alstublieft in uw artikel.'

Portugal. Daar had ik niet op gerekend. In mijn jaszak voel ik het papiertje met haar adres. Dodant heeft zelfs het telefoonnummer voor me opgeschreven.

'U moet niet van haar onder de indruk raken,' gaf hij mij nog mee toen ik wegging. 'Ze heeft een talent om mensen om haar vinger te winden.'

Ik zou haar kunnen opbellen. Haar zeggen dat ik naar haar op weg ben. Maar ik weet dat ik dat niet zal doen.

Het is even voor twaalf uur als ik de kunstvereniging verlaat. Op het kerkplein staan een paar oude mannen die de koppen bij elkaar steken als ze mij zien. Ik groet hen vriendelijk. Eentje die mij de avond ervoor gruwelverhalen over Angela heeft verteld, begroet me met een provocerend *'Bonjour mademoiselle'*. Ik weet zeker dat ze zo hun conclusies over mij trekken, en het feit dat ze mij uit Dodants kantoor zien komen zal zijn reputatie bepaald geen goed doen. En de mijne ook niet.

Om die reden had ik Gregor gisteravond eigenlijk willen vragen om met me mee te gaan. Het is altijd beter als een jonge vrouw een man bij zich heeft, vooral als ze laat op de avond in een vreemde kroeg rare vragen heeft gesteld. En nog wel in een vreemd land. Maar hij had iets beters te doen, iets waarbij hij niet met mij gezien wilde worden, en bij de herinnering aan ons korte gesprek tijdens het avondeten word ik weer kwaad.

Ik dacht dat we ondertussen zoiets als vrienden waren geworden. En hij kan ook soms zo charmant zijn. Ja, ik mag hem echt graag, te graag, en het wordt tijd dat onze wegen scheiden, tot nooitweerziens. Nou ja, denk ik, vanaf morgen kunnen we ook echt elk ons weegs gaan, zoals hij dat gisteren zo treffend zei. Het is me duidelijk dat hij zich alleen voorkomend opstelt omdat hij zonder mij niks had kunnen beginnen. Waarom doe ik dat eigenlijk allemaal, vraag ik me af en ik schop wat steentjes weg. Waarom ben ik in godsnaam zo stompzinnig en doe ik net alsof hij een vriend is terwijl hij geen gelegenheid onbenut laat om mij te laten voelen dat ik hem koud laat?

Maar hij laat mij toch ook koud, volkomen koud zelfs, dus wat wind ik me op? Caroline, spreek ik mijzelf ernstig toe, pas toch op. Laat het alsjeblieft uit je hoofd om verliefd te worden op zo'n type. Bega nou niet weer dezelfde fout als toen met Fred. Hoewel je Gregor en Fred echt totaal niet met elkaar kunt vergelijken. Ze zijn als water en vuur, zo anders. Fred kon mij een gevoel geven dat Gregor Beer me nog nooit heeft bezorgd, namelijk het gevoel van zekerheid dat ik een veilige haven had, beschut, met zorg omringd. Een haven waar de wind nooit tot negen Beaufort zou aanzwellen, waar zelfs niet het geringste zuchtje wind staat. En dat vond ik op het laatst ook juist zo verschrikkelijk saai. Het greep me naar de keel. Dit kan het toch niet al zijn geweest, dacht ik vaak als ik naar Freds regelmatige ademhaling naast me luisterde en niet kon slapen. Dit was toch nog niet alles... Dat is nog geen reden, houd ik mijzelf streng voor, om iemand uit te zoeken die precies het tegenovergestelde is. Want Gregor Beer is niet voor een verbintenis in de wieg gelegd. Ik kan me geen enkele vrouw voorstellen die het langer dan een paar weken met hem zou kunnen uithouden, omdat hij toch altijd weer die verschrikkelijke egoïst zal uithangen. Die arrogante betweter en mensenhater. Hij zal zich altijd weer in zijn schulp terugtrekken en niemand bij zich in de buurt laten. Ja, denk ik, dat is het, hij trekt het niet als iemand te dichtbij komt. Dan gaat hij om zich heen slaan, of hij nu wil of niet. Bravo, Caroline, zeg ik tegen mezelf, nu begin je zelfs al excuses te zoeken voor zijn gedrag. Maar dan bedenk ik hoe liefdevol hij voor Karl May zorgt, en zie ik hem weer voor me, aan boord van de veerboot, met de urn in een goedkope rugzak. En ik denk aan zijn overleden oom, en dan smelt mijn woede als sneeuw voor de zon.

Ik trek mijn windjack uit. Een intens blauwe lucht strekt zich uit over het eiland, en op een heuvel staat een windmolen. Het lijkt wel een schilderij. Het licht is bijna tastbaar, en alle kleuren lijken vandaag alsof ze pas gewassen zijn. En er lijkt iets te ontbreken. Het is de wind die anders onophoudelijk uit het westen blaast. Ik ben snel weggegaan, heb het stadje ver achter me gelaten, maar de afstanden op dit eiland zijn letterlijk te overzien. Ik ga zitten op een van de rotsen die hier overal tussen het groen oprijzen, bekijk de zwavelgele en oranje korstmossen op de steen, en onderzoek de vegetatie om me heen. Het zilvergroen van het helmgras, onderbroken door de velden paarse dopheide, in de verte een paar bremstruiken die net hun goudgele pracht hebben ontvouwd. Ik ga van de weg af en loop dwars door het veld. In de verte staan een paar wat grotere planten die een magische aantrekkingskracht op me hebben, en ja, het zijn varens. *Pteridium acquitinum*, adelaarvarens, en een stukje verder vind ik in de beschutting van een duinpan ook nog een *Osmunda regalis*. Een koningsvaren.

Het is alsof ik oude vrienden tegenkom. Er zal wel een waterbekken in de buurt zijn, dat kan niet anders, want anders zou de koningsvaren hier niet gedijen. Ik denk aan al mijn varens, hun rustgevende wezen, de stilte die van ze uitgaat, hun zelfredzaamheid mits er maar genoeg water voorhanden is en mits de temperatuur maar ongeveer goed is. Mijn handen strelen de veervormige bladeren, voelen de textuur van de wortels. Uit het midden van de plant steekt de stralende sporenkaars omhoog die de koningsvaren zo bijzonder maakt. Ik ben gelukkig. Het liefst zou ik hem opgraven, maar dat gaat natuurlijk niet, want hij is veel te groot, bijna zo hoog als ik, en het zou ook een zonde zijn om hem hier weg te halen.

'Jij hoort hier thuis, nietwaar?' zeg ik tegen hem, en dan voel ik me verdrietig, want ik word overvallen door de herinnering aan die ongeluksnacht en aan alles wat er daarna is gebeurd. De verklaringen van mijn vader, de onzekerheid of de verzekering de schade al dan niet zal vergoeden. En ik loop hier maar wat op dit eiland rond alsof ik vakantie heb. Maar moet ik eigenlijk wel terug, vraag ik me af. Misschien kan ik wel veel beter een heel nieuw leven beginnen, hier, of waar dan ook. De wereld ligt voor me open.

Ik neem afscheid van de koningsvaren. 'Altijd vooruitkijken,' zei oma vaak tegen me. 'Er zijn zoveel mensen die altijd maar achteromblikken en die zich dan afvragen waarom ze nooit een meter vooruitkomen.'

Dan springt er een hond tegen me op. Het is Karl May, en een tweede hond, groot en zwart, wacht een paar meter verderop voorzichtig snuivend en kwispelt met zijn staart.

'Heb je een vriendje gevonden?' vraag ik aan Karl May, en ik verberg mijn gezicht in zijn vacht. Van hem moet ik morgen dus ook afscheid nemen. Ongelofelijk dat ik eerst helemaal niet zo enthousiast was over dit schepsel, dat ons achterna was gelopen.

Als ik opkijk, staat Gregor Beer voor me in zijn vuile Armanibroek. De spijkerbroek heeft hij gisteravond in de wasmachine gegooid. Hij draagt er mijn wollen trui op, en het staat hem heel goed.

'Hallo,' zegt hij. 'Dit is ook maar een klein eiland.'

Hij lijkt verheugd me weer te zien. Maak jezelf nou maar niks wijs, Caroline, vermaan ik mezelf streng.

Hij springt van zijn ene been op zijn andere.

'Luister,' zegt hij ineens. 'Ik heb geen idee wat ik gisteren verkeerd heb gedaan, maar het spijt me, wat het ook was.'

Ik knik. Kroel Karl May verlegen achter de oren.

‘Ik heb gehoord dat je moeder hier helemaal niet woont,’ zegt hij voorzichtig.

Wat boeit jou dat nou, denk ik. Dan klinkt er een fluitje en Karl Mays vriendje spitst de oren. ‘Mag ik je voorstellen aan Jacques Malgorne,’ zegt Gregor, en dan zie ik de oude man bij de ingang van het vuurtorenmuseum naar ons staan kijken.

‘Hij heeft mijn oom gekend,’ zegt Gregor als we naar hem toe lopen.

Ik schud hem de hand. En ik moet steeds maar in die ogen kijken, onder de woeste wenkbrauwen. Hoe oud zou die Malgorne zijn? Zestig? Of ouder?

Een poos later zitten in we in een herberg. Voor ons staan dampende aardewerken borden met vissoep en aardappels. Gregor lijkt veranderd, hij is in een soort feeststemming.

‘Ik heb dertig jaar op La Jument gezeten,’ vertelt Malgorne. ‘En als je daar buiten bent, dan ben je helemaal alleen met de zee, en met je collega’s natuurlijk. En ik wil je wel vertellen, de winters zijn het ergst. Dan ben je vaak weken aan een stuk buiten, terwijl de stormen razen alsof ze nooit meer gaan liggen. Mijn vrouw is een paar keer mee geweest. We hebben een keer kerst gevierd in de toren. Maar toen zei ze dat ze daar doordraaide, dat ze er gek werd, en dat heb ik haar nooit kwalijk genomen, want je denkt vaak ’s nachts dat je laatste uurtje heeft geslagen.

Op een keer, dat was 21 december 1989, laat in de ochtend, was de storm al dagen aan het razen toen ik opeens een geluid hoorde. Een soort brommen. Een soort brommen dat wij anders nooit horen op de vuurtoren. Ik deed de deur open, en keek naar uiten. Een helikopter, wel heb je ooit, dacht ik, wat moet die daar? Hij draaide een rondje om de vuurtoren, en ik probeerde uit te vinden wat hij wilde. Toen hoorde ik achter me iets donderen, en ik liep vlug weer naar binnen en deed de deur dicht. En door het raam kon ik zien dat de volgende seconde een golfslag niet alleen het platform overspoelde waar ik net nog stond, maar de hele toren. Als ik nog een tel had gewacht, zou ik hier nu niet meer gezeten hebben, begrijp je?'

Malgorne knikt, en schrokt zijn vissoep naar binnen.

'Daar zijn foto's van,' zegt hij. 'Want die helikopter was gehuurd door een beroemde fotograaf. Om plaatjes te schieten van La Jument in de storm. Hij heeft mij ook op de foto gezet, daar kun je een poster van kopen. Naderhand brak me het zweet uit toen ik zag dat het niks had gescheeld of de zee was me komen halen en dan was er voor mij ook proëlla geweest.'

We eten zwijgend van onze vis. Gregor lijkt in gedachten verzonken.

'Op een avond,' gaat Malgorne verder, en zijn stem klinkt nu heel anders, 'op een avond, bij vloed, dat was op de Chinese zee, zaten we ook in zo'n storm, en toen heeft je oom me over jullie verteld. Over jou en je broer.'

Ik werp Gregor een snelle blik toe. Zijn houding is geen millimeter anders, en toch lijkt hij onmerkbaar afstand in te bouwen.

'Het was de nacht dat Heinrich is gestorven. Het bericht kwam over de radio, en als ik ooit aan boord een vertwijfelde man heb gezien, dan was dat niets vergeleken met jouw oom toen.'

Gregor legt zijn lepel naast zijn bord. Heel langzaam en heel voorzichtig, alsof hij kan breken en ik wilde dat ik heel ergens anders was, want dit gesprek is niet voor mijn oren bedoeld, maar ik kan nu onmogelijk van tafel weglopen. Daarom probeer ik om in het niets te lossen, en ik eet heel stilletjes van mijn soep. Maar in werkelijkheid voel ik mijn hart tot in mijn hals bonzen.

'Hij had altijd een foto van jullie twee bij zich,' vertelt Malgorne verder. 'Maar over jou sprak hij het meest. "Hij heet Gregor, net als ik, en op een dag zul jij hem leren kennen," zei hij ooit. "Dan neem ik hem een paar weken mee op het schip." En die nacht, toen we samen dienst hadden op de brug, heeft hij mij het hele verhaal verteld...'

'Welk verhaal?' vraagt Gregor, en zijn stem klinkt vreemd. 'Wat heeft hij je verteld?' En dan kijken de mannen elkaar in de ogen. Ze taxeren elkaar, alsof ze elkaar nu pas voor het eerst echt aankijken. Ik kan bijna voelen hoe Malgornes blik zich in die van Gregor boort, hoe hij hem leest, een conclusie trekt en dan zijn blik loslaat. Hij neemt een stuk brood, breekt dat en doopt het in de vissoep.

'Je zult het wel horen,' zegt hij, 'maar het is aan je oom om te bepalen wanneer.'

'Maar hij is dood,' werpt Gregor tegen, 'hij kan helemaal niks meer bepalen.'

Malgorne moet lachen. 'Dat denk jij misschien,' zegt hij met volle mond, 'maar ben jij niet hier omdat hij dat zo wilde?'

'Hij heeft nooit naar mij omgekeken,' zegt Gregor na een poosje half hardop. En dan, bij wijze van slotsom: 'Het heeft allemaal geen zin.'

Malgorne kauwt over zijn bord gebogen en werpt hem een korte, onderzoekende blik toe. Dan scheurt hij nog een stuk brood af en gooit dat in zijn soep.

'Hij was hier,' zegt hij dan. 'Hij heeft me vaak bezocht, tussen zijn vaarten door. Het is misschien een halfjaar geleden dat hij hier zat, daar, in die stoel waar jij nu in zit.'

Gregor antwoordt niet. Hij is even wit als de muur achter hem. Ik kan me voorstellen hoe hij zich voelt en denk terug aan mijn laatste ruzie met mijn vader. Ik heb het recht te weten wat er is gebeurd. En dan zegt Gregor: 'Vind je niet dat ik het recht heb te weten wat er eigenlijk precies aan de hand is? Waarom ik half Europa af reis om zijn laatste wens te vervullen? Ik bedoel, wat is dit allemaal voor poppenkast?'

Malgorne veegt zijn bord zorgvuldig af met een stuk brood. En hij neemt er weer uitgebreid de tijd voor.

'Jij bent zijn erfgenaam,' zegt hij uiteindelijk. 'Misschien merk je het zelf nog niet, maar toch zul je nu heel snel alles te weten komen. Als een schip uitvaart wil je het liefst de volgende dag al in de volgende haven zijn. Maar de zeevaart bestaat nu eenmaal vooral uit varen. De aankomst is een andere zaak. Als je op koers blijft is je aankomst slechts een kwestie van tijd en het logische gevolg van de vaart. En tegelijk is het ook het begin van weer een nieuwe vaart. Ik ben jouw schip niet, en ik ben ook niet de haven van je bestemming. Ik ben slechts de vuurtorenwachter. Vergeet dat niet.'

En dan lacht hij, en het is alsof de zon door de wolken breekt. Hij slaat Gregor op de schouders. 'Jij hebt geen idee,' zegt hij, 'hoeveel je op hem lijkt. Niet alleen qua uiterlijk, nee, in je hele manier van doen. Waarom blijf je niet nog een poosje op dit eiland, het is een mooie plek. Je komt hier tot rust. De stormen tonen ons wie we werkelijk zijn.'

Zijn blik valt op mij. Hij kijkt me goedmoedig aan.

'Veel mensen die hier komen geloven namelijk dat zij weer en wind kunnen beteugelen. En dan komt de storm opzetten en die blaast alles weg.'

En, wil ik hem op weg naar huis vragen, blijf je hier?

Maar ik besluit om het met geen woord over het gesprek bij de lunch te hebben. Ik was er niet bij. Punt. Het gaat mij allemaal niets aan.

Zo lopen we zwijgend. Gregor duwt zijn fiets voort. De mijne heb ik in Lampaul gelaten, en hoewel ik hem heb aangeboden dat hij rustig vooruit mag rijden, blijft hij naast me lopen, met de fiets tussen ons in.

We zwijgen ook het hele stuk van Lampaul naar huis, en als ik me op de gang voor onze kamers over Karl May buig om een paar grashalmen uit zijn vacht te trekken, voel ik ineens Gregors hand op mijn rug. Helemaal onder aan, waar mijn T-shirt een beetje omhoogkomt voel ik een licht stroomstootje, een prikkend gevoel dat door mijn hele lichaam trekt. En terwijl ik twijfel of ik moet opstaan, zwerft zijn hand onder mijn T-shirt naar boven en voelt even heel licht aan mijn wervelkolom. Dan trekt hij me met zijn andere hand zachtjes omhoog, en neemt me in zijn arm terwijl hij met zijn hand heel zacht, maar heel nadrukkelijk over mijn rug streelt. Ik voel zijn adem en zijn lippen en dan voel ik binnen in me een verlangen en hij trekt me tegen zich aan, zo plotseling en zo heftig dat het me zwart voor de ogen wordt. Mijn lichaam voegt zich naar het zijne, ze passen precies in elkaar, alsof ze daarvoor en voor niets anders zijn gemaakt. En dan, hoe, dat weet ik niet, zijn we ineens in mijn kamer. Mijn wollen trui en mijn T-shirt en het zijne, dat witte dat we in de hypermarché hebben gekocht, vallen op de grond, net als zijn vieze Armani-broek en mijn jeans. En dan valt alles om ons heen weg, en zijn er alleen nog maar handen en huid en lippen en zijn tong en weer zijn handen, overal; en mijn lichaam, omsloten, herkend, door hem.

Hoofdstuk 15

Waarin Gregor niet alleen wakker wordt en ook de juiste woorden niet kan vinden

Ik word wakker en weet helemaal niet waar ik ben. Mijn arm voelt doof, en dan weet ik het weer. Carolines hoofd ligt op mijn arm, haar lichaam tegen het mijne gevlijd. Haar adem strijkt langs mijn borst en ik vraag me af hoe dit heeft kunnen gebeuren. Ik ben nog nooit van mijn leven met een vrouw in slaap gevallen en ook nog nooit met een vrouw wakker geworden. Ik ben altijd voor die tijd vertrokken. Ik wachtte altijd beleefd tot de regelmatige ademhaling van de vrouw aangaf dat ze diep en vast sliep, om dan zachtjes de aftocht te blazen. Maar dit keer was het anders.

Hoe laat is het eigenlijk? Buiten is het nog donker, en om de zoveel seconden werpt La Jument drie rode flitsen door de kamer. We zijn door het avondeten heen geslapen. Het liefst zou ik nu opstaan en wegsluipen, maar Caroline ligt op mijn arm en ik wil absoluut niet dat ze wakker wordt. Ik wil alleen zijn. Met mijn gedachten.

Wat is er in 's hemelsnaam gebeurd?

Maar ik weet het best, ik weet het maar al te goed. Op de terugweg zei ze geen woord, en ik had gezworen dat als ze ook maar de geringste opmerking zou maken, zij voor mij zou hebben afgedaan. Het leek mij onmogelijk dat ze er niet iets over zou zeggen, en toch kon ik niet op mijn fiets stappen en wegrijden. Er was iets wat me tegenhield, wat, dat kan ik niet zeggen. Toe dan maar, dacht ik de hele tijd, stel je typische vrouwenvragen nou maar gewoon. Maar ze bleef zwijgen, de hele weg naar huis, en toen zag ik in dat zij echt anders is dan alle andere vrouwen die ik tot nu toe heb gekend. Natuurlijk is ze anders, denk ik, en ik veeg voorzichtig, om haar niet wakker te maken, een lok haar van mijn arm die een beetje kietelt.

Ze is echt anders. Maar waarom?

En ik denk weer aan haar omhelzing, voel haar lichaam tegen het mijne aan, en dan komt ook weer de opwinding, de onbeschrijfelijke koortsachtigheid. We hebben de hele namiddag en avond de liefde bedreven, tot we uitgeput waren. We hebben de tijd en al het andere vergeten en ik weet niet meer wat er verder is gebeurd tot ik weer wakker werd, gehuld in de geur van onze liefde.

Liefde…

Het is voor het eerst dat ik dit woord zelfs maar denk in verband met een vrouw. Of überhaupt met een ander mens. Natuurlijk, je houdt van je ouders, maar dat is iets anders. Dat is niet je eigen keuze, je bent nu eenmaal gedoemd om van je ouders te houden. Maar ik heb het niet over liefde, ik heb het over seks, en dit was met afstand de beste seks die ik ooit heb gehad. Geen spoortje van elkaar voorzichtig leren kennen, wat ik anders altijd de eerste keer met iemand heb, en niet het geringste beetje onzekerheid of onhandigheid. Caroline en ik vreeën als een perfect op elkaar afgestemd duo, alsof we ons hele leven niet anders hadden gedaan. En dat uitgerekend met deze hovenierster, denk ik, en ik schiet bijna in de lach. Wie had dat kunnen denken?

Toen zij zich over Karl May boog en die driehoek weer zichtbaar werd boven haar jeans, kon ik me niet meer inhouden en legde ik mijn hand erop. Het verwondert mij zelf ook dat ik de moed had. Bij de onvermijdelijke gevolgen, de ene kant op of de andere, stond ik helemaal niet stil. Dat ze zo geheel tegen haar natuur stil bleef, en aarzelde voor ze omhoogkwam, alsof ze bang was dat ik mijn hand weer weg zou halen en zou doen alsof er niets was gebeurd, wat ook heel goed had gekund – dat verraste me eigenlijk nog het meest. Ik was in een wonderlijke stemming. De dag had zo zijn sporen nagelaten. De ontmoeting met Malgorne en de zeebegrafenis van oom Gregor had wel het een en ander bij me losgemaakt. Ik wilde het mezelf niet toegeven, maar het had echt wel wat met me gedaan. Wat, dat weet ik niet precies, maar ik weet wel dat ik er een beetje sentimenteel van werd.

Caroline zucht zachtjes in haar slaap.

En nu? Hoe moet dit nu verder? Wat gaat er straks gebeuren als zij haar ogen opslaat, mij aankijkt en ineens door paniek wordt overvallen? Dan moet ik zorgen dat ik hier allang niet meer ben. Ik weet nu ook ineens waarom ik altijd ben weggeslopen, mijn hele leven, tot nu toe. Want ik wilde dit moment uit de weg gaan, dit ogenblik van erkennen en herinneren als de hartstocht op en over is, de lakens gekreukt en klam zijn en onze lijven de zurige geur van alle mogelijke lichaamssappen uitwasemen – ik heb nog nooit een vrouw direct na een gepassioneerde nacht gezien, en ik stel me zo voor dat het verschrikkelijk moet zijn. Mijn opwinding is alweer vervlogen. Het was mooi, maar nu is het voorbij. En voor de afschuw inzet, begin ik me langzaam en heel zachtjes los te maken uit Carolines omhelzing. Millimeter voor millimeter, opdat ze niet wakker wordt. Wat er ook gebeurt, alsjeblieft niet dat. Geen vragende ogen en verlegen of misschien zelfs verwijtende blikken en al helemaal geen liefdesbetuigingen of commentaar op alles wat geweest is. Eindelijk lukt het me. Nu alleen nog haar hoofd zachtjes op het kussen zien te krijgen. Ze zucht nog eens diep en draait zich om, met haar gezicht van me af. Ik maak van deze beweging gebruik om mijn lichaam bij het hare vandaan te halen, en ik glijd als een slang het bed uit, en zorg er voor dat de matras geen geluid maakt. Dan tast ik op de grond naar mijn kleren, druk langzaam als een dief de deurklink naar beneden, open de deur – en daar ligt Karl May voor onze drempel, alsof hij de wacht heeft gehouden. Met de kop tussen de poten is hij in slaap gevallen. Maar nu spitst hij ineens de oren, en schenkt mij met zijn slimme ogen een blik van verstandhouding. 'Brave hond,' fluister ik en ik kan nog net voorkomen dat hij Carolines kamer binnenglipt en loods hem mijn eigen kamer in waar hij het zich in zijn mand gemakkelijk maakt.

Ik val op mijn keurig opgemaakte, nog niet beslapen bed. Geniet van de koelte van de lakens. Maar dan, vlak voor ik in slaap val, voel ik me eenzaam en verloren in dit bed. Het is net of ik in een enorme zee zwem, helemaal alleen, met om me heen de koelte van het water. Ik glijd door dat water, en ik zie het licht verwrongen gezicht van Malgorne. 'Ik ben de vuurtoren,' zegt hij, 'maar jij hebt niet opgepast en nu is er proëlla voor jou, mijn zoon.' En dan legt iemand twee witte lakens op elkaar, vouwt er keurige stroken van en legt die over elkaar heen als een kruis. Daar leggen ze mij bovenop, met gespreide armen, en hoewel ik volledig bij bewustzijn ben, kan ik me niet bewegen. Ik moet zo blijven liggen, met de armen gespreid. En dan komt Caroline. Ze is naakt, gaat boven op me liggen, en dan word ik uit mijn verstarring verlost. Ik sla mijn armen om haar heen en ze likt mijn gezicht af, steeds maar weer. Ik word er wakker van, en als ik mijn ogen open is het klaarlichte dag en in mijn arm ligt Karl May die tevreden mijn gezicht aflikt.

Caroline zit aan de ontbijttafel, als ik beneden kom. Ze is klaar, wie weet hoe lang ze al zo op mij zit te wachten met haar krantje dat lang zo boeiend niet kan zijn als zij voordoet.

'Goedemorgen,' zeg ik. En ik heb geen idee wat ik hierna moet zeggen.

Ze legt de krant weg en kijkt me aan. Er flitst iets vrolijks in haar ogen. Mijn hemel, zeg ik ontsteld tegen mezelf, ze is beeldschoon.

'Hallo,' zegt ze goedgemutst. 'Uitgeslapen?'

Ik knik.

'En jij?'

Ik bijt op mijn tong. Ik pijnig mijn hersenen voor een paar onschuldige opmerkingen. Dit is nog een reden waarom ik anders altijd naar huis rijd als ik met een vrouw naar bed ben geweest. Deze situatie bij de ontbijttafel vergt gewoon te veel van mij.

Caroline bekijkt mij eens goed. Kijkt een andere kant op. En dan gebeurt het. Ze pakt mijn hand. Het is een heel eenvoudig gebaar, alsof ze het elke ochtend doet, en ik voel me volkomen hulpeloos, onbeholpen. Zo graag als ik haar gisteravond aanraakte, zo onaangenaam vind ik dit handjes-vasthouden nu. Ik druk haar hand even en bevrijd de mijne en hoewel het mijn linkerhand is, grijp ik naar de croissant die prompt weer op het bordje valt. Caroline lacht vrolijk, maar dan valt ze stil, kijkt me onderzoekend aan, heel even maar, maar het is mij niet ontgaan. En daarna zie ik hoe de vreugde van haar gezicht verdwijnt, heel langzaam, als een vuur dat uitdooft. Madame brengt me een café au lait. Caroline kijkt uit het raam, bijt even op haar lippen en probeert net te doen alsof er niets is gebeurd. Een enorm gevoel van spijt maakt zich van mij meester. Wat zou ik graag iets aardigs zeggen. Het was heel fijn, vannacht, dat zou misschien een goede opmerking zijn... maar ik verwerp de gedachte direct. Want wie weet waartoe zo'n opmerking kan leiden, en misschien is het wel beter dat alles blijft zoals het was. Ja, zeker, ik moet nu geen sentimentele stommiteit begaan. Ja het was fijn, we hebben er allebei van genoten, zij ook, ik niet alleen, en nu moeten wij ons als twee volwassen mensen gedragen, want we zijn per slot van rekening geen pubers meer.

Maar dan kijk ik in Carolines ogen. 'Het was echt heel fijn,' zeg ik vlug en ik weet meteen dat het niet zo tactisch klinkt, ik lijk wel een schooljongen. 'Ik bedoel... vannacht...' voeg ik er nog aan toe, en nu kijkt ze me aan. Haar ogen worden nog groter en heel donker.

'Ja,' zegt ze langzaam, en haar stem klinkt hees. 'Ja, dat was het.' En tot mijn ontsteltenis rollen er een paar grote, glimmende tranen door haar wimpers en over haar wangen. Vervolgens ben ik degene die onbeholpen haar hand grijpt, maar ik mis hem op een haar na want zij vouwt een papieren servetje op om haar neus af te vegen.

In de middag, om vijf uur, gaat de veerboot, maar daarvoor heb ik nog iets af te handelen. Caroline is naar haar kamer gevlucht. Anders kun je het niet noemen. Ze holde de trap op, alsof ze iets voor mij in veiligheid moest brengen, iets kostbaars en breekbaars. Ik blijf een poosje voor haar deur staan, onzeker wat ik moet doen, maar dan kom ik tot de slotsom dat zij overduidelijk alleen wil zijn. Dus ik scheur een vel van het notitieblok dat op mijn kamer ligt, staar naar het roze, vierkante stuk papier. *Zien we elkaar om halfvijf bij de veerboot?* schrijf ik. Dan verscheur ik het weer. Wat een onzin. Natuurlijk zien we elkaar om halfvijf bij de veerboot, het is toch de enige afvaart vandaag? Ik kauw op het potlood, en breek me het hoofd. *Ik heb nog iets met Jacques te bespreken*, schrijf ik vervolgens, maar ook dat lijkt me volkomen overbodig. Wat gaat haar het aan wat ik doe, denk ik fel, en langzaamaan raak ik geïrriteerd. Moet ik aan haar verantwoording afleggen? Nee. Dus pak ik mijn spullen, neem alleen afscheid van Madame. Die kan dan Caroline inlichten, of niet, dat moeten die vrouwen samen maar uitmaken.

Ik leen nog een keer de fiets van Madame. Het is vandaag markt in Lampaul, en ik scheur op mijn fiets langs kisten vol zilver glanzende vissen en mosselen, langs een blauwige groente die ik niet ken, langs wortelen en tomaten. Op de Route du Créac'h komen me een paar toeristen tegemoet met rugzakken en wandelschoenen. In gebrekkig Frans vragen ze me de weg naar het vogelcentrum. Het zijn Duitsers, maar als dat is opgehelderd, kan ik hen niet helpen want ik ben hier niet voor de toeristische attracties. Iets anders is veel belangrijker.

Als we in de buurt van Malgornes erf zijn, komt Brima ons

tegemoet springen. Karl May danst om haar heen, en daar hollen ze al samen de weide op. Jacques is daar bezig met zijn schapen. Als hij mij ziet, pakt hij twee emmers op en komt naar me toe.

'Het gaat vandaag regenen,' merkt hij op, en hij ziet er tevreden uit. Ik kijk naar de lucht. Die lijkt me heel vriendelijk, alleen aan de zuidelijke horizon ligt een beige streep wolken.

'De lucht is groen,' zegt Malgorne met klem, 'dat wil zeggen, de wind slaat om van west naar zuid, en dat brengt ons de *mervent*.'

Ik kijk opnieuw naar de lucht. Jacques heeft gelijk, het felle blauw vertoont inderdaad een zweempje groen. Regen uit het zuiden, denk ik, wat zou dat voor de overtocht betekenen?

In de luwte van zijn huis gaan we op een stenen bankje zitten.

'Leuk meisje,' zegt Jacques na een poosje.

Daar geef ik liever geen commentaar op.

'Haar moeder heeft hier heel wat onrust gestookt.'

'Hoe weet jij nou...' laat ik me ontglippen, maar Jacques lacht.

'Dat zie je toch zo,' zegt hij, 'ze lijkt als twee druppels water op haar.'

Jacques grijpt naar zijn jaszak en haalt een ineengedrukt pakje Gitanes tevoorschijn. Hij biedt er mij eentje aan, maar ik schud mijn hoofd.

Caroline. Ik zie haar lichaam weer voor me, de perfecte lijn van haar silhouet, daar waar de taille overgaat in de heupen, de vorm van haar borsten, het gebaar waarmee ze haar been over mijn heupen legde, over me heen gleed...

'Heeft mijn oom hier niet een brief voor mij achtergelaten?' vraag ik om die beelden te verdrijven.

Aan Jacques' gegroefde gezicht en zijn ogen, die olijk glinsteren, kan ik zien dat hij dwars door me heen kijkt, dat hij mijn gedachten kan lezen, maar vreemd genoeg maakt me dat bij hem niets uit.

'Ja,' zegt hij. 'Dat heeft hij inderdaad.' En hij rookt door, alsof hij nog alle tijd van de wereld heeft.

'Je wilt dus niet blijven,' zegt hij na een poosje.

Ik kijk over het veld waar Brima en Karl May rondlopen, een zwarte en een grijsbruine vlek, meer niet. Daarachter de kustlijn, rechts de Phare du Créac'h, en meer naar links die van Nividic. Onzichtbaar, verstopt achter de schaapskooi, staat La Jument.

'Nee,' zeg ik. 'Je zei het toch zelf al, ik heb mijn doel nog lang niet bereikt.'

En dan zie ik hoe Karl May probeert om Brima te bestijgen, en hoeveel moeite hem dat kost omdat hij veel kleiner is dan zij en ik wil hem bij me roepen. Maar Jacques legt zijn hand op mijn arm. 'Laat ze toch,' zegt hij, en hij glimlacht. 'Laat die twee toch een beetje plezier maken.' En dan staat hij op, loopt het huis in, en komt na een poosje terug met een envelop in de hand.

'Hier,' zegt hij. 'Deze is voor jou.'

En dan ploft hij weer naast me neer.

Dit is hem dus. 'Voor Gregor', staat er op de envelop.

Net als op de vorige brief.

Als ik de fiets terugbreng, is Caroline er niet meer. De taxi brengt Karl May en mij naar Port du Stiff, de haven waar we ook aankwamen, twee dagen geleden. Hoe kan het dat het pas zo kortgeleden was?

Karl May laat zijn oren hangen. Het afscheid van Brima viel hem niet licht. 'Wil je dan hier blijven?' heb ik hem gevraagd, en hij leek echt te worstelen met die vraag. Maar toen ik op de fiets klom, koos hij toch voor mij.

'Wie weet,' zei ik bij het afscheid tegen Jacques, 'misschien kom ik nog wel eens terug. En dan blijf ik een poosje. Bedankt voor het aanbod.'

Hij stak beide armen in de lucht. Wanneer je maar wilt, leek hij daarmee te willen zeggen. Toen gaf hij een duw tegen de bagagedrager van mijn fiets. De wolkenband in het zuiden was flink aangegroeid, als vloeibare room spreidde hij zich gelig uit over de hemel.

'Goede overtocht!' riep Malgorne me na, 'en pas goed op je meisje.'

'Ze is mijn meisje niet,' riep ik tegen de wind in, maar dat hoorde Jacques al niet meer. 'Ze is mijn meisje niet,' zei ik tegen Karl May, die met zijn eigen liefdesverdriet zat en droevig naast me voort sjokte, een paar keer bleef staan en omkeek naar Brima, die als aan de grond genageld naast de grote steen stond die de ingang tot Malgornes erf markeert.

De taxi staat stil. Het duurt nog wel even voor de boot uitvaart. De wind wakkert aan, het is warm en het ruikt vochtig. De kleuren veranderen onmerkbaar, en de wereld wordt gelig en vaal. Verderop maakt de zee reusachtige hobbels, alsof hij zich ergens tegen schrapzet, maar de golven komen niet verder omhoog en ze breken niet.

Ik loop omhoog naar de dubbele toren van de Phare du Stiff, waar ik een beschutte plek vind die op het noorden uitkijkt. Daar ga ik op de muur zitten en pak ik de brief erbij.

Ik houd hem eerst een poosje in mijn handen. Dan maak ik hem open en lees:

Beste Gregor,
Het eerste deel is volbracht en daarvoor dank ik je van ganser harte. Jacques is een van de weinige mensen die mij werkelijk dierbaar waren, en het doet me plezier dat jij hem eindelijk hebt leren kennen. Ik heb heel wat weken op het eiland doorgebracht, en ik ken het als mijn broekzak. En ook al weet ik dat jij nu nog veel te rusteloos bent om te begrijpen wat het eiland voor mij heeft betekend, misschien heb je desondanks begrepen dat op dit stukje aarde dingen mogelijk zijn die je je elders niet zou kunnen voorstellen. Op de een of andere manier toont dit eiland ons wie we zijn, en misschien ook wie we diep in ons hart zouden willen zijn. Als je je halve leven op zee hebt doorgebracht, dat lijkt het soms wel alsof je alles al hebt ge-

zien. En het gevoel van overal ter wereld thuis te zijn zou ik ook voor geen prijs hebben willen missen. Toch is dat een verkeerde conclusie: je bent namelijk niet overal ter wereld thuis, nee, je bent nergens thuis. Men zegt wel dat zeelui in elke haven een liefje hebben, en dat er overal waar ze aanmeren een warm thuis op hen wacht, een warme maaltijd en een warm lijf. Dat is natuurlijk onzin. Geloof me, er is geen mens eenzamer geweest dan ik, tijdens de lange wachtdiensten tussen twaalf uur 's nachts en zes uur 's morgens, de onzalige uren die ik in het donker en in mijn eentje doorbracht op de brug, met boven me een stormachtig zwarte lucht en onder me de diepte van het water en om me heen de oneindigheid van de zee. Het zwart werd bijgelicht door het radarsysteem, waarop ik een kleine witte pijl ben, die zich tussen virtuele schaduwen en lijnen voortbeweegt. Een gps-systeem, dat mij het tegemoetkomen van een ander schip al uren van tevoren aankondigde. En dan die ontmoetingen, die korte uitwisseling van radioberichten, het schimmige voorbijglijden van die andere reusachtige kist van metaal waar op de brug iemand zat, precies als ik, op weg van ergens naar ergens anders. Al lang niet meer gedreven door die pioniersgeest, maar alleen met het doel dat men ook in de verst weg gelegen delen van de wereld een Sony of een Volvo, een douchekop van Grohe of een lading schoenen kan kopen. Die spullen waar jij, Gregor, reclame voor maakt, die vervoer ik over alle wereldzeeën, in standaardcontainers waar je met de beste wil van de wereld niet aan kunt zien of er potloden in zitten, of computers, of wc-brillen, knuffeldieren of wapens.

Het is al weer wat jaartjes geleden dat het containerbedrijf de zeevaart kapot heeft gemaakt. De handel, de commercie. Sindsdien lijkt de aarde steeds sneller te draaien, en wij zeelui worden steeds meer opgejaagd en ploegen als rusteloze zielen door de wateren. Lag ik vroeger nog meerdere dagen of zelfs weken in een haven, en kon ik voet aan land zetten en dat land en de mensen een beetje leren kennen, nu duurt het lossen van de containers nog maar enkele uren. Als ik een haven binnenvaar, staan de hijskranen al op me te wachten. En de trossen zijn nauwelijks vastgemaakt, of die kranen hebben hun klauwen al in de lading gezet. Is de laatste container aan land en de nieuwe lading gezekerd, dan gaan we alweer. Elke minuut is geld. De zeevaart is overgenomen door computers, en wat mij rest is een lawine aan papieren, formaliteiten, vergunningen en lijsten. Geloof me, ik ben helemaal geen conservatieve traditionalist die elke gelegenheid aangrijpt om te verkondigen dat het vroeger allemaal beter was. Maar ik betrap me er wel steeds vaker op dat ik terugdenk aan vroeger, vroeger, toen ik zelf nog lichtmatroos was en door heimwee werd geplaagd, maar ook aangestoken was door een enthousiasme, een gevoel dat de wereld van mij was, en dat elke nieuwe haven nieuwe wonderen voor me in petto had. Tot op het laatst heb ik bepaalde dingen in stand weten te houden, en liet ik met kerst tussen Zanzibar en Calcutta een kerstslinger over de boeg hangen. Dan gaf ik iedereen aan boord een klein cadeautje, ook als ik een Filippijnse of Russische bemanning had die me dan aankeken alsof ik van een andere planeet kwam. En dan dacht ik weer aan vroeger, toen we nog een accordeon aan boord hadden, en er een paar liederen werden gespeeld. Toen er nog tijd was om te lachen en voor zoiets als kameraadschap. Zoals met Jacques, die zijn plek op de brug op een gegeven moment inruilde voor zijn vuurtoren. Hij heeft veel eerder dan ik ingezien waar de nieuwe tijd ons zou brengen.

Ook mijn tijd op zee ligt nu achter me. En ik voel een vermoeidheid die met slaap niet te verdrijven is.

Maar jij zit waarschijnlijk op iets heel anders te wachten. Namelijk waar de reis nu naartoe zal gaan. Welnu, het volgende station is weer een voorpost van het Europese continent, ook weer in westelijke richting gelegen. Het is een streek die meer gemeen heeft met Bretagne dan je misschien zou denken, want het is er ver bij vandaan.

De plek waar ik graag het tweede deel van mijn as zou willen laten verstrooien, ligt in Noord-Spanje, in de provincie Galicië. Finisterre, het einde van de wereld. De aarde is vol van zulke plekken waar de wereld eindigt.

Er is daar in Galicië een kaap, de Cabo de Finisterre, die algemeen geldt als het meest westelijke punt. Maar het echte meest westelijke punt ligt een paar kilometer verder naar het noorden, bij Cabo

Touriñá, en daar moet de reis naartoe gaan. Je kunt het best overnachten in een plaatsje genaamd Muxía, want in het postkantoor aldaar zul je de sleutel die je hopelijk nog niet bent kwijtgeraakt nodig hebben. In de postbus met het nummer 333 vind je nog een brief. Ik hoop dat je intussen plezier hebt gekregen in het spel.

Behouden vaart gewenst,

Je oom Gregor

De wind jaagt zand over het plein. Ik vouw de brief op, ga staan, en loop naar de aanlegplaats. Daar ligt de veerboot al. Ik aarzel, kijk om me heen of ik Caroline zie, en ga ten slotte aan boord. En dan ontdek ik haar. Ze staat helemaal achteraan bij de reling, met haar reistas aan haar voeten. Ze ziet er verloren uit, breekbaar, tegen die vale hemel en de zee. Ze kijkt naar de vuurtoren van Kéréon.

'Hallo,' zeg ik.

Ze keert haar gezicht naar me toe. De wind waait wat lokken haar in haar gezicht.

'Hallo.'

Dan zwijgt ze.

'Ben je er eigenlijk achter gekomen waar je moeder woont?'

Ze knikt.

'Ja,' zegt ze. 'In Portugal. In een plaatsje in het zuiden. Vila do Bispo heet het. Waar het ook maar mag liggen.'

'En,' vraag ik, 'ga je erheen?'

Ze haalt haar schouders op. Kijkt weer naar Kéréon. 'Misschien,' zegt ze na een poosje.

'En jij?' vraag ze dan opeens. 'Ga jij weer naar huis?'

'Nee,' zeg ik. 'Dit was pas het begin. Ik moet verder naar Spanje. Naar Galicië.'

'Waar mag dat dan wel liggen?'

'In het noordwesten,' zeg ik, 'maar ik moet eerst maar eens een kaart kopen. Ten noorden van Portugal.'

En dan kijken we elkaar in de ogen, en we denken allebei hetzelfde. We kunnen dus samen verder reizen, in elk geval een stuk. Ja, ik zie het in haar ogen, als een smeekbede, als een wens, of verbeeld ik me dat nu maar? Ik aarzel, zie ons samen in een aanlokkelijk vervolg van dagen en nachten waar maar geen eind aan wil komen, Caroline in mijn armen, in elkaar versmelten. Een gevoel dat ik tot nu toe nog niet heb gekend. Maar dan zie ik ons samen aan het ontbijt, de ochtend erna, onbehaaglijk, niet wetend waar we over moeten praten, en ik voel een beangstigende, benauwende nabijheid, omgewoeld beddengoed, beklemming en verveling... en dan is het moment voorbij. Caroline wendt de blik af, en zelfs als ik het wilde dan zou ik haar nu niet kunnen aanraken. Ik zou onmogelijk mijn hand op haar schouder kunnen leggen, of een plukje haar van haar voorhoofd strijken, want ze staat minstens even ver van me af als de vuurtoren van Kéréon.

Hoofdstuk 16

Waarin Caroline ziek wordt en een chakrareiniging afslaat

En die regen! Ik voel het op mijn arm, in mijn gezicht en ik denk: nu hoef ik niet eens meer te huilen, want dat doet de hemel al voor me. Ik voel me ongelofelijk leeg vanbinnen, en zo grenzeloos moe dat ik mezelf een schop onder m'n kont moet geven om me los te maken van de reling en onder de overkapping te gaan staan die ik helemaal voor mij alleen heb. Want alle anderen zijn nu benedendeks. Iedereen die zijn verstand nog heeft en het niet op het eiland is kwijtgeraakt, zoals ik. Verstand en nog iets anders, maar ik weet niet hoe ik dat moet noemen. Het gebeurde bij het ontbijt, toen Gregor zijn hand uit de mijne trok, en ik eindelijk begreep waarom hij mijn blik ontwijkt. De hemel mag weten hoe een man het klaarspeelt om zich na zo'n nacht zo te gedragen. En dan komen de tranen alsnog, als ik eraan denk hoe hij met één enkele blik en een gebaar alles heeft gedoofd wat ons een paar uur daarvoor zo diep met elkaar verbond.

Maar hij kan het helemaal niet uitdoven, zegt een stemmetje in mijn hoofd, geheel tegen mijn zin. Hij kan niet ongedaan maken wat er is geweest, al wil hij dat nog zo graag. Wat hij wel kan, is mij kwetsen, mij pijn doen, die rotzak, dat monster. Hoe vaak ik dat al niet in gedachten heb herhaald, sinds ik als een dom gansje van de ontbijttafel ben weggelopen. En wat me nog het meest ergert, is hoe gemakkelijk ik te verleiden was. Een hand op mijn rug en het was al gebeurd en ik bedenk dat hij niet anders gewend is. Dat hij zich überhaupt niet kan voorstellen dat een vrouw hem ook wel eens kan weigeren. En het idee dat ik tot een lange stoet minnaressen, of een reeks van onenightstands hoor, maakt me razend. Heeft hij dan helemaal niet door wat er tussen ons was? Namelijk meer dan een onenightstand? Heeft hij echt niet door wat hij nu om zeep helpt? Heeft hij dat nou echt helemaal niet door? Wil hij het niet inzien?

De regen hult de veerboot in een natte mantel. Van het eiland is al lang niets meer te zien. De zee slaat om in een groengrijs landschap, nee, dat zijn geen golven, maar enorme heuvels, bulten, als walvisruggen, en het schip komt omhoog en zinkt in een dal, tussen twee gigantische waterbergen. Dan wordt het weer omhoog geduwd, en ik houd me met beide handen vast en vecht tegen de misselijkheid, maar daarna ga ik erin mee als in een achtbaan. Ik doe mijn ogen dicht, en geef me over aan de beweging, ik laat al mijn weerstand varen en hoe wilder de boot schudt, des te kalmer word ik, in elk geval voor even. Mijn maag komt tot rust, en ik voel geen angst, alleen nog maar dat troosteloze gevoel dat me de hele ochtend al plaagt.

Het is goed dat onze wegen scheiden. Het is goed dat ik hem nooit meer hoef te zien. En als ik 'nooit meer' zeg, dan bedoel ik ook nooit meer, wat er ook gebeuren mag, of zijn geld er nu is of niet. Ik ga dat niet eens meer afwachten. Ik stap in mijn auto en ik rijd weg. Ik zal me niet één keer meer omdraaien, want dat heeft hij niet verdiend.

Maar waar moet ik heen? Waar zal ik naartoe rijden? Naar Portugal? Als ik naar Portugal wil, dan moet ik wel wachten tot hij zijn geld heeft, want dan moet hij me terugbetalen wat ik voor hem heb uitgegeven. Mijn reisbudget is door die dubbele uitgaven behoorlijk geslonken. Maar alleen het idee al dat ik van hem geld moet aannemen, ook al heb ik dat geld voor hem uitgegeven, doet mijn maag ineenkrimpen. Ik leef nog liever op alleen yoghurt dan dat ik dat doe en ik slaap nog liever elke nacht in mijn bestelwagen. Ik ga nog liever naar huis, voor ik... maar wat moet ik thuis? Aanhoren wat mijn vader allemaal te zeggen heeft? 'Zie je nou wel,' zal hij zeggen, 'ik zei het toch, Angela is niet te vertrouwen. Een kaartje uit Bretagne wil nog niet zeggen dat je haar daar ook zult vinden. In plaats van weg te lopen voor je verantwoordelijkheden, zoals zij kennelijk nog steeds doet, kun je beter...' Nee, naar huis gaan is geen optie. En dan word ik overvallen door het besef dat ik helemaal niets meer heb. Geen vader, geen thuis, geen werk, een berg schulden, geen toekomst, en niet het minste idee hoe het nu verder moet. Een moeder die overal boze mensen achter zich laat, waar ze ook opduikt, een kunstenares met een twijfelachtige reputatie en een proces aan haar broek, dat haar waarschijnlijk zal ruïneren zoals ik, haar dochter, al geruïneerd ben. Het enige wat ik heb, is een papiertje met haar adres erop.

En ik staar naar deze waterwereld waar de schemering de laatste kleuren aan onttrekt, en voel de regen niet meer, die nu ook onder deze overkapping slaat, waar ik sta. Ik voel diepe spijt en eenzaamheid, grenzeloze vertwijfeling en ik wilde dat ik weer aan het graf met de engel stond, want toen was mijn moeder weliswaar dood, maar de wereld was overzichtelijk en ordelijk, ook al was het allemaal maar een leugen, en ook al was in mijn leven eigenlijk nooit iets ordelijk zoals bij andere mensen. Dat wist ik toen gewoon niet.

Als we aanmeren in Brest, is mij dat veel te vroeg. Als ik eeuwig in deze tussenwereld zou kunnen blijven, zou ik dat doen, niks liever dan dat. Het regent niet meer. De sterren breken door de wolken. Nu moet ik het allemaal weer onder ogen zien. Als ik aan land ga, springt Karl May me tegemoet. Hij likt mijn hand.

'Wat denk je,' vraagt Gregor, 'zullen we hetzelfde hotel nemen als eerst?'

Ik kijk hem niet aan.

'Dat moet je zelf maar weten,' zeg ik.

'Waar wil je anders naartoe?'

Dat gaat jou niks aan, denk ik, maar ik zeg niks. Ik kroel nog steeds door Karl Mays vacht. Dan herinner ik me zijn hand op mijn rug en ik kom abrupt omhoog.

'Het ga je goed,' zeg ik, en ik baal, want mijn stem trilt.

'Wacht even,' zegt hij, 'loop nou niet weg. Ik ben je toch nog geld verschuldigd...'

'Jij bent mij helemaal niks verschuldigd,' zeg ik bits, 'geen geld en ook niks anders.' En dan draai ik me om, loop naar de parkeerplaats waar mijn wagen staat en het duizelt me. Ik heb het gevoel dat ik elk moment kan neervallen. Mijn hart bonst in mijn hals. Rotzak, denk ik, monster. En dan hoor ik voetstappen achter me.

'Caroline,' roept hij, 'wacht, laten we niet zo uit elkaar gaan.'

Maar ik luister niet naar hem, en stort me op mijn bestelwagen alsof het mijn redding is, mijn burcht, en ik zoek met bevende vingers naar mijn autosleutels. Dan is het me duidelijk dat hij me niet meer achterna komt. Ik kan voelen dat hij halverwege is blijven staan. Lafbek, denk ik, ontzettende lafbek die je bent, maar dan komt Karl May aangelopen. Hij jankt en gaat naast me op de grond zitten, houdt zijn kop schuin en zet zijn oren rechtovereind. Hij kijkt me hartveroverend aan maar ik vind eindelijk de sleutel.

'Het ga je goed, Karl May,' zeg ik. 'Dag, ouwe jongen, pas goed op jezelf.' En dan stap ik in en zet de motor aan. Alles gebeurt als in een droom. Ik zie nog hoe Karl May terugloopt en terwijl ik de straat uitrijd is Gregor niet meer dan een schim. En misschien is hij het zelfs niet eens, misschien is het wel iemand anders, want voor mij wordt de hele wereld vaag en het helpt niet dat ik de ruitenwissers aanzet, want de ruit is volkomen droog.

Ik wrijf in mijn ogen. *Bordeaux*, lees ik op een bord, *Bordeaux* en *Bayonne*, en dan denk ik aan Anna, die aan de voet van de Pyreneeën woont. 'Anna,' zeg ik bij mezelf, de hele weg naar het zuiden. 'Anna,' zeg ik klappertandend, ook al heb ik het heel warm. Ik krijg koortsrillingen, waarbij het zweet me over mijn voorhoofd gutst.

'Hoe gaat het met je heup?' vraag ik haar als ik er eindelijk ben. Anna stopt me meteen in bed.

Daar lig ik. Ik heb geen idee hoe lang. Ik droom, schrik wakker, en val weer in een diepe slaap. Op een ochtend voel ik me beter.

Ik sta op, neem een douche. Ik stel vast dat Anna mijn kleren heeft gewassen. Langzaam kleed ik me aan en loop de keuken in. Er zit een jongetje achter een kom met muesli. Hij heeft Anna's ogen.

'Ben jij Caroline?' vraagt hij.

'Ja,' zeg ik. 'En jij moet Victor zijn.'

Hij knikt. Bekijkt me nieuwsgierig.

'Ben je niet meer ziek?'

'Niet meer zo erg,' zeg ik.

Op de vensterbanken staan aardewerken potten met kruiden. Salie, rozemarijn, lavendel, majoraan, lavas. De basilicum staat er een beetje pierig bij, die heeft wat fosforrijke aarde nodig... Daarachter opent zich een nieuw uitzicht over het laagland.

'Wil jij ook muesli?' vraagt Victor.

Ik schud mijn hoofd.

'Mama is boodschappen doen,' zegt hij na een poosje. 'Wil je thee?'

'Ja,' zeg ik, 'graag.'

De jongen gaat bij het fornuis aan de slag. Hij pakt een theezakje uit een doosje, en giet er kokend water over.

'Dank je wel,' zeg ik.

Victor kijkt eens naar me.

'Mama zegt dat jullie vriendinnen zijn, al sinds jullie zo oud waren als ik.'

'Hoe oud ben jij dan?'

'Zeven. En jij?'

'Zesentwintig.'

Victor kijkt alsof hij dat vrij oud vindt. Dan roetsjt hij van de keukenkruk en zet zijn mueslischaaltje in de gootsteen.

'Lucien is er ook niet,' zegt hij dan. 'Dat is mama's vriend. En ik moet nu naar school. Red je het wel alleen?'

'Zeker,' zeg ik.

Ik drink mijn thee, en loop dan besluiteloos naar het voorhuis. Een spiegel toont me een vreemde Caroline. Mijn gezicht is smal geworden. Ik strijk door mijn haar, dat dringend in model geknipt moet worden. Ik ontdek foto's aan de muren van Anna, arm in arm met een man, Lucien, waarschijnlijk, en van Anna met Victor als baby naast een kangoeroe. Met Victor als peuter te midden van pinguïns. Met Victor op een duin bij de zee. Ik loop terug naar de logeerkamer, schud het bed op en zet het raam open.

En nu?

Vanuit het raam kan ik een stuk van het dorp zien. De natuurstenen huizen klampen zich vast aan de berghelling, en onder een kerk drommen ze samen als een kudde schapen. De daken zijn bekleed met leisteen, en ze glanzen in de zon. In de vensterbanken bloeien geraniums in alle kleuren rood. Verder is de vegetatie spaarzaam. Een noordelijke helling. Ik leun uit het raam en zie een verwilderde tuin achter Anna's huis. Opgeschoten buxus, een appelboom met dode zijtakken. Die is in geen jaren meer gesnoeid. De restanten van een waterput, met daarvoor een natuurstenen bankje. Daar kun je wel iets van maken, ook al ligt de tuin in de schaduw. Varens zouden zich hier prima thuis voelen. Er waait een koele wind vanuit de bergen. Ik huiver en doe het raam weer dicht.

Ik blijf een poosje zitten en staar voor me uit, in gedachten verzonken. Ik zal eens orde op zaken stellen in Anna's tuin, als zij dat leuk vindt. In mijn hoofd ben ik de planten al aan het uitzoeken. Eerst moet ik de grond eens onderzoeken...

En dan bedenk ik ineens iets. Ik zoek even tevergeefs tussen mijn spullen, en ben al bang dat Anna het papiertje heeft weggegooid toen ze mijn kleren ging wassen. Maar dan herinner ik me dat ik hem in mijn portemonnee heb gestopt. Hier heb ik het.

Angela Ritter
240, Rua del Cabo
Vila do Bispo, Portugal

De letters vervagen voor mijn ogen, ik ben moe. Oneindig moe. Ik ga op bed liggen. Ik word wakker van het kraken van de trap, dus ik moet even gedoezeld hebben.

'Hé,' zegt Anna door de openstaande deur, 'je bent aangekleed! Gaat het weer wat beter?'

Ik sta op, was mijn gezicht met koud water en loop met Anna mee naar beneden. Op de keukentafel staan tassen waar baguettes uit steken en preien, en andere lekkere dingen, en terwijl Anna aan het koken slaat vertelt ze me wat ze allemaal met me wil gaan doen. Dat ik absoluut haar balletschool in Pau moet bezoeken, en galeries van bevriende kunstenaars. Dat het morgen prachtig weer wordt en dat het mooi uitkomt, omdat ze 's middags vrij heeft en we dan of naar haar favoriete strandje aan de Atlantische Oceaan kunnen gaan of hier de bergen in kunnen trekken, waar ik maar zin in heb. Maar ik krijg maar de helft mee, want ik had net nog een droom en het enige wat ik me daarvan herinner is dat Gregor er in voorkwam. En hij trok zijn hand niet terug.

Dan komt Victor uit school en Lucien, die me op beide wangen zoent. Ze zijn allemaal blij dat het beter met me gaat, behalve dan dat ik het gevoel heb dat er een brok steen op mijn borst ligt.

'Wat is er met je?' vraagt Anna als we alleen zijn. 'Het is niet alleen de griep. Is het om je kas?'

Ik haal mijn schouders op. Maar de volgende dag, als we inderdaad naar het strand gaan en als Victor met wat andere kinderen in de duinen speelt, vertel ik Anna het hele verhaal.

Ze kijkt me aan.

'Maar waarom ben je zo ongelukkig?' vraagt ze. 'Je zegt zelf dat je blij bent dat je van hem af bent. Wat is dan het probleem?'

En daarna begin ik te huilen. Hoe komt het toch, vraag ik me af, dat Anna dat altijd weer voor elkaar krijgt. Laatst in het restaurant vanwege Angela, en nu om Gregor. Maar ik kan er niets aan doen, het is net alsof iemand een sluis heeft geopend en vergeten is om hem weer dicht te doen, en Anna vist alweer een papieren zakdoekje uit haar strandtas en weer zwijgt ze en laat ze mij met rust tot ik eindelijk uitgehuild ben.

Maar dan kijkt ze me aan en zegt: 'Jij bent verliefd, dat is wel duidelijk. Het heeft geen enkele zin om te doen alsof het niet zo is.'

En dan begint alles weer van voren af aan, en ik vraag me af hoe het mogelijk is dat een mens zoveel tranen produceert, puur fysiek gesproken is dat toch gewoon onmogelijk, denk ik.

Ik werk in de tuin, koop planten en tuinaarde, steel samen met Victor zand van het strand voor een dinosauruspark, en verzamel stenen in het gebergte vlak boven het dorp om de tuinpaadjes mee te omzomen. Tussendoor bewonder ik Anna's balletschool, vergezel haar bij haar lessen en zie hoe ze meisjes in zalmkleurige balletpakjes arabesken en pirouettes bijbrengt. En ik neem op een avond zelfs deel aan een Indiase tempeldans. Ik verplaats de buxusspruiten die overal in de tuin woekeren, leg voor Anna's moestuintje een kruidentuintje aan, bouw een zonnewijzer voor Lucien, want dat heeft hij zich in zijn hoofd gehaald, ook al valt de zon bijna nooit in zijn tuintje. Voor Victor maak ik noedels met vanillesaus, leer de namen van al zijn dino's, lees hem voor uit Franse kinderboeken en leer daardoor zelf allerlei nieuwe woorden. Op mijn wandelingen om het dorp verzamel ik stenen die ik in het tuinontwerp opneem, lees een boek van de Dalai Lama dat Anna mij heeft geleend, leer haar vriendin Isabelle kennen en als die me vraagt wat het kost als ik ook haar tuin onderhanden neem, worden we het snel eens.

Isabelle woont in een stadsvilla, en haar tuin lijkt wel een klein park. Midden in de tuin ligt een vijver, en ik ben een hele middag bezig om daar de modder uit te scheppen. Als ik thuis onder de douche sta, die vreemd genoeg geen douchegordijn heeft, komt Lucien binnenlopen, verontschuldigt zich, want de deur kan niet op slot. Er is alleen een bordje met op de ene kant een groot rood kruis, maar ik weet toch zeker dat die ook aan de deurklink hing. Als hij zijn vergissing bemerkt, blijft hij net wat te lang hangen naar mijn zin. Ik weet niet of ik het me maar verbeeld, maar hij werpt een grondige blik door de damp. Dan is hij verdwenen. Voortaan zal ik de wasmand voor de deur neerzetten, neem ik mij voor, en later, in de keuken, valt het me op dat hij herhaaldelijk met zijn lichaam langs het mijne strijkt, alsof er niet genoeg ruimte is voor ons allebei.

Ondanks Isabelles enthousiasme over de voortgang van haar tuin, en ook al is Victor nog zo schattig en ondanks Anna's goede zorgen ben ik terneergeslagen. Uit het boek van de Dalai Lama leer ik dat het aardse bestaan uit een opeenvolging van lijden bestaat, alles is een illusie, en de weg naar het ware geluk bestaat uit het vermijden van dat wat wij bij uitstek onder geluk verstaan.

In mijn tweede week is Isabelles vijver opnieuw beplant met gele plomp, bies en waterlelies. Haar rozenstruiken zijn gesnoeid en bemest en haar bloemperken zijn van onkruid bevrijd. Dan koop ik een kaart van Spanje en Portugal, zoek Vila do Bispo op en vind dat uiteindelijk. Het is een plaatsje helemaal in het zuiden, ten westen van de Algarve. Vlak voor waar de zuidkust van Portugal een knik naar het noorden maakt.

'Misschien moet ik het erbij laten,' zeg ik tegen Anna, als we samen de afwas doen.

Anna zegt niets. Ik weet hoe zij er over denkt. Zij vindt dat ik er heen moet. Niet dat ze van me af wil, ik kan blijven zo lang ik wil, heeft ze gezegd. 'De kamer wordt toch niet gebruikt, en we vinden het leuk dat je er bent. En er zijn hier genoeg tuinen die op je liggen te wachten.'

Maar dat met mijn moeder, vindt ze, dat moet ik nu doorzetten. 'Als jij eraan toe bent,' zegt ze. En ze geeft me nog meer boeken. Meditatietechnieken. Ontspanningsoefeningen. Ik bekijk ze niet eens.

'Waarschijnlijk gaat ze me teleurstellen,' zeg ik, en ik zet het servies in de kast.

'Waarschijnlijk, ja,' zegt Anna onbewogen. 'Maar dan weet je dat tenminste.'

De volgende dag kom ik terug van Isabelles tuin en Lucien is thuis. Het lijkt erop dat hij op me heeft zitten wachten. Of ik een behandeling wil. 'Wat voor behandeling?' vraag ik. Dan bedenk ik dat ik nog nooit met Lucien alleen in huis ben geweest. Kennelijk heb ik dat steeds onbewust weten te vermijden.

'Een chakrareiniging,' zegt hij. 'Je bent zo vreselijk gespannen. Anna heeft me verteld dat je problemen hebt. Als je wilt, kunnen we je chakra reinigen. Anna denkt dat het je goed zal doen.'

Anna denkt dat... denk ik. Waarom komt ze daar dan niet zelf mee? En hoewel ik er eigenlijk helemaal geen zin in heb, wil ik niet onvriendelijk overkomen. 'Wat moet ik dan doen?' vraag ik.

'Niks,' zegt hij. 'Je moet gewoon gaan liggen, je ogen dichtdoen en genieten.'

Dus ga ik tegen mijn zin liggen. Hij heeft alles al klaarliggen. Hij heeft een yogamat voor de haard uitgerold en wierrook aangestoken. Ik doe mijn ogen dicht, en dan voel ik zijn handen op mijn lichaam, vooral op plekken waar ik hem helemaal niet wil voelen.

'Ontspan,' zegt hij, en ik raak meteen nog meer gespannen. Het liefst zou ik opstaan en een einde aan dit gedoe maken, maar ik wil hem nog steeds niet beledigen. Maar als zijn handen over mijn borsten gaan en ik hoor hoe hij steeds sneller gaat ademen, vind ik het welletjes.

'Dat met die chakra's,' zeg ik, en ik schud hem van me af, 'dat is niks voor mij.' En als ik de keuken in loop, zit Victor daar. Ik ben heel boos en weet me geen raad. Wat had dat allemaal te betekenen, vraag ik me af, en ik drink in een teug een glas water leeg. Wat wil die man van mij. Lucien is per slot van rekening de levensgezel van mijn beste vriendin!

Beneden valt de voordeur in het slot. En Victor zegt: 'Hij is niet mijn papa, hoor. Mijn papa is heel ver weg. Lucien is alleen maar mama's vriend. Meer niet.'

Hoofdstuk 17

Waarin Gregor geniet van zijn vrijheid en een bijzondere ontmoeting heeft

Ze liet ons gewoon zo staan. Karl May was ontroostbaar. Eerst Brima, toen Caroline, dat leek te veel voor die arme hond. Ook ik kon het niet geloven, en bleef nog een halfuur in de buurt van de parkeerplaats hangen, voor het geval ze zich bedacht, maar dat deed ze niet. Ten slotte ging ik naar het hotel en hoe Karl May zijn oren en staart ook liet hangen, en wat een hond verder maar kan laten hangen, ik voelde me bevrijd. Dit kon ik dus achter me laten.

En de volgende ochtend werd ik opgelucht wakker omdat ik weer alleen was. Ik vroeg me zelfs af hoe ik het al die dagen uit had gehouden, om zo afhankelijk te zijn van iemand die ik zelf niet had uitgekozen. Die liefdesnacht aan het eind, was dat niet gewoon het logische gevolg van onze gedwongen nabijheid? Was het niet gewoon het afreageren van alle spanningen die van meet af aan tussen ons in hingen, en die ons het leven zuur maakten? Waren die spanningen niet gewoon omgezet in seksuele energie? Ik had mijn wereld weer op orde. En om dat te bevestigen viel alles keurig op zijn plek, precies zoals ik via Carolines mobieltje met mijn advocaat had afgesproken: cash, creditcards, alles was er, en ik had de hele dag genoeg te doen. Ik vond een geschikte huurauto, schafte een mobieltje aan en een koffer, en ik zocht net zolang tot ik een herenkledingzaak vond waar ze Armani verkochten. Toen zette ik koers richting het zuiden. Ik nam er de tijd voor, reed elke dag een paar uur, overnachtte daar waar het me aanstond en waar Karl May welkom was. In de buurt van Bordeaux vond ik een als hotel verbouwd kasteel met een eigen wijnkelder. Daar ben ik ruim een week gebleven, zo goed beviel het ons daar. En toen weer verder, de Spaanse grens over.

Het stadje Muxía, zo lees ik in mijn reisgids, is een vissersplaatsje, met een pelgrimskerk direct aan het strand. Er is daar een stenen plaat te zien in de vorm van een zeil, waarover in legendes van alles en nog wat wordt beweerd. Bijvoorbeeld dat het het zeil van de boot is waarmee de Maagd Maria, begeleid door engelen, aan land kwam, precies op deze plek. Tot voor kort was de hoogste ambitie van iedere pelgrim om hier op de rots te gaan staan en hem aan het wankelen te brengen. Kennelijk heeft dit kinderlijke genoegen een helende werking op ziektes. Een andere rots voor de kerk is beroemd omdat hij rugpijn wegneemt bij degene die het lukt er onderdoor te kruipen.

Dit schijnt een land vol wonderen te zijn, en hoe absurder het wonder, des te harder men er in gelooft. Een land doordrenkt van bijgeloof, en ik vraag me af of dat voor oom Gregor soms een betekenis heeft gehad.

Als eerste zoek ik het postkantoor en dat vind ik uiteindelijk in een flets betonnen gebouw in het nieuwe gedeelte van het plaatsje. De sleutel opent de postbus met nummer 333, en in de postbus zit een envelop. Voor Gregor. Zoals altijd. En ineens komt een gedachte bij me op, en ik merk dat ik die gedachte al de hele tijd met me meedraag: wat nu als jij helemaal niet dood bent? Wat nu als jij nog gewoon leeft?

Ongeduldig scheur ik de envelop open, om daar nog een envelop in aan te treffen, die ook gesloten is, en daar staat op: *Welkom in Muxía! Lees de brief pas op de Cabo Touriñá, voor je de as verstrooit. Hartelijke groet van je oom Gregor.*

Terwijl ik naar de pelgrimskerk slenter, die aan het eind van de landtong direct aan een woest stuk rotskust staat, bedenk ik hoe eenzijdig dit spelletje is. Maar ik ben er nu eenmaal mee akkoord gegaan, dus die ene nacht maakt nu ook niet meer uit. Het strand ziet eruit alsof reuzen hun speelgoed er hebben neergegooid, brokstukken als halve huizen, en midden tussen deze chaos van stenen ligt de kerk. Binnen in de kerk ontdek ik dat aan het houten plafond scheepsmodellen worden vastgehouden door engelen met uitgespreide vleugels. Het zijn votiefgeschenken, als dank omdat men gevaar op zee had overleefd, of als onderpand voor een gezonde terugkeer. Ze ontroeren me, deze bontbeschilderde schepen, er zitten heel mooie tussen, en weer drijven mijn gedachten af naar oom Gregor, die in een tijdperk op zee voer toen het werk weliswaar veiliger was, maar toen de zeelui zulke vertroosting en geloof niet meer was vergund.

Er zit een man in de kerk, vooraan, in de tweede bank. Hij is dun en groot en hij heeft donker haar. Wat nou als hij dat is, flitst het door mijn hoofd, wat nou als oom Gregor daar vooraan zit? Stel dat hij me de hele tijd al stiekem achterna reist, zonder dat ik er iets van merk? Ik denk aan Jacques Malgornes gezicht, aan zijn glimlach toen hij zei dat mijn oom wel zou beslissen wanneer ik het geheim te horen zou krijgen. Zei hij dat echt, het geheim? Nee. Hij had het over een verhaal. In verband met Heinrichs dood. Ik raak een poosje in gedachten verzonken. In herinneringen. Zonder gezichten en namen, zonder woorden. De man staat op en loopt door het middenpad op me af. Dan loopt hij me voorbij. Het is oom Gregor niet. Natuurlijk niet.

De volgende ochtend sta ik vroeg op, en als ik aankom bij de Cabo Touriñá valt er een melkachtig ochtendlicht over de vuurtoren. Ik zoek een plek op het uiterste puntje van de landtong. Karl May loopt driftig voor me uit. Ver beneden mij breken de golven tegen de rots. Een mooie plek om de as te verstrooien, en de wind staat ook nog eens aflandig. Maar eerst de brief, zoals mijn oom dat wenste.

Beste Gregor, lees ik, en ik moet mijn best doen om niet door de zinnen heen te vliegen. Maar het karakteristieke handschrift van mijn oom, dat wel wat op het mijne lijkt, dwingt me ertoe om het ene woord na het andere te ontcijferen.

Beste Gregor,
Ik zie je helemaal voor me. Hoe je daar op de rotspunt staat, met de wind die je om de oren slaat terwijl je deze regels leest. Je hebt al een flinke reis achter de rug, maar de reis is nog niet volbracht. Wat je onderweg hebt meegemaakt, daar kan ik slechts naar gissen.
Wat vind je van Galicië? Wat mij aan deze streek bevalt, is dat de mensen er hartelijk zijn maar je toch met rust laten. Dat is voor iemand zoals ik een weldaad. Ik heb namelijk nooit geleerd hoe ik de mensen op afstand moet houden. En aangezien je zo niet kunt leven, heb ik muren om mij opgetrokken en mezelf tot een onneembare vesting omgebouwd totdat ik zelf niet eens meer wist waar de uitgang was. Pas toen ik al een oude man was, heb ik dat ingezien. Eén keer, slechts één keer in mijn hele leven, heb ik me opengesteld en heb ik een ander mens bij me in de buurt laten komen. En natuurlijk heeft die ene mens, toen hij zag wat er zich binnen de vesting schuilhield, het hazenpad gekozen. Maar niet nadat hij eerst het interieur van mijn bolwerk had vernietigd. Zeker. Men kan niet zomaar in één klap een mensenvriend worden als men eerst jaren achtereen als kluizenaar heeft doorgebracht. Dat zul jij ook wel gemerkt hebben, en zo niet, dan zal het niet lang duren voor jij het ook meemaakt.
Hoe het ook zij, na deze ervaring werd de brug weer opgehaald, het valhek neergelaten, het anker gelicht en zo voer de vesting uit. Altijd maar onderweg. De brug werd mijn wachttoren en mijn werk werd mijn levensdoel. Kaapstad. Melbourne. Hongkong. Sjanghai. São Paolo.
Heb je je op deze reis eigenlijk al eens afgevraagd waarom ik je niet naar dat soort bestemmingen stuur, naar de grote havens van alle continenten, maar dat ik je in plaats daarvan naar deze ouderwetse, sentimentele plekken stuur waar de scheepvaart helemaal niet meer bestaat. De uiterste plekjes van een lang vervlogen tijd? Het ant-

woord luidt: niet omdat deze plekken voor kapitein Gregor Beer een speciale betekenis hadden, maar om een andere reden die diep in de vesting verborgen is gebleven, en daar, nu ik deze regels schrijf, nog altijd verstopt zit. Maar niet meer in het 'nu' waarin jij deze regels leest. In dit nu ben ik vrij. Vrij om te zeggen wat ik op het hart heb. Bevrijd uit de vesting die ik van mijn leven heb gemaakt.
Ik heb deze zelfde reis jaren geleden eens met een vrouw gemaakt. Dat was toen nog een avontuur. Galicië was nog een ontwikkelingsland. Deze plekken waar het einde van de wereld is, hebben mij al van jongs af aan gefascineerd, en dan vooral de vuurtorens en ik wilde niets liever dan op een dag naar die punten op de wereldkaart gaan. Ik had er ook spelden met gekleurde koppen in gestoken, al zodra ik kon lezen. Vraag maar aan je vader. We deelden wel een slaapkamer, maar niet dezelfde passies, en ook al konden we goed met elkaar opschieten, we hebben elkaar nooit echt begrepen. Ik las alles over ontdekkingsreizen en veroveringen, verslond alle reisverslagen die ik te pakken kreeg. Ik wilde weg uit het benauwde noorden van het Zwarte Woud, ook al was ik de enige met dergelijke verlangens en ook al zag iedereen me als een soort gekooid dier. Ik wilde weg en wel zo snel en zo ver mogelijk. En zo geschiedde.
Maar toen, op een van mijn bezoekjes aan mijn geboorteland, leerde ik een vrouw kennen. En voor haar stelde ik me open. Ik probeerde mijn hartstocht voor de wijde wereld met haar te delen, en nam haar mee om hem haar te tonen. Maar zij was anders dan ik, de wereld was haar veel te groot, en onze stad, dezelfde stad als die waarin jij bent opgegroeid, was haar genoeg. We hebben nog een poos illusies gekoesterd: ik dacht dat zij ook wel zou genieten van een leven vol avontuur en verrassingen terwijl zij dacht dat ik op een dag wel zou afzien van mijn hersenschimmen, zoals zij het noemde. Toen we allebei doorhadden dat die dingen er allebei niet inzaten, was het voorbij met de liefde. Hoewel ik jou nu iets zal toegeven wat ik tot voor kort niet eens aan mezelf wilde toegeven: dat ik altijd van haar ben blijven houden. En er is nooit meer een andere vrouw in mijn leven geweest. Althans, er is nooit meer een vrouw zo belangrijk voor mij geweest.

Je kunt je afvragen waarom ik dit allemaal aan jou vertel. Een van de redenen is dat ik graag wil dat je begrijpt waarom ik zo ben geworden als ik ben. Ik neem aan dat een peetoom tot taak heeft om zijn petekind een beetje de weg te wijzen. Daartoe was ik nooit in de gelegenheid. Maar ik hoop dat wat ik je wil zeggen nu toch tot je doordringt, en dat het in elk geval nog niet te laat is. Hoe moet ik het zeggen? Wij lijken nogal op elkaar. Ook jij hebt muren om je opgetrokken. De vraag is of die muren je werkelijk beschermen. Of dat die muren, zonder dat je het merkt, juist een gevangenis worden. Eentje waaruit je niet meer kunt ontsnappen en waar niemand meer naar binnen kan.
Je gaat nu dadelijk het tweede deel van mijn as in de Atlantische Oceaan strooien. Laten we hopen dat er een gunstige wind staat, jij en ik. En dan gaat de reis verder, nog verder naar het zuiden, naar Portugal. En misschien heb je het al geraden, en heb je mijn systeem al door, daar twijfel ik niet aan, want je bent veel te slim om het niet al lang te hebben doorzien: de volgende en laatste halte van onze reis voert ons naar het zuidwestelijkste punt van Europa, naar Sagres.

Beste Gregor, ik heb veel fouten gemaakt in mijn leven. Dat doet toch iedereen, zul je zeggen. En dat is ook zo. Maar de fouten waar ik op doel, zijn dusdanig bepalend geweest voor de koers van mijn leven, dat ik nooit meer een andere kant op kon zonder dat ik schipbreuk zou lijden. Misschien klopt dat wel helemaal niet, misschien was ik gewoon te laf of te gemakzuchtig om het roer om te gooien toen eenmaal de bestemming vast leek te liggen. Ik weet het niet. Mijn wens voor jou is dat het jou beter vergaat. Dat jij je leven niet verknoeit met zaken die je nu als heel belangrijk voorkomen, maar die dat in werkelijkheid niet zijn. Zoals ik heb gedaan.
Als je uitkijkt over zee, dan zul je, afhankelijk van het weer en het tijdstip van de dag, steeds een ander licht zien. Elke dag heeft weer een andere kleur, en wat je vandaag ziet, is niet hetzelfde als wat ik hier ooit heb gezien, al ben ik hier nog zo vaak geweest. En hoe mooi het je ook lijkt, je kunt aan de oppervlakte niet zien welke ramp zich hier onlangs nog heeft voltrokken. Je zult je de berichten

misschien wel herinneren. Olietanker gezonken voor de kust van Galicië. Miljoenen liters ruwe olie stroomden de zee in. En zal ik je eens wat vertellen? Ook al zijn de stranden schoongemaakt en zie je niets meer van de ramp, als je er naar op zoek gaat, dan zijn die gevolgen overal te zien. De oliepest is er nog altijd, want daar verderop ligt het wrak, en nu, op dit ogenblik, stromen daar nog elk uur duizenden liters olie uit. Niks is wat het lijkt. Datzelfde geldt ook voor Bretagne en voor Portugal. De mensen die hier niet wonen, zijn het allang weer vergeten. Zoals ze zoveel vergeten zijn. Andere dingen zijn belangrijker.
Zo is het mij ook al die jaren vergaan. Ik heb geleerd om dat wat er zich onder het oppervlak afspeelde te negeren. Maar er komt een punt in ieder mensenleven dat je de rekening gepresenteerd krijgt. Jij zit op een dag in je kantoor en dan kun je niet meer om het feit heen dat je je leven hebt verspild. En daarom heb ik jou op deze reis gestuurd, om het niet zover te laten komen.
Voor mij is het te laat. Dat is ook de reden waarom jij nu met mijn as in je hand staat. Geen reden om te treuren. Je hebt nooit veel aan mij gehad, en daarom is mijn dood voor jou geen groot verlies. Wat wel een heel groot verlies zou zijn, is als jij, net als ik, als oude man moet erkennen dat je een stomkop bent geweest, je hele leven lang.
Ik kan me voorstellen dat je deze brief niet echt bevredigend vindt. Daar heb je die ouwe met zijn verhandelingen en zijn moralistische praatjes. Je hebt gelijk. Vergeef het me maar. De rest krijg je in Sagres te horen. En dan is ons reis afgelopen.
Mijn laatste brief krijg je van Sofia Pereira, de eigenaresse van Hotel Miramar in Sagres, overigens een uitstekend adres om te overnachten. En als je daar dan op het terras over de rotsen kijkt in de richting van de ruïnes van Hendrik de Zeevaarder en de vuurtoren van Cabo de São Vicente, terwijl je je Sofia's uitstekende gegratineerde oesters laat smaken, drink dan een glas witte Duoro op de gezondheid van

Je oom Gregor

De wind is gaan liggen. De wolkenslierten breken op en de zon breekt door. De zee is van het donkerste ultramarijn dat ik ooit heb gezien. En daar beneden, ver uit de kust, ligt dus nog steeds die tanker die averij opliep. En ik weet dat het niet het enige wrak is dat daar ligt. Het ligt er vol met wrakken, vol met doden, en ik voel een drukkend gevoel op mijn borst, alsof die door een enorme hand ingedrukt wordt. Mijn keel is dichtgeknepen en voelt even droog aan als mijn ogen, die branden. Dan begint Karl May ineens als een dolle te blaffen.

Ik draai me om. Er is een krabbend geluid, recht onder me, op de rots, en dan verschijnt er een hand, dan nog een, dan het hoofd van een man, drijfnat over zijn hele lichaam. Hij draagt een soort duikerspak van dicht geweven stof, met knie- en elleboogbeschermers, en een rugzak van een soort netmateriaal. Om zijn heupen hangen ook een soort netbuidels, en in zijn gordel hangt gereedschap: een pikhouweel en messen. Hij trekt aan een touw en nu zie ik pas dat hij van dit punt ook naar beneden is afgedaald. Hij trekt en roept iets naar beneden. Karl May is opgehouden met blaffen en loopt langs de rand van de rotspunt met zijn neus er zover overheen als maar kan. Dan komen nog twee mannen tevoorschijn, allemaal uit dezelfde kloof, en ze dragen een levenloos lichaam dat ze hijgend aan mijn voeten leggen. Het is Heinrich. Zijn haar kleeft aan zijn hoofd en zijn gezicht zit onder het bloed. Heinrich, bloedend. Ze brengen hem naar me toe, en hij heeft mijn duikuitrusting aan. Dan zie ik alleen nog maar flakkerende sneeuw, en in mijn oren hoor ik het suizen en gonzen. Ik hoor een fluitend geluid dat alles overstemt, en dit suizende fluiten vermengt zich met het snikken van mijn moeder. Ik houd mijn handen voor mijn oren, maar het zit in mijn hoofd, ja, nu heb ik het door. De sneeuw verdwijnt, en ik hoor het razen van de zee, de stemmen van de mannen. Ik voel hoe Karl May mijn nek en mijn wangen likt. 'Het is al goed,' zeg ik tegen hem, en ik klop hem liefkozend op de flanken. Maar eigenlijk zeg ik het tegen mezelf.

De mannen hebben de jongen op zijn zij gelegd, en een van hen onderzoekt hem voorzichtig. Nee, het is Heinrich niet, natuurlijk niet, het is een vreemdeling die daar beneden op de rotsen gewond is geraakt. God mag weten wat die mannen daar beneden te zoeken hadden.

Een van hen zegt iets tegen mij, en hij wijst op het levenloze lichaam. Natuurlijk help ik. Voorzichtig pak ik hem op, en draag hem naar de vuurtoren. We moeten een paar keer rusten. De oudste van de mannen, waarschijnlijk de vader, houdt het hoofd van de jongen in zijn handen, en giet water over zijn wonden. Een van de wenkbrauwen is opengereten en daar stroomt veel bloed uit. Ik durf er niet aan te denken of hij nog meer verwondingen heeft. Tijdens een adempauze trekt een van de mannen een paar planten uit de grond en geeft die aan de oudere man. Die kneust de planten tussen zijn vingers en drukt ze tegen de wond.

Eindelijk komen we boven aan. Het blijkt dat de auto's van de mannen veel te klein en veel te volgepropt met gereedschap zijn om het lichaam liggend te kunnen vervoeren. Ik doe mijn auto open, haal het hondenrek weg, klap de achterbank neer en dan leggen we de gewonde op het vrijgekomen oppervlak.

De mannen laten heel even de armen hangen. Dan knikt de oudste, drukt mij de hand en perst zich naast de jongen. Karl May springt op de bijrijdersstoel en het konvooi komt in beweging.

Tijdens de rit praat de man achter me tegen zijn zoon. Karl May hijgt met de tong uit de bek. De gewonde kreunt af en toe.

Mijn god, denk ik, laat hem niet sterven.

Eindelijk blijven de andere auto's staan aan de rand van een stadje. *Centro de Salud*, lees ik het schuinschrift op een pas gestuukte betonnen muur. Behoedzaam tillen de mannen de gewonde uit de auto, en leggen hem op een brancard. De oudere man wijkt geen stap van zijn zijde.

Als de deur achter hen dichtvalt, slaan de andere mannen een zucht van verlichting. Ze trekken hun wonderlijke duikpakken uit en staan ombekommerd in hun zwembroek op de parkeerplaats om hun spijkerbroeken, overhemden en truien aan te doen. Dan loopt er eentje op mij af. Hij zegt iets. Ik haal mijn schouders op.

'You speak English?' probeert de man. Ik knik. Hij heet José, en zijn vriend heet Xavier. Ze slaan me op de schouders en nodigen me uit om een borrel met hen te gaan drinken voor de schrik.

In de bar, twee straten verderop, bestellen ze heel lichte wijn die in porseleinen kommetjes wordt geserveerd. 'Ribeiro,' zegt José, en hij slaat de wijn achterover. En dan hoor ik wat de mannen ertoe brengt om van zulke gevaarlijke rotsen te abseilen: ze zijn *percebeiros*. Dat wil zeggen dat ze *percebes* verzamelen, die alleen aan de rotswanden groeien waar de heftigste branding tegen slaat, net iets boven de waterspiegel. En aangezien ik geen flauw idee heb wat dat wel zijn mag, brengt de waard me een bordje en ik kan mijn verbazing slecht verhullen als ik de bruine dingen onder ogen krijg, die eruitzien als stukjes verrotte tuinslang met een piepklein eendenbekje op het eind.

De mannen lachen om mijn gezichtsuitdrukking en laten me zien hoe je deze percebes moet eten. Je breekt het snaveltje met een ruk van het stukje tuinslang, en zie daar, er komt een roze wormpje tevoorschijn.

De smaak van de volle zee vult mijn hele mond, wild en zoet en ongelofelijk verleidelijk.

'Wij percebeiros,' zegt José, 'zijn de dapperste mannen aan de kust van Galicië, want wij zetten hier ons leven voor op het spel.'

Een paar Ribeiros later weet ik dat de jongen Antonio heet, en dat dit de eerste keer was dat hij meeging. 'Hij is zestien,' zegt José, 'en op die leeftijd zijn wij allemaal begonnen. Hij is door een golf tegen de rots geslagen, niks bijzonders.' Xavier trekt zijn hemd uit de broek, om mij een litteken op zijn rug te tonen. Zijn vriend lacht en maakt een afwijzend gebaar. Iedereen heeft zulke herinneringen. Antonio staat pas aan het begin van zijn verzameling. De percebes hebben zo hun prijs.

'Dus jullie denken wel dat de jongen het haalt?'

'Claro que sì,' zegt José. 'Zijn verwondingen zijn niet zo erg.'

'Hoe kun je dat weten?' vraag ik. 'Ben je soms arts?'

'Hij had anders de tocht naar de auto niet overleefd,' zegt José ernstig. 'Ofwel ze sterven ter plekke, of ze overleven en dan worden ze nog heel oud. Dat is altijd al zo geweest.'

Ofwel ze sterven ter plekke... echoot het door mijn hoofd, als ik terugrijd... of ze worden heel oud. Ik was er nog niet aan toe gekomen om de as van oom Gregor uit te strooien in de zee die Antonio tegen de rotsen had gesmeten. En dus rijd ik voor de tweede keer vandaag het kronkelweggetje af naar de vuurtoren.

Als ik de weg af loop die we pas een paar uur geleden met het gewonde lichaam als vracht op zijn geklommen, is het alsof ik elke steen ken. Hier hebben we uitgerust. En daar heeft José die takjes geplukt die nu met bloed doordrenkt op het gras liggen. Zelfs ik zie dat het varens zijn. Het bloed is nu opgedroogd, en ik moet weer aan Heinrich denken. Ik kon toen niets voor hem doen. En toch voelde ik me tot op de dag van vandaag schuldig, alsof ik hem had kunnen redden, maar ik dat bewust heb nagelaten. Alsof ik hem met open ogen heb laten verdrinken. Maar als ik hier tussen al deze armzalige plantjes kniel, en roze, donkerblauwe en gele bloemetjes ontdek die ik voordien nog niet had opgemerkt, dan is die last er niet meer. Dan rest me alleen de herinnering aan het schuldgevoel. Nee, denk ik. Ik kon er niets aan doen. Heinrich is gestorven en deze jonge percebeiro zal het overleven. Het ligt niet in mijn handen.

Daar voor me is de plek waar ik vanochtend de brief van mijn oom heb gelezen. Mijn oom is dood, het heeft lang geduurd voor dat echt tot me doordrong. Gisteren hoopte ik nog dat het maar een grap was. Oom Gregor en Heinrich zijn dood, maar Antonio zal blijven leven, want ofwel ze sterven ter plekke, of ze overleven en dan worden ze heel oud. Dat is altijd al zo geweest.

Ik wrijf in mijn ogen. Die zijn zo droog dat ze branderig aanvoelen. Als andere mensen vochtige ogen krijgen, dan drogen de mijne juist uit. Ik kan me niet herinneren dat ik ooit heb gehuild. Toen ze mijn broertje thuisbrachten, en toen ze hem opbaarden en in de grond begroeven was ik ook versteend. Geen jammerklacht, geen enkel teken van verdriet, mijn ogen bleven droog en brandden net als nu. Al jaren gebruik ik daar oogdruppels voor, traanvocht, omdat ik dat zelf niet aanmaak. 'Ik ben de man die niet huilen kan,' zeg ik tegen Karl May. 'Normaal gesproken heb ik altijd een flesje bij me, weet je, voor het geval ik het nodig heb.' En dan moet ik lachen. En de brok in mijn keel lost op.

Terwijl ik de as van mijn oom verstrooi voel ik een rust in mij die ik al heel lang niet meer heb gekend. 'Adios,' zeg ik, en ik zie hoe de wind de as meedraagt naar zee. Een paar meeuwen zeilen voorbij, maar ze komen te laat, de as is al verstoven.

Als Caroline die varens eens had kunnen zien! 'Wat vind je eigenlijk zo opwindend aan dat groene spul?' heb ik haar wel eens gevraagd bij het avondeten, eigenlijk meer om het gesprek gaande te houden dan omdat het me werkelijk interesseerde.

'Ze hebben niks en niemand nodig,' zei ze toen.

'Nou ja, ze hebben jou toch nodig,' antwoordde ik. 'Anders gaan ze dood.'

'Ze hebben alleen de juiste temperatuur en de juiste vochtigheidsgraad nodig. Verder niks. Varens vind je overal ter wereld, ze passen zich aan alle omstandigheden aan. En voor de voortplanting hoeven ze zich niet eens door een andere plant te laten bevruchten. Varens en mos zijn de enige planten die dat alleen af kunnen.'

Welke vrouw vindt zoiets nu het nastreven waard, dacht ik

toen laatdunkend, maar ik zei niets. En nu, toen ik net nog neerknielde op de Cabo Touriñá, met een paar varenbladeren in de hand, taai als leer en perfect aangepast aan de omstandigheden, nu wordt het me duidelijk hoeveel we toch op elkaar lijken, Caroline en ik. Wat zou het geweldig zijn als ik haar nu hier bij me had. 'Ze is anders dan andere vrouwen,' zeg ik tegen Karl May, die naast me in het struikgewas zit, en me met hangende tong aankijkt. 'Jij mocht haar ook graag.'

En voor ik me bedenk, grijp ik mijn telefoon. Ik ken haar nummer uit mijn hoofd, want dat heb ik vaak genoeg moeten opdreunen voor mijn advocaat. Hij gaat heel lang over voor ze opneemt. 'Hallo, met mij, met Gregor. Het is zo jammer dat je nu niet bij me bent, want er staat hier een varen die jij waarschijnlijk nog nooit hebt gezien.' En dan luister ik en ik hoor alleen een zwijgen, waar haar verbijstering in doorklinkt. En nog een heleboel andere dingen.

Hoofdstuk 18

Waarin Caroline naar het zuiden rijdt en in het westen aankomt

Mijn hart staan heel even stil om het dan op een bonzen te zetten, alsof ik een sprintje heb getrokken. Gregors stem, na zoveel tijd. En dan raak ik geïrriteerd, of eerder woedend. Wat verbeeldt die vent zich wel? Dat ik hier zit te wachten tot hij eindelijk belt? Rot toch op man, denk ik, maar in plaats daarvan vraag ik: 'Waar ben jij nu?'

'In Galicië. En jij? Heb je je moeder al gevonden?'

Dat gaat je geen moer aan, denk ik, maar ik zeg: 'Nee, ik zit in Zuid-Frankrijk.'

'Nou ja, zeg, dan ben ik al verder dan jij.'

Rotzak, denk ik. Monster. Maar mijn woede is alweer weg. Het zijn alleen nog maar woorden. Ik meen er niets meer van.

'Ik mis je,' zegt Gregors stem aan de andere kant van de wereld. 'Ik zit hier in Cabo Touriñá en het stikt hier van de varens, en ik wilde je vragen...'

'Hoezo mis je me,' vraag ik, 'hebben ze je creditcards soms weer geblokkeerd?'

Het is stil aan de andere kant. Er klinkt geruis over de lijn, de wind, of misschien de zee.

'Caroline,' zeg Gregors stem, 'ik heb me misschien niet zo aardig gedragen, maar... ja... ik... nou ja, het is gewoon een feit, we missen je, Karl May en ik. Hier heb je hem even...' en dan hoor ik het gehijg van een hond. 'Hoor je wel?' vraagt Gregor. 'Dat is Karl May en hij zegt dat hij je ook mist.'

En daar sta ik dan als een idioot te staren naar de planten die ik net in de aarde heb gepoot. Ik heb even nodig om te beseffen waar ik ben. In de tuin van Isabelle Bruder, met zijn romantische terrassen op verschillende hoogtes, daar sta ik en ik druk de telefoon tegen mijn oor en kan geen woord uitbrengen.

'Ik heb een idee,' zegt Gregor. 'Wat zeg je ervan om elkaar te ontmoeten? Laten we zeggen in Santiago de Compostela, over drie dagen? Komt dat jou uit? En dan rijden we samen door naar Portugal.'

'Naar Portugal?' vraag ik verward. 'Wat wil jij daar dan doen?'

'Nou, daar woont je moeder toch? En mijn oom heeft mij er ook naartoe gestuurd.'

'Nee,' zeg ik. 'Ik ga niet naar Portugal. Ik heb me bedacht. En ik wil ook niet naar Santiago.'

Gregor geeft niet meteen antwoord.

'Nou goed, ik vind dat je je tijd verknoeit, daar in Zuid-Frankrijk. Wat doe je daar eigenlijk? Ben je weer van alles aan het aanplanten? Je moet je moeder vinden, dat heb je toch zelf gezegd. Wil je het dan opgeven nu je weet waar ze woont?'

En dan word ik toch weer kwaad. Ik trek het niet als iemand mij vertelt wat ik moet doen, en al helemaal niet als Gregor dat doet. 'Luister,' zeg ik, 'dat kan allemaal wel zijn, dat ik mijn tijd verknoei, en dat ik het opgeef, maar wat gaat jou dat allemaal aan? Ga jij nou maar mooi je oom in de wind verstrooien, waar je dat ook doen wilt. Dat is jouw zaak. Net zoals mijn moeder mijn zaak is. Verder heb ik er niks meer over te zeggen.'

'Goed dan,' zegt Gregor na een poosje. 'Zoals je wilt. Ik ben over drie dagen bij de kathedraal van Santiago, en het zou mooi zijn als jij daar dan ook bent. Om drie uur 's middags, bij het hoofdportaal.'

'Is dit een grap, of zo?'

‘Nee,’ zegt Gregor. ‘Dit is een afspraak. Goed, tot zaterdag, dan.’

‘Ik kom zeker niet.’

‘Tot zaterdag, Caroline.’

‘Vergeet het maar.’

‘Ik verheug me erop je weer te zien. En Karl May ook.’

En dan is de verbinding verbroken. Ik staar naar mijn telefoon.

‘Hallo,’ zegt iemand achter me. Ik draai me om, want ik heb niemand horen aankomen. Het is Lucien, die me iets vertelt, maar ik kan hem niet horen want het gonst in mijn oren. Ik zie alleen hoe hij zijn mond beweegt en steeds dichterbij komt. Ik heb Anna niet verteld over de mislukte ‘behandeling’ en ook niet over zijn pogingen om me aan te raken als ik in zijn buurt kom. Wat zou ik ook moeten zeggen: je vriend betast me onder het mom van het reinigen van mijn chakra en hij grijpt me telkens als hij maar even de kans krijgt? Nee, in plaats daarvan ben ik hem maar uit de weg gegaan.

‘Laat me met rust,’ zeg ik tegen Lucien. Ik pak mijn gereedschap bij elkaar, maar dan omhelst hij me van achteren. Ik voel zijn adem in mijn oor waar hij woordjes in kirt terwijl hij zijn handen tegen mijn borsten drukt. Hij duwt me tegen een stenen tafel en drukt zich van achteren tegen me aan, zodat ik zijn erectie voel. Ik stoot hem van me af, draai me om en geef hem zo’n harde draai om zijn oren dat ik er zelf verbaasd van sta. De uitdrukking op zijn gezicht slaat om van verbazing in woede.

‘Vals kreng,’ zegt hij, en hij drukt zich weer dreigend tegen me aan, zodat ik ruggelings tegen de stenen tafel kom te staan. Hij grijpt me bij mijn haren en trek mijn hoofd naar zich toe, waarna hij een weerzinwekkende kus op mijn lippen drukt en probeert om met zijn tong mijn mond te openen. Met zijn andere hand frunnikt hij aan zijn broek. Ik tast met mijn hand de stenen tafel af tot ik mijn tuinschaar vind. Die pak ik en ik houd hem uitgeklapt tegen Luciens keel.

'Als je mij nu niet onmiddellijk met rust laat...' zeg ik dreigend, en meer hoef ik niet te doen. Hij laat mijn haar los, en kijkt me vol verachting aan.

'Stom wijf,' zegt hij en hij spuugt op de grond. Dan draait hij zich om, stapt in zijn auto en rijdt weg.

Ik slinger de tuinschaar achter hem aan en brul een paar willekeurige scheldwoorden. Dan moet ik gaan zitten, midden tussen de nieuwe beplanting. Ik wrijf over mijn lippen en mijn hoofdhuid. Wat een klootzak! Dan heb ik mezelf weer een beetje onder controle. Ik gooi mijn spullen in de bestelwagen. Het is wel duidelijk dat ik hier zo snel mogelijk weg moet. Ik wil nooit meer met die vent onder een dak slapen. Ineens denk ik aan Anna's blik toen ze me onlangs vroeg wat ik van Lucien vind. Nee, denk ik, het is genoeg zo.

Het liefst zou ik meteen doorrijden naar het zuiden.

Maar dat gaat niet. Ik moet met Anna praten. Dat ben ik haar verschuldigd.

In het dorp slaat de twijfel toe. Ik zal haar geluk verstoren, haar van een illusie beroven, en het bestaan dat ze zo moeizaam heeft opgebouwd, valt dat dan niet net zo aan diggelen als het mijne?

Nee. Ik moet haar hier niets over vertellen. En terwijl ik snel een douche neem, haastig schone kleren aantrek en mijn spullen in mijn weekendtas stop, pijnig ik mijn hoofd over wat ik in de brief moet zetten die ik hier wil achterlaten.

Lieve Anna, ik moet helaas weer door. Het spijt me, maar ik had geen tijd om afscheid te nemen...

Nee. Uiteindelijk besluit ik het volgende op te schrijven:

Lieve Anna,
Ik zal je later alles uitleggen. Ik moet nu verder, om mijn moeder te zoeken. Ik dank je heel hartelijk voor alles wat je voor me hebt gedaan.
Liefs, Caroline.

Ik wil net wegrijden als Anna met haar Diane de hoek om rijdt.

Ze stapt uit. Ze ziet mijn weekendtas. Ze begrijpt het.

'Dus je wilde zomaar weggaan?' vraagt ze.

Ik moet denken aan de avond waarop de veerboot in Brest aanmeerde. 'Laten we niet zo uit elkaar gaan,' had Gregor toen gezegd. Misschien had hij gelijk. Ik kan niet altijd maar blijven weglopen. Niet van Anna.

'Wat is er aan de hand?' vraagt Anna koeltjes, als we bij haar aan de keukentafel zitten.

En dan vertel ik het haar. Ik vertel haar alles. Ik durf haar niet aan te kijken. Ze zit verstijfd aan tafel, verroert zich niet. Was ik hier maar nooit naartoe gekomen, denk ik vertwijfeld. Het is net of ik ongeluk breng, alsof het mijn schuld is. Maar wat kan ik er aan doen, denk ik wanhopig. Hoe kan ik nou verantwoordelijk zijn voor het zelfbedrog van anderen. En als ik het haar niet vertel, dan zal ze het ooit wel van iemand anders horen. Het is beter dat ze de waarheid onder ogen ziet.

'Hoe kun je mij dit aandoen?' zegt Anna. Haar stem klinkt verwrongen. 'Je komt hier halfdood aan, ik stel mijn huis voor je open, en dan is dit je dank?'

Ik begrijp niet wat ze bedoelt.

'Ja, doe maar niet zo verbaasd,' gaat ze verder. 'Lucien heeft mij allang verteld hoe jij met hem flirt.'

Ik wil iets zeggen, maar mijn keel is kurkdroog.

'Dat jij expres de deur openlaat als je onder de douche staat. En al die andere dingen.'

'Anna,' zeg ik, 'dat is niet waar.'

'O nee,' zegt ze bitter, 'dus het is niet waar? Dan is het waarschijnlijk ook niet waar dat jij hem om een behandeling hebt gevraagd en dat je hem voor de haard hebt willen verleiden?'

'Nee, natuurlijk niet! Ik wil helemaal niets van Lucien! Hij kan me gestolen worden!'

'Nee,' zegt Anna fel, 'jij wilt van niemand iets. Jij wilt alleen maar aan de hele wereld bewijzen dat de wereld niet deugt.

Alleen maar omdat jij zelf zo'n mannenhater bent geworden, wil je bij anderen kapotmaken wat je zelf niet kunt krijgen. Omdat jij namelijk niet in staat bent om van iemand te houden, dat is het, Caroline. Daarom kun jij je niet aan mensen binden. Alleen omdat je vader een zak is, die de hele tijd tegen je heeft gelogen, zijn alle mannen zo, en daarom loop je weg, zoals je ook nu weer wegloopt. En je laat overal een puinhoop achter. Maar dat zal je hier niet lukken, want ik weet precies wat ik aan Lucien heb en jij krijgt mij niet kapot.'

Het is alsof ze me een klap in het gezicht heeft gegeven. Nee, flink wat klappen tegelijk. Dat ik zo doortrapt zou zijn dat ik haar vriend... 'Maar dat is toch absurd?' zeg ik hard, 'Anna, jij weet toch best dat ik zoiets nooit zou doen...'

'O ja, weet ik dat? Hoe zou ik dat moeten weten?' Haar groene ogen fonkelen van woede.

'Jij komt hier alleen maar ellende brengen,' valt ze uit. 'Sinds jij hier bent, doet Victor niks anders dan vragen wanneer we eindelijk zijn echte papa gaan zoeken. Wij waren een gezin, voor jij hier kwam, begrijp je dat? En nu heb jij alles stukje bij beetje kapotgemaakt.'

'Nee,' zeg ik, en ik weet dat het geen zin heeft. 'Nee, Anna, dat is wel heel erg vergezocht.' Maar nu begrijp ik ineens waarom ze me vroeg wat ik van haar vriend vond. Omdat zij de hele tijd al doorhad dat er iets aan de hand was. Alleen schuift ze nu de verkeerde de schuld in de schoenen, en ik begrijp ook waarom ze dat doet. Het is gemakkelijker, het is praktischer, want mij kan ze uit haar leven zetten en vergeten, dat is haar per slot van rekening al een keer eerder gelukt. Maar ze zal er niets aan hebben. 'Luister goed, Anna,' zeg ik, 'ik begrijp dat jij graag de schuld voor wat er scheef zit tussen jullie op mij wilt schuiven. En als jij je daar beter door voelt, dan is dat niet anders, maar ik wil dat je één ding goed begrijpt voor het geval je er ooit ééns achter komt dat je je vandaag hebt vergist...'

'Ach, donder toch op met die praatjes,' schreeuwt Anna. 'Het was een grote fout om onze vriendschap nieuw leven in te blazen. Wat kan ik er nou aan doen dat jij tussen mummies en sarcofagen bent opgegroeid. Daarom hoef jij nog niet meteen overal waar je ook maar een klein beetje leven aantreft alles in een kerkhof te veranderen.'

Mijn kaakgewrichten knarsen, zo hard bijt ik mijn kiezen op elkaar. Onwillekeurig sta ik op. Ik moet me hier niet laten beledigen, denk ik, maar het is al te laat, de klap is uitgedeeld. Ik staar naar een voorwerp dat op tafel staat. Het is een waterkan van blauw glas die ik Anna cadeau heb gedaan. We hadden hem samen in een etalage ontdekt, en Anna was er meteen verliefd op, maar ze kon hem zelf niet betalen...

Alleen de mensen die heel dichtbij je staan kunnen je zo diep kwetsen, denk ik, maar die gedachte helpt niet. Dit doet zo'n pijn, mijn gezicht lijkt wel in brand te staan, en mijn ogen, alles...

'Moet je nou eens naar jezelf kijken,' gaat Anna verder, 'zelfs nu kun je nog geen emoties tonen.' Dan hef ik mijn hand, alsof ik haar wil afweren, alsof ik haar het zwijgen kan opleggen, en dan komt tot overmaat van ramp ook Lucien nog binnen. Hij kijkt me minachtend aan, legt nonchalant zijn arm om Anna heen en zegt: 'Zo, hebben de vriendinnen een beetje ruzie?'

Er ontvlamt ineens een enorme woede in me tegenover die vent die een halfuur geleden nog aan mijn haar trok dat ik er nog pijn in mijn hoofd van heb. Ik spring op, pak de waterkan en gooi de inhoud ervan in één beweging in zijn walgelijke gezicht. Anna krijst, en met een knal spat de kan op de stenen vloer uiteen. Blauw glinsterende splinters dansen door de keuken.

'Scherven brengen geluk,' zegt een stem. Het is de mijne. 'Nou, ik wens jullie allebei alle geluk toe.' En dan loop ik zonder nog een woord te zeggen weg, als verdoofd, als een marionet die van veraf wordt bestuurd. Ik loop langs Anna, die haar hand voor haar mond slaat, en ik loop langs Lucien, wiens gezicht druipt van het water. Ik loop de gang door, langs Anna's glimlachende fotogezichten, bevroren geluksmomenten of hoe je dat ook noemt, en onder de trap door, de deur uit. De zon schijnt, de lucht is blauw, en het zal me allemaal een rotzorg zijn.

Gelukkig ken ik de bochten op mijn duimpje. Gelukkig heb ik vanochtend mijn tank volgegooid. Gelukkig heb ik Claudes tuinproject nog kunnen afronden. En dan begin ik op mijn stuur te slaan, en het verwondert me dat het zelfs niet een klein beetje pijn doet. Het is net of alle pijn vanbinnen zit. Mijn gezicht vertrekt tot een grimas. Gelukkig kan ik me zo goed beheersen. En dan zie ik de scherven weer dansen, en hoor ik de knal, als een explosie. Ik hoor Anna's stem: 'Daarom hoef jij nog niet meteen overal waar je ook maar een klein beetje leven aantreft alles in een kerkhof te veranderen.' En ineens ben ik weer een jaar of tien, elf, en sta ik in een hoek van het schoolplein, een hoopje ellende. Wat is er aan de hand, vraagt onze juf. Wat is er gebeurd, Caroline? Maar ik kan niet praten, mijn mond, mijn gezicht, mijn hele lichaam zijn verkrampt. Ze is mijn vriendin niet meer, want ze heeft aan de andere kinderen het geheim verklapt. En nu beginnen ze me uit te jouwen zodra ze me in de smiezen krijgen: *Carolines moeder is een mummie onder glas*. Het was toch Anna die dat gemene liedje had verzonnen?

'Maar we zijn volwassen,' zeg ik voor me uit. En dan komt dat ook weer bij me boven. Dat ik als kind niets liever wilde dan volwassen te zijn, omdat ik dan namelijk niemand meer nodig zou hebben. Mijn vader niet, Anna niet, zelfs oma niet, mijn moeder al helemaal niet, gewoon helemaal niemand. Want wie volwassen is, heeft genoeg aan zichzelf.

's Avonds rijd ik vlak voor de Spaanse grens een camping op. Ik weet maar al te goed dat ik vannacht op deze plek geen oog dicht zal doen.

Ik zoek een plekje opzij, heb geen honger en geen zin om contact te zoeken met andere mensen. Ik zit lang te staren naar de kaart van het Iberisch schiereiland. 'Nee,' zeg ik luid en duidelijk voor me uit. 'Santiago de Compostela ligt echt totaal niet op mijn route.'

Om negen uur lig ik in mijn slaapzak en staar ik naar het plafond van mijn bestelwagen. Buiten klinken de zomerse geluiden van kampeerders, het gekletter van kampeerservies, het huilen van kinderen die geen zin hebben om naar bed te gaan, het klaterende lachen van volwassenen, allemaal stelletjes, het sissen van gaslampen, het knallen van kurken, liefdesgeluiden. Ik heb me nog nooit zo eenzaam gevoeld. Een camping is een oord voor samenzijn. Morgen zoek ik een plek waar ik alleen kan zijn.

Maar waarom? Waarom zou ik rondzwerven als een eenzame wolvin? Waarom zou ik niet naar Santiago rijden, en op zaterdag naar de kathedraal gaan? Wat maakt dat nou uit? 'Geen sprake van,' zeg ik hardop. En dan draai ik me op mijn andere zij.

Ik lig lang wakker, zelfs nog als de vakantievierders die het langst opbleven in slaap zijn gevallen en alleen de krekels het tentenkamp van geluid voorzien. Mijn gedachten dwalen weer af naar Anna. Hoe kan ze nu toch zo slecht over mij denken? En ik kan mezelf nog zo vaak voorhouden dat het gemakkelijker is om een vriendin te verstoten dan in te zien dat je eigen wereld in duigen valt. Dat het gemakkelijker is om een vriendin van een leugen te betichten dan in te zien dat je man van wie je houdt een vuil spelletje speelt – maar wat vandaag gebeurd is, had niet mogen gebeuren.

Wat nu als ze gelijk heeft? Het is diep in de nacht als deze gedachte zich uiteindelijk aan me opdringt. Ben ik verbitterd en verwacht ik alleen slechte dingen van mannen? Ben ik zo iemand die in feite alleen het geluk van anderen kapot wil maken? Maar ik weet heel zeker dat Anna vannacht ook geen oog dichtdoet. Dat ze naar Luciens regelmatige ademhaling luistert en zich afvraagt of ze hem kan vertrouwen, of hij wel de waarheid zegt. De twijfel is gezaaid en zal vruchten afwerpen, ooit zal ook zij inzien dat... ach wat, Caroline, wat gaat jou dat eigenlijk aan? Het was stom om naar Anna toe te gaan, dat is alles. Men moet oude vriendschappen laten rusten. Er komt nooit meer iets van.

En dan dwalen mijn gedachten verder naar Gregor, die zeker ligt te slapen, zoals alleen mannen dat klaarspelen. Fred in elk geval wel, die sliep altijd, ook als ik naast hem lag te piekeren. Zou Gregor anders zijn? En dan glijden mijn gedachten af naar mijn vader, voor het eerst sinds lange tijd. Ik zie hem zitten in zijn leren stoel, ineengedoken, zijn glas whisky op de armleuning. Hij denkt aan mij, misschien zelfs wel precies op dit ogenblik. Er gaat waarschijnlijk geen avond voorbij dat hij niet aan me denkt, met uitzondering van de avonden die hij doorbrengt met een of andere studente, als hij dat tegenwoordig nog steeds doet. Ik bedenk dat ik niets over hem weet. Mijn vader heeft zijn leven zo zorgvuldig voor mij verborgen weten te houden dat ik geen idee heb wat er in hem omgaat en wat hem, los van zijn dochter die sinds kort zo opstandig is geworden, beweegt. En dan, terwijl ik toch nog in een lichte slaap wegzink, hoor ik oma's stem. 'Het leven gaat nu eenmaal niet over rozen,' zegt ze. En dan hoor ik haar lachen. 'Als jij niet weet wat je moet doen,' zegt ze, 'vraag het dan aan je grote teen, want die weet altijd waar je naartoe moet.' En in mijn halfslaap moet ik lachen. Dat is typische weer zo'n oma-uitspraak. Aan je grote teen vragen waar je naartoe moet...

De volgende ochtend steek ik de grens over. San Sebastian, Burgos, Madrid, zo luidt mijn route. Spanje verrast me. Hier, in het weidse gebergte van Cantabrië en in dit ruige landschap valt de spanning van me af. Gebeurtenissen en beelden van de afgelopen weken trekken aan me voorbij. Dat ik zo lang in vreemde tuinen heb kunnen wroeten, terwijl de wereld zo groot en wijd is en ik er nog maar zo weinig van heb gezien. Huiverend denk ik aan het huis op de noordkant van de Pyreneeën, aan dat bergdorp waar ik vastzat zoals die man in dat sprookje die op de Elfenberg belandt en niet merkt hoe de tijd verglijdt.

Ik gebruik een middag om een berg op te lopen, verbaas me over de wilde tuinen die de natuur zelf heeft aangelegd, en prent de verhoudingen tussen steen, water en planten in. Een nacht breng ik door in het dal. Ik overwin mijn angst. Je kunt het, denk ik kort voor het inslapen. Je hebt niemand nodig. En door mijn droom zwerft een wolvin, die vanaf de rotsen de wacht houdt over het dal. Ik zie haar ogen, die zo oud zijn als de wereld. De volgende ochtend verbaast het me zelfs dat ik haar nergens zie.

En dan ben ik weer onderweg. Twee keer houd ik een rustpauze, loop een paar passen, ontmoet wat wandelaars die me toeknikken. En pas tegen de avond, als de zon recht voor me in een koperkleurige wolkenpartij verdwijnt, en rechts van me de zee zichtbaar wordt, begin ik me te verbazen. Ik dacht dat ik honderden kilometers bij de kust vandaan was! Ik wist toch zeker dat ik naar het zuiden op weg was. In plaats daarvan ben ik kennelijk al uren in westelijke richting aan het rijden.

Ik parkeer mijn auto en bestudeer de kaart. Ik zoek de namen van de afslagen. Ik heb de splitsing voorbij Madrid gemist. Al heel lang geleden. Ook Santander ligt al een flink eind achter me. Ik bevind me nu op de directe route naar Santiago de Compostela.

In een vissersdorp in de buurt van Gijón gun ik mezelf een avondmaal. Terwijl ik mijn bord met gegrilde vis verorber, vraag ik me af wat ik nu zal doen. Maar na het toetje ben ik er nog steeds niet uit. Bij het afrekenen besluit ik om een munt op te gooien. Wordt het munt, dan rijd ik terug en ga dan door naar Portugal, wordt het kop, dan ga ik naar Santiago. De eerste keer dat ik de munt opgooi, rolt hij van tafel en blijft hij met de muntkant omhoog op de tegelvloer liggen. Dat telt niet, denk ik, en ik gooi hem voor een tweede keer op. Het profiel van de Spaanse koning. Toch kom ik maar niet los van het gevoel dat het lot mij deze beslissing niet wil afnemen.

Bij een wandeling over het strand staat er een straffe westenwind. Het loopt moeizaam want mijn gympen zakken met elke pas dieper weg in het zand. Het ruikt hier naar algen en naar zeewier, naar rotte vis en naar riolering. Een grote maan kruipt langs de horizon.

In de luwte van een rots ga ik op een steen zitten en ik probeer naar mezelf te luisteren. Wat wil je nu eigenlijk, vraag ik me af. En ik hoor Gregors stem, als een echo: *Ik mis je.* Ja. Ik mis hem ook. Sinds we in Brest uit elkaar zijn gegaan, mis ik hem al, of nee, eigenlijk al sinds die laatste ochtend in het pension, sinds het ontbijt. Weer doemt dat gereserveerde gezicht voor me op. Zijn ogen die me niet aan willen kijken, alsof hij spijt had zich met me te hebben ingelaten. Zijn hand die zich terugtrekt. Duizend keer heb ik dit moment al opnieuw beleefd, en heb ik de dolk nog dieper in mijn hart geboord. Ik heb deze wond zelf in stand gehouden en zelfs gekoesterd alsof ik genoegen schepte in de zelfkwelling. Maar nu valt me ook een andere herinnering in, de herinnering aan onze liefdesnacht, zijn handen, zijn adem, de aanraking van zijn lichaam. Nee, Anna heeft ongelijk. Ik zit niet vol met mannenhaat, dat is de grootste onzin die ik ooit heb gehoord. Als ik wil kan ik best een ander mens toelaten, want dat wat ik het liefst zou willen is toch juist een ander vinden die evenveel van mij houdt als ik van hem? Iemand op wie ik kan vertrouwen, iemand die niet tegen me liegt, die het goed met me voorheeft. Wie weet is Gregor wel de ware, maar om daar achter te komen moet ik hem wel een kans geven. En daarmee is het besluit eigenlijk al genomen. In feite had ik het allang besloten. Het besluit viel toen ik de afslag na Madrid miste zonder het te merken. Nee, al eerder, toen ik Anna's huis verliet, of nog eerder, toen ik Gregors stem aan de telefoon hoorde, toen was de zaak in feite al beklonken. Alleen die vervloekte trots van me deed de hele tijd net alsof het absoluut uitgesloten was. En nu is het vrijdagavond. Ik moet slapen en uitrusten, want morgen moet ik nog een stuk rijden en ik heb een afspraak, 's middags om drie uur bij de hoofdingang van de kathedraal.

En dan voelt alles ineens licht. De westenwind stoort me niet meer, en het zand voelt zacht en meegaand onder mijn voetzolen. En de zee ruikt naar avontuur en leven. Deze nacht slaap ik diep en droomloos.

Hoofdstuk 19

Waarin Gregor een pelgrim treft en er zelf ook eentje wordt

Ze zei dat ze niet komt.

Karl May kijkt me aan alsof hij wel beter weet. Het is niet ver naar de kaap, die men het einde van de wereld noemt. In het tot hotel omgebouwde weerstation bij de vuurtoren nemen wij de laatste vrije kamer. Die heeft een raam op het oosten, eentje op het noorden en een derde op het zuiden.

Ik gun mezelf een bad, en dan bekijk ik de plek eens goed. Er heeft zich een menigte mensen om het weerstation verzameld. Ze staan allemaal te wachten op de zonsondergang. Als een veld vol zonnebloemen houden zij hun gezichten allemaal omhoog naar de zinkende zon. Op de rotsen onder de vuurtoren brandt bij de sokkel van een stenen kruis een kampvuur, en de wind waait gitaarakkoorden en gezang naar mij omhoog. Wandelaars met uitgesneden wandelstokken, dragen sint-jakobsschelpen als hangers om hun hals of aan hun rugzak. Sommigen dragen ze ook aan hun hoed. Velen hebben hun schoenen uitgetrokken en strekken hun met pleisters bedekte voeten uit in de wind. Menigeen doet elkaar een schoon verband om de voeten. Het leven van een pelgrim gaat niet over rozen, denk ik.

Er loopt er eentje op blote voeten naar het vuur. Ik struikel bijna over zijn wandelschoenen. Hij spreekt me aan. Ik geef geen antwoord maar loop door. Ik vind ze een beetje eng, deze mensen die liederen zingen en die provisorische slaapplekken inrichten op nog geen honderd meter van mijn hotelkamer. Dan klinkt het van 'ah' en 'o' en de zon is verdwenen, weggedoken achter een wolkenpartij zonder zijn bewonderaars een kleurrijk schouwspel te gunnen. Het drukt de pret van de pelgrims allerminst. Die zingen gewoon door, lachen, en veel van hen beginnen om het vuur te dansen. Ze zijn hun lijden al vergeten, ze hebben de hele tocht volbracht, en terwijl ik terugloop naar het weerstation merk ik dat ik niet anders kan dan hen een beetje te benijden.

Op dit moment ontwaakt het oog van de vuurtoren, eerst nog ongemerkt omdat hij zijn straal in de schemering werpt waar die nauwelijks tegen het laatste zonlicht afsteekt. Maar hoe meer het donker zich meester maakt van land en zee, des te feller lijkt de lantaarn te stralen. Ik tel zeven seconden en dan heeft de straal zijn rondje volbracht.

'Ga je naar Santiago?' vraagt de man van het kampvuur me twee uur later aan de bar van het restaurant. Ik heb gegeten en drink hier nu nog een biertje. Ik kijk hem aan. Hij heeft een bruin verweerd gezicht waarin wakkere ogen staan. Tussen zijn wenkbrauwen heeft hij een tatoeage, niet groter dan een vogeloog. Het zijn verstrengelde lijntjes die samen een knoop vormen. Hij is misschien even oud als ik, zo rond de dertig.

'Misschien,' zeg ik.

'Mag ik meerijden?'

'Nee.'

Hij lacht. Dan gaat hij op de barkruk naast de mijne zitten.

'Die is goed,' zegt hij uiteindelijk. 'Ik ben al drie maanden onderweg, tweeënhalfduizend kilometer, te voet, en de eerste die ik vraag of hij mij een lift kan geven zegt nog nee ook.'

Karl May begint te grommen. Ik kalmeer hem, drink mijn glas leeg en denk hier eens rustig over na. Ik kijk de man nog eens aan. 'Tweeënhalfduizend kilometer,' zeg ik aarzelend.

'Tweeduizendzeshonderdtwaalf om precies te zijn. Kijk,'

zegt hij, en hij knalt zijn wandelschoenen, die hij in zijn hand vasthoudt, op de bar. 'Toen ik van huis vertrok, waren deze nieuw.'

Van de zolen is niet veel meer over. Op twee plekken is het rubber helemaal versleten.

'Thuis?' vraag ik, 'waar is dat dan?'

'Freiburg,' zegt hij.

'Dus je bent helemaal van Freiburg naar hier komen lopen?'

Hij knikt. En hij ziet er ineens heel moe uit. Alsof zijn laatste restje energie uit hem wordt gezogen.

'Ik wil je graag een biertje aanbieden,' zeg ik. 'En als je honger hebt, dan wil ik je ook graag op een maaltijd trakteren. Maar ik neem je niet mee naar Santiago, want ik ben nu eenmaal liever alleen onderweg. Hier zijn zoveel mensen die naar Santiago rijden, je vindt vast wel een lift.'

En dan bestel ik het biertje en een half haantje dat hij gretig en dankbaar opeet. Na een poosje trek ik me terug en later in bed vraag ik me af hoe iemand in vredesnaam op de gedachte komt om van Freiburg helemaal naar Galicië te lopen. Dat had ik hem nog moeten vragen. Dan val ik in slaap, zwerf in mijn droom door oneindige landschappen op weg naar het licht van een vuurtoren dat me verblindt, en dan word ik wakker omdat ik werkelijk door de vuurtoren word verblindt. Om de zeven seconden stuurt hij zijn lichtbundel mijn kamer door naar mijn gezicht, en als ik opsta om de luiken dicht te doen, raakt mijn vinger bekneld en ben ik klaarwakker.

Hoewel de vuurtoren me nu niet meer stoort, kan ik de slaap niet vatten. Over drie dagen zie ik Caroline weer. Ik voel haar warmte alsof ze er al is. Ik woel wat in bed maar uiteindelijk knip ik een lamp aan en blader wat in mijn reisgids. Nog drie dagen. Wat moet ik al die tijd doen? Waarom heb ik niet vrijdag gezegd? Of donderdag?

Doe maar kalm aan, zeg ik hardop tegen mezelf. En ik maak een plan voor de drie komende dagen.

Als ik de volgende ochtend in de auto wil stappen, staat de pelgrim uit Freiburg voor mijn neus.

'Er reed niemand naar Santiago,' zegt hij.

Ik slaak een zucht.

'Goed dan,' zeg ik, 'stap maar in. Maar ik rijd niet meteen naar Santiago. Ik maak eerst nog een uitstapje naar het schiereiland Barbanza, naar de duinen van Corrubedo.'

'Ook goed,' zegt de man, en hij gooit zijn rugzak in de kofferbak.

'Hoe heet je eigenlijk?' vraag ik hem als we de Kaap achter ons laten.

'Paolo. Eigenlijk is het Paul, maar je mag me Paolo noemen.'

Ik moet een grijns onderdrukken.

Paolo maakt het zich gemakkelijk in de passagiersstoel en zegt: 'We kunnen het beste de kustweg nemen, richting Muros.'

Dat begint al goed, denk ik, hij bemoeit zich nu al met de route.

We rijden langs de baai van Corbución en arriveren op de zuidelijke oever. Aan de andere kant van het water van de baai herken ik rechts van ons, slank als een meisjesvinger, de Cabo de Finisterre aan de spits van de vuurtoren. We rijden zwijgend door. Paolo heeft wel door dat ik geen zin heb om te praten. Pas als we in een vissersplaatsje een groep pelgrims laten oversteken en Paolo naar hen omkijkt, vraag ik: 'Hoe komt iemand uit Freiburg erbij om naar deze verre uithoek van Spanje te wandelen?'

Na ons zwijgen klinkt deze zin overdreven betekenisvol. Paolo kijkt me verbaasd aan. Dan kijkt hij naar een groepje van vijf achterblijvers dat aansluiting probeert te krijgen bij de groep pelgrims.

'Ik wandel nu eenmaal graag,' zegt hij na een poosje.

'Ik ook,' zeg ik, 'maar dat is toch nog geen reden om het Jacobspad te lopen?'

Paolo haalt zijn schouders op. Hij kijkt uit het raam, over de baai naar de vuurtoren van Finisterre, die nu nog maar zo groot is als een speldenknop. 'Hoe ik erbij kwam?' zegt hij ten slotte. 'Geen idee. Mijn vriendin is niet bij me weggelopen en ik ben mijn baan niet kwijt en ik heb ook geen ziekte overwonnen, als je soms zoiets wilt horen.'

'Laat maar,' zeg ik. 'Het is jouw zaak.'

'Prima,' zegt hij.

Waarom erger ik me? Is het de toon die Paolo aanslaat? Of geloofde ik inderdaad dat ik recht had om zijn verhaal te horen, omdat ik hem een lift geef? Ik weet toch al hoe de vork in de steel zit, want ik ken dit soort mensen, die alles maar laten gebeuren en die als vanzelfsprekend op de hulp van anderen vertrouwen. Die verwachten dat iemand hun eten betaalt en hun een lift aanbiedt zonder dat daar enige tegenprestatie tegenover hoeft te staan. Ik heb me de afgelopen tijd met succes verre van dit soort mensen kunnen houden, en deze hier zal ik ook vlug van me afschudden.

En dan zwijgen we verder tot Muros, waar ik de auto parkeer, om wat te lunchen. Paolo haalt zijn rugzak uit de auto.

'Ik ga eens even kijken of ik hier iemand vind die direct naar Santiago rijdt. Als dat niet lukt, dan wacht ik hier op je.'

Ik knik, en haal opgelucht adem. Hij zal hier ongetwijfeld iemand vinden.

Ik eet in alle rust onder een booggewelf dat uitkijkt over een plein. Ik krijg met grof zeezout bestrooide geroosterde paprika, venusschelpen die zo vers zijn dat ze bijna smelten op de tong, vis van de gril met knoflooksaus. Op het plein zijn wat kinderen die om een waterpomp rennen die een stenen wangedrocht bekroont.

Zo tevreden ben ik al een hele poos niet meer geweest.

Na het eten maak ik een wandeling door de stad. Ik loop langs een kerk en op het plein ervoor verheft zich, net als in Finisterre, een stenen kruis op een sokkel. Ik loop het kerkportaal door en word eerst bijna verblind, maar herken dan een waterbekken waar ik mijn hand in steek. Heinrich en ik zijn een poosje misdienaar geweest, maar toen mijn moeder dat aan kennissen vertelde, waren er ineens mensen die alleen maar naar de mis gingen om de tweeling te zien bij het uitoefenen van hun heilige ambt. Toen wilde ik niet meer, maar Heinrich, die opportunist, bleef de diensten doen, waarmee hij bij mijn moeder flink in het gevlij kwam...

Geschrokken trek ik mijn hand terug. Met mijn hand heb ik de kop van een slang aangeraakt. Echt waar, in het waterbekken ligt een opgerolde slang. Die ligt daar al eeuwen op wacht, want de beeldhouwer heeft haar samen met het bekken uitgehouwen. Waarom eigenlijk, vraag ik me af. Is de slang niet van oudsher het symbool van de verleiding door het kwaad?

Buiten lokt me een kruidige geur die uit een steegje komt. De geur komt van een bakkerij.

'Empanadas,' zegt de bakkersvrouw en ze geeft me er eentje om te proeven. Ik laat een groot stuk van haar vispastei inpakken. En dan loop ik terug naar de parkeerplaats.

Paolo staat naast de auto te wachten.

'Dus je hebt niemand kunnen vinden?' vraag ik.

Paolo hoort niet dat ik daarover niet al te enthousiast ben. Zijn ogen glinsteren in de zon.

'Ik heb er nog eens over nagedacht,' zegt hij. 'Dit is een mooie gelegenheid om de duinen te bezoeken. Wie weet wanneer ik die kans weer krijg.'

Zonder iets te zeggen doe ik het portier open. En ik zwijg als we Muros uit rijden en langs de Ria naar het westen rijden.

Paolo ademt luidruchtig de geur in die uit het pakje van de bakkerij komt.

'Wat is dat?' vraagt hij.

Hij heeft ongetwijfeld honger.

'Een empanada,' zeg ik. 'Heb je niet gegeten?'

Paolo schudt zijn hoofd.

'Geen geld meer,' zegt hij vrijmoedig. Ik werp een blik op hem. Hij lijkt er totaal niet mee te zitten.

'Goed dan, neem hem maar.'

In een oogwenk is het enorme stuk pastei verzwolgen. In

mijn achteruitkijkspiegel kijk ik hoe Paolo de etensresten met zijn tong van zijn tanden haalt. Ik kan mijn weerzin nauwelijks bedwingen. Hij had me op zijn minst kunnen bedanken, denk ik, en dan moet ik om mezelf lachen. Ik lijk mijn moeder wel. *Nou het is toch zo?* hoor ik haar in mijn hoofd antwoorden, *je geeft die knaap te eten en er kan nog geen dankjewel vanaf.*

Eigen schuld, zeg ik tegen mezelf. *Je had hem moeten laten staan. En als je dat niet in Finisterre had gedaan, dan in elk geval in Muros. Zulke stommiteiten zou je vroeger nooit begaan, Gregor Beer. Ik vraag me af wat er met je aan de hand is.*

Over de duinen van Corrubedo liggen lange houten paden. Paolo loopt voor me uit. In de auto heeft hij zijn schoenen uitgetrokken, dus kon ik zijn voeten zien. Geen spoor van blaren of korstjes van wonden, nog niet eens een spoortje van beknelling. Dat zijn niet de voeten van een pelgrim die tweeënhalfduizend kilometer te voet is gegaan. Nee. Er klopt hier iets niet. Als ik de laatste heuvel heb bereikt en de Atlantische Oceaan voor me ligt zie ik hem met Karl May bij de branding. Paolo staat stil en kijkt uit over het water terwijl Karl May langs het strand loopt en tegen de golven blaft.

Dan trekt Paolo zijn kleren uit en stort zich poedelnaakt in de baren. Hij juicht, huppelt door het water en steekt zijn armen in de lucht. Karl May blaft als een dolle en ik kan zien dat hij serieus overweegt om achter Paolo aan te springen om hem te redden.

Ik fluit naar hem op mijn vingers. Karl May spitst de oren en komt naar me toe, terwijl hij bezorgd achteromkijkt naar Paolo. 'Het is al goed,' stel ik hem gerust. 'Die verdrinkt niet, die valse pelgrim. En als hij wel verdrinkt, dan is dat zijn eigen zaak.'

Er komt een gezin het strand op lopen. Om de zoveel passen bukken de kinderen, pakken iets op, en gooien het weer weg of geven het aan de vader, die een plastic tas draagt die al zwaar is van de vondsten. Een wonder dat er überhaupt nog stenen en schelpen op stranden te vinden zijn, want er loopt hier niemand die niet zo'n zoekende blik krijgt, speurend naar een steen of de toverschelp die de zee speciaal en alleen voor hen heeft voorbestemd.

Ook hier werpt de zee op een bepaalde plek met elke golf een handvol nieuw speelgoed voor de mensen aan land. Ik hoor van hier het kletterende geluid waarmee de zee de stenen en de schelpen met elkaar vermengt.

We zijn één keertje met z'n allen naar Italië geweest, mijn ouders, Heinrich en ik. Daar verbleven we twee weken in een pension aan de Rivièra. Heinrich en ik brachten de meeste tijd door met het bouwen van zandkastelen. Ik construeerde enorm complexe bouwsels en Heinrich sleepte met emmers water of zocht schelpen om de bouwwerken op mijn aanwijzing mee te versieren. Voor het eerst in mijn leven bedenk ik dat Heinrich misschien wel onder mij heeft geleden. Vol schaamte herinner ik me dat ik hem een keer de schep zo verbitterd uit de hand heb geslagen, omdat hij het in zijn hoofd had gehaald dat hij zelfstandig mee kon bouwen, dat zijn onderarm later onder de blauwe plekken zat. Dat mijn moeder mij toen de mantel uitveegde, kon me niks schelen. Maar ik herinner me heel goed de tranen in Heinrichs ogen, en de kleine witte knokkels, omdat hij zijn vuisten met uiterste krachtsinspanning gebald hield, alsof zijn leven ervan afhing...

Paolo komt het water uit, en werpt zich in zijn blootje naast zijn spullen op het strand. Die sleept straks een hele bende zand mijn auto in, net als Karl May. Maar ja, wat maakt dat uit, ik heb die auto toch niet zo lang meer nodig. Vooropgesteld dat ze komt. Ja. Vooropgesteld dat ze komt. Vrouwen doorzie ik in zoverre dat ik weet hoe onberekenbaar ze kunnen zijn.

Ik ga op een steen zitten en van de zee is nu alleen nog een smalle donkerblauwe streep boven het beige van de duinen te zien. Daarboven staat een stralende hemel. Ik trek mijn schoenen en sokken uit. Er komt een wit veertje aanzweven, dat voor mijn linkerschoen gaat liggen, waarna een windvlaag het weer optilt en verder blaast.

Dit zou een mooie gelegenheid zijn om die bedrieger te lozen. Ik leg zijn rugzak op de parkeerplaats en voor hij het doorheeft, ben ik allang vertrokken. Maar ik blijf zitten. Zo ben ik niet.

Er valt een schaduw over me heen. Het is Paolo. Ik zie zijn smetteloze voeten voor me in het zand.

'Ik heb zitten denken,' zeg ik zonder op te kijken. 'Je moet hier iemand anders zoeken. Onze wegen scheiden hier.'

'Waarom?' vraagt hij.

Ik ben jou geen rekenschap verschuldigd, wil ik eigenlijk zeggen, maar ik bedenk me. 'Omdat jij een bedrieger bent, Paolo. Jij hebt helemaal geen pelgrimstocht gemaakt.'

Een tijdlang hoor ik alleen het kolkende geluid van de zee die stenen en schelpen door elkaar woelt.

'Hoe komt je daarbij?' wil Paolo weten.

'Je voeten,' zeg ik. 'Het Jakobspad is een zware route. Maar jij hebt nog niet het minste blaartje.

Paolo zwijgt. Geen enkele reactie.

'Nou goed,' zegt hij dan, 'je hebt ook gelijk. Het is beter dat onze wegen scheiden.'

Dan loopt hij richting parkeerplaats. Onbekommerd springt en speelt hij met Karl May, alsof ik hem net geen bedrieger heb genoemd, en ik denk: mooi, van deze clown ben ik af. Je moet de mensen laten zien dat ze je niet in de maling kunnen nemen.

Op de parkeerplaats stapt het gezin in een minivan en rijdt weg. Mijn auto staat eenzaam op de enorme vlakte. Ik doe hem open en open de kofferbak, zodat Paolo zijn rugzak eruit kan halen, en leg mijn schoenen met mijn sokken bij de bestuurdersstoel, en hang mijn colbertje keurig achterin. Paolo maakt geen aanstalten te verdwijnen.

'Waar wacht je op?' vraag ik.

'Je hebt me verkeerd ingeschat,' zegt hij. Zijn ogen glinsteren. En dan gaat alles ineens heel snel. Paolo grist de autosleutel uit mijn hand, en slaat zo hard tegen mijn onderarm dat ik het uitschreeuw. De sleutel blinkt in Paolo's hand, en ik ben zo perplex dat ik zijn truc niet eens kan afweren. Het is een judo- of karategreep, geen idee, in elk geval lig ik in no time als een tor op mijn rug. Karl May danst om ons heen alsof het een spelletje is, en ik hoor Paolo zeggen: 'Nu kun je er zelf eens achter komen hoe het is om een echte pelgrim te zijn.' Er vliegt iets hards om mijn oren, maar voor ik me op kan richten, zit Paolo in de auto, met gierende motor. Er stuift een stofwolk op en hij scheurt weg.

'Hé!' schreeuw ik, en ik loop op blote voeten achter hem aan. 'Kom terug, nu!'

Karl May begint te blaffen zoals hij nog nooit heeft geblaft, en hij jaagt als een dolle achter de auto aan en weer terug, en dan voel ik een vurige pijn in mijn linkervoet en ik dans van de ene voet op de andere, waarbij ik mijn evenwicht verlies en op mijn achterste val. Dan draait mijn huurwagen de bocht om en is verdwenen.

Ik kijk om me heen. Niemand. Het is een veel te grote parkeerplaats voor een stroom toeristen die vandaag niet meer komt. Alle vloeken die ik ooit in mijn leven heb gehoord rollen vloeiend over mijn lippen. Ik kijk eens wat beter naar mijn voetzool. Het is een scherf. Ik ben er met de bal van mijn voet in getrapt en ineens ben ik weer elf, op de middag van het duikexamen waar ik niet bij kan zijn, omdat ik met mijn voet in een scherf ben gestapt. Zo diep dat zelfs mijn moeder hem er niet uitkrijgt met een pincet en een vergrootglas. Daar gaat mijn droom en de anderen rijden naar het meertje, terwijl ik naar het ziekenhuis moet…

'Ik moet naar Santiago!' brul ik. 'Kom onmiddellijk terug!' Er vliegen een paar meeuwen op, die boven mijn hoofd beginnen te cirkelen en een gekrijs laten horen dat veel wegheeft van een spottend lachen.

Deze scherf zit niet diep. Ik trek hem eruit en hoop dat er geen splinter in de wond achterblijft. Er druppelt bloed uit de snee. Daar waar net mijn auto nog stond liggen nu twee voorwerpen op het asfalt. Ik strompel terug. Het zijn Paolo's wandelschoenen. Die met de afgetrapte zolen. Ik pak de oude stappers op en slinger ze de duinen in, zo ver als ik maar kan. Maar bezin ik me.

'Dit kan niet waar zijn,' zeg ik tegen Karl May. 'Hij maakt een grap. Een nogal beroerde grap. Over een halfuur komt hij weer terug en dan verwacht hij dat ik erom kan lachen. Maar dat kan hij dus wel vergeten.'

Ik ga op een hoop zand aan de rand van de parkeerplaats zitten. Karl May gaat naast me liggen en kijkt me onzeker aan. 'Jij bent ook een mooie,' zeg ik. 'Die schoft luist me er in en wat doe jij?'

Maar hoe had die hond dat ook moeten weten? Hoe had die moeten weten dat het spelletje ernst werd. Het ene moment gaat alles prima en het volgende moment ben je je auto kwijt.

De auto? Ik grijp naar mijn broekzakken. Een paar munten, twee euro vijfenzestig. Het wisselgeld van de bakker. Al het andere ligt in de auto. Alles. Mobiele telefoon. Creditcard. Niet weer, kreun ik, en ik verberg mijn gezicht in mijn handen. 'Karl May, als die ploert niet terugkomt, is het met ons gedaan.'

Maar hij komt niet terug. Na tweeënveertig minuten staat dat wel vast. Na vierennegentig minuten is het me duidelijk dat ik iets moet ondernemen als ik niet in de duinen wil overnachten. De snee in mijn voetzool brandt. De zon staat laag, en de muggen bestoken me van alle kanten.

'We moeten hier weg,' zeg ik tegen Karl May. 'Het is tien voor zeven. Maar op blote voeten kom ik niet ver.' Berouwvol loop ik rond in het duin, op zoek naar Paolo's schoenen. Als ik die eindelijk vind, is de zon ondergegaan. Vol weerzin steek ik mijn voeten erin. Het idee dat ik met Paolo's zweet in contact kom is ronduit walgelijk. Ik loop een paar stappen, ze passen, en een grenzeloze woede komt bij me boven. *Nu kun je er zelf eens achter komen hoe het is om een echte pelgrim te zijn,* klinkt Paolo's hatelijke stem in mijn oren en ik voel noch mijn vermoeidheid noch de pijn in mijn voeten. Ik krijg jou wel te pakken, denk ik, en ik klem mijn kaken op elkaar, hoe haal je het in je hoofd… en zo steek ik de parkeerplaats over, sla ik de weg naar het achterland van de duinen in. Een paar kilometer verderop moet een dorp zijn, herinner ik me, daar regel ik een auto, en dan zie ik wel weer. Maar een paar kilometer is niks als je in de auto zit, terwijl het te voet tegenvalt. Onverhoeds valt de duisternis. Ik loop langs de provinciale weg, en Karl May sjokt achter me aan. Dan komt me een auto tegemoet en ik denk dat het Paolo is die vol spijt is omgekeerd. Ik bal mijn vuisten alvast. Maar nee, natuurlijk is hij het niet. Ik steek mijn arm in de lucht, ga midden op de weg staan, maar in plaats van te stoppen om me te helpen, wijkt de bestuurder uit en rijdt hij met een bochtje om me heen tot zijn banden piepen. Karl May kan nog net op tijd wegspringen. Er verschijnen twee zwartharige hoofden in het raam die naar me vloeken, en als ik de eerste huizen van het plaatsje voor me zie opdoemen ben ik er niet meer zo zeker van dat ik hier hulp zal krijgen.

Achter alle hekken ontbloten honden hun tanden. De mensen zijn al in hun huizen, en aarzelend blijf ik af en toe staan bij een voortuin, maar ik heb geen enkele ervaring met dit soort dingen. Karl May drukt zich tegen mijn been aan, en ik loop door. Eindelijk zie ik een gestalte in een tuin staan. Ik roep.

De gestalte blijft staan. Ik kom dichterbij. Het is een oudere vrouw.

'Señora,' haast ik me te zeggen, *'por favor… derubar…'* stamel ik, en daar schiet vanuit het donker een kluwen haar tevoorschijn die zich boven op Karl May stort. Het is een piepkleine zwart-wit gevlekte hond, en voor ik iets kan doen hangt die aan Karl Mays keel. Die is net zo overrompeld als ik zelf, maar dan wordt hij kwaad, en schudt de valse dwerg van zich af en trekt vervaarlijk zijn lippen omhoog. Zo heb ik hem nog nooit gezien. Uit zijn keel klinkt een zwaar gegrom, en de vrouw gilt en prikt wat met een stok. Dan komt ze kordaat op mij af en voor ik me in de schaduw van de dorpsstraat kan terugtrekken

zie ik aan de vastberaden uitdrukking op haar gezicht dat ze mij gaat slaan.

We blazen snel de aftocht, Karl May en ik. Het mormel loopt nog een paar honderd meter achter ons aan te keffen, duidelijk tevreden met zijn succes. Als het dorp achter ons ligt en onze belager eindelijk omkeert, halen we opgelucht adem.

'Karl May,' zeg ik uitgeput, 'zo wordt het niks.' Weifelend kijk ik achterom naar de spaarzaam verlichte huizen van het dorp. De meute waakhonden is nog steeds aan het blaffen. Die rusten pas als wij indringers op veilige afstand zijn. Tussen het geblaf hoor ik mensen roepen. De dorpelingen worden van onze aanwezigheid op de hoogte gesteld. Teruggaan heeft geen zin.

Terneergeslagen sjokken we verder. Wat te doen? Intussen is het zo aardedonker geworden dat ik nauwelijks nog kan onderscheiden waar de weg ophoudt en het veld ernaast begint. En zo lopen we door, en steeds weer raas ik van woede, zodat ik pas na een poosje voel hoe koud het is geworden. Veel te koud voor een Armani-broek en een zomers overhemd. Maar aangezien ik niks beters weet te verzinnen, blijf ik de ene voet voor de andere zetten, tot we bij een kruising komen. 'Naar links of naar rechts?' vraag ik aan Karl May. Ik probeer me te oriënteren, en weer wilde ik dat ik oom Gregors kompas bij me had... Abrupt blijf ik staan. Oom Gregor. Daar had ik nog niet eens aan gedacht. De as, die ben ik ook kwijt. Dan moet ik aan de kant van de weg gaan zitten, zo zwak voel ik me ineens. Het is me duidelijk dat deze reis sinds vanavond nog bedenkelijker is geworden dan hij bij het begin al was.

Hoe lang ik zo blijf zitten weet ik niet. Op een gegeven moment heb ik het zo koud dat ik opsta. 'Die vervloekte reis,' zeg ik, 'die vervloekte oom Gregor. Die is overal de schuld van!' Maar er zit geen vuur meer achter mijn woede. Alles is koud aan mij, en woest en leeg, net zoals de velden hier, een paar kilometer achter de duinen. Zanderige grond met hier en daar een lupine. En dan stroomt het maanlicht over het landschap, en komen de sterren tevoorschijn. Er komt een wind opzetten die me laat huiveren, en net als ik denk dat ik echt niet meer verder kan, zie ik in de verte een paar gebouwen staan die eruitzien als opslagplaatsen voor hooi.

Ik sleep mezelf dwars over de velden naar die gebouwen. Mijn voet brandt zich met de wond in mijn bewustzijn, vult mijn hele hoofd. Ja, het zijn opslagplaatsen, maar er ligt geen hooi. Er staan een paar machines in, verder niks. Er is geen deur, de vloer bestaat uit aangestampte aarde. Ik ga in de verste hoek zitten, leun tegen het plankenbeschot en sla mijn armen om mijn schouders. De wind tocht door de kieren. In het maanlicht vertonen de landbouwmachines spookachtige schaduwen. Er ritselt en piept iets, waarschijnlijk muizen.

Eindelijk berust ook Karl May in het feit dat we hier zullen blijven. Hij gaat naast me liggen, en houdt mijn ene zij warm. We kunnen onmogelijk slapen, denk ik, hoe kun je op zo'n plek slapen. In mijn hoofd draait zich een film af, steeds maar weer. Paolo die de autosleutel uit mijn hand grist, en me tegen de grond gooit. Ik schaam me en dan vervaagt de scène. En ik blijf maar malen over hoe ik me zou hebben verweerd, met succes, natuurlijk, als ik de scène over kon doen. En dan veranderen de beelden, en ik zie Heinrich in mijn plek. Ik zie hem ineengedoken op het schoolplein. Er staat een jongen uit een hogere klas bij hem en die molesteert hem. Het is niet voor het eerst dat die kleine kinderen afrost zodat ze hem hun zakgeld afstaan, en in plaats van mijn broertje te helpen, loop ik de school in en haal een leraar opdat de jongen op heterdaad wordt betrapt. Maar Heinrich heeft een bloeddoorlopen oog en gekneusde ribben. Als ik hem meteen te hulp was gekomen, in plaats van weg te lopen om hulp te halen, dan zou dat niet zijn gebeurd.

Hij heeft het me nooit verweten. Zoals hij me nooit verwijten heeft gemaakt. Hij heeft het aan niemand verteld. Ik werd openlijk geprezen, maar ik kende ook de andere waarheid en totdat Heinrichs bloeduitstorting en schrammen eindelijk genezen waren, zo lang had ik die waarheid scherp voor ogen. En ook al hield ik mezelf voor dat het beter was om er een leraar bij te halen omdat die jongen vanaf dat moment nooit meer iemand heeft afgeperst en bedreigd, toch kwam ik nooit meer af van het schuldgevoel.

Ja, als Heinrich ergens goed in was, dan was het wel tegenslag incasseren. Hij heeft nooit bij mijn ouders geklikt als ik hem weer een keer had laten voelen wie van ons de baas was. En nu, in deze loods, met de adem van Karl May op mijn linkerknie, voel ik ook een tomeloze, op hem gerichte woede. Op Heinrich, die waardig kon lijden, die alles verdroeg en die maar één enkele keer iets deed wat niemand van hem verwacht had. Dat was op de dag dat hij stierf.

Ik schrik op. Er loopt iets over mijn gezicht. Het is licht, en ik hoor stemmen. Als ik onder de ploeg vandaan kruip, staan ze al in de deur. Het zijn twee mannen, en een van hen heeft een stok in zijn hand.

Karl May gromt, en voor ik iets kan zeggen, raapt de jongste van de twee een steen van de grond. Ik ga voor Karl May staan en probeer hem te kalmeren. De andere man wijst met de stok naar het veld. Vrijgeleide, denk ik, terwijl ik Karl May bij zijn nekvel grijp en langs de mannen manoeuvreer. In hun ogen lees ik de afschuw. Dan staan we weer op de weg, die er vanochtend niet uitnodigender uitziet dan vannacht.

'Vandaag is het donderdag,' zeg ik tegen Karl May. 'We hebben tweeënhalve dag. Zaterdag moeten we in Santiago zijn, wat er ook gebeurt.' Ik probeer me te herinneren hoe ver het zou kunnen zijn van de duinen naar Santiago. Zestig, zeventig kilometer?

De honger overvalt me als een woest dier, en wordt gevolgd door een gevoel van slapte. Hoor. Het geluid van een motor. Ik neem mijn positie in. De auto rijdt aan me voorbij. De bal van mijn linkervoet lijkt wel in brand te staan. Voor mijn ogen exploderen kleine witte zonnetjes. Weer een auto, ik ga op het midden van de weg staan, de bestuurder remt, kijkt naar me, en dan geeft hij gas en rijdt door. Ik trap een steentje van de weg. Dan loop ik voetje voor voetje verder. De lucht is blauw, het wordt een warme dag. Op mijn horloge is het kwart over acht.

Om halftien passeer ik het plaatsnaambordje van Ribeira, maar van de plaats zelf is niets te zien. Een gloednieuwe, brede asfaltweg met imposante kruisingen als bij een grote stad mat me af. Ik kom aan bij een zelfbedieningspompstation met een drankenautomaat waar ik mezelf een koffie van vijftig cent gun. Die smaakt afschuwelijk. Karl May kijkt me aan. 'Jij hebt ook honger, ik weet het,' zeg ik.

Daar komt weer een auto aan. Een vrouw stapt uit en doet haar tank open, en schuift een biljet in de gleuf van de tankautomaat. Op de achterbank zitten twee meisjes, die hun blonde lokken in rattenstaartjes bijeengebonden dragen.

'Neem me niet kwalijk,' zeg ik, 'spreekt u Duits?'

De vrouw draait zich om.

'Ja,' zegt ze, 'wat wilt u?'

'Ik verkeer in een noodsituatie,' zeg ik. 'Gisteravond ben ik beroofd, bij de duinen van Corrudebo. En ik moet nu dringend naar Santiago. Hier,' zeg ik, en ik toon haar mijn laatste kleingeld. 'Dit is alles wat ik nog heb. Kunt u mij alstublieft helpen? Misschien kunt u mij een stuk mee laten rijden? Waarnaartoe bent u op weg?'

De vrouw aarzelt. De benzine gutst de tank van haar auto in. De meisjes drukken hun neus plat tegen de autoruiten.

'Naar de luchthaven,' zegt de vrouw. 'Naar Santiago. Mijn man komt daar vandaag aan.'

Zwijgen. Nu niet meer aandringen, maan ik mijzelf. Je moet haar niet bang maken. Ze twijfelt.

'U zou me ongelofelijk helpen als u mij een lift zou geven...' zeg ik zachtjes.

De vrouw kijkt me nu aan. Ze inspecteert mijn kleding. Dan blijft haar blik op Karl May hangen.

'Nee,' zegt ze vastbesloten. 'Ik kan u niet meenemen, het spijt me.'

Als een echo weerklinkt daarin mijn eigen nee tegen Paolo in Finisterre. Nee, zei ik, ik ben nu eenmaal liever alleen onderweg... 'Moet u horen, ik kan me voorstellen wat u denkt. Vermoedelijk zou ik mijzelf in uw plaats ook niet meenemen. Maar sinds vandaag weet ik dat dit iedereen kan overkomen. Stelt u zich voor dat uw man wordt beroofd en hulp nodig heeft...'

'Het gaat werkelijk niet,' zegt ze. 'Het spijt me.'

Ze kijkt om zich heen, alsof ze zelf hulp zoekt. Maar er is hier niemand behalve wij.

Ik doe een stap in haar richting, wat ze verkeerd begrijpt, want ze werpt een nerveuze blik op de benzinepomp. Nog steeds tien euro, nog negen.

'Laat u mij alstublieft met rust,' zegt ze onnodig bruusk.

Ze draagt een merkshirt. Om haar hals hangt een parelketting. En ineens denk ik: als ik haar nu de nek omdraai en gewoon haar auto meeneem, zoals Paolo de mijne meenam. Ik zou die snotapen van de achterbank trekken, en dan weg hier... Dan kijkt ze me in de ogen, en ik weet zeker dat ze mijn gedachten heeft zien opflakkeren. Ik zie de paniek in haar ogen. Met een klikje valt de benzinepomp stil, en werkt ze de noodzakelijke handelingen af. Haar handen trillen als ze de dop op de tank doet, en als ze instapt, hoor ik de stemmen van de kinderen: 'Mama, wat wil die man van je, mama waarom ziet hij er zo smerig uit, mama is dat een rover...'

En dan is ze weg.

Ik staar naar mijn handen. Er zit viezigheid onder mijn nagels. Zo weinig is er dus voor nodig. Een nacht buiten slapen en een lege maag.

In een bakkerij koop ik brood. Dat deel ik met Karl May. Bij een waterpomp geef ik hem uit de kom van mijn handen te drinken. Zijn tong kietelt in mijn handpalmen, en ik moet vele keren water scheppen, tot hij genoeg heeft.

Dan weet ik het niet meer. Ik dwaal door een toeristische

winkelstraat alsof ik een besmettelijke ziekte heb. Ten slotte kom ik bij een kerk. Ik ga op het achterste bankje zitten.

Ik denk terug aan de kerk in Muros, die met de slang. Toen was het heel anders. Mijn maag was gevuld, mijn auto stond gewoon op de parkeerplaats, en de rest van de reis was een pleziertochtje. Maar dat was gisteren, zeg ik tegen mezelf, en ik moet lachen, omdat het me zo onwaarschijnlijk voorkomt. Ik kan niet meer ophouden met lachen, het lijkt wel een soort kramp die omslaat in snikken. Ik heb net serieus overwogen of ik een vrouw zou wurgen omdat zij zich niet kon voorstellen wat ik zelf gisteren ook weigerde in te zien. Dat er maar een heel smalle grens is die mijn wereld scheidt van de afgrond.

'Onzin,' zeg ik hardop. 'Ik mag me nu niet gek laten maken. Ik moet doelgericht te werk gaan. Er is altijd een oplossing…' Maar in plaats van helder na te denken, dwalen mijn gedachten af naar Caroline. Toen op die parkeerplaats in Frankrijk, toen ze mijn Jaguar vernielden, toen handelde zij gewoon. Ze heeft me geen eindeloze vragen gesteld, ze deed wat ik zelf nooit had willen doen. Wat weerhield me er in godsnaam van om Paolo mee te nemen naar Santiago, of hij nu een leugenaar was of niet?

'Goed,' roep ik mezelf tot de orde. 'Laten we de stand van zaken eens opnemen. Je hebt nu nog één euro twintig. En twee dagen de tijd. Als je niemand vindt die je een lift wil geven, dan moet je maar gaan lopen. Je mag geen kracht verspillen.' Oké. Ik bedenk hoeveel brood ik voor één euro twintig kan kopen. Of moet ik het geld misschien anders investeren?

Ik denk na. Nu kun je er zelf eens achter komen wat een pelgrim allemaal meemaakt. 'Een teken,' zeg ik zachtjes voor me uit. 'Iets wat mij tot pelgrim maakt. Zodat je gebruik kunt maken van de herbergen. En zodat je met enige waardigheid aalmoezen kunt aannemen. Voor een pelgrim heeft men meer begrip dan voor een zwerver in een vuile Armani-broek.'

Ik sta op en ga naar het altaar. 'Wat moet ik doen?' vraag ik Christus aan het kruis. 'Wat is het teken?' Hij geeft uiteraard geen antwoord. Ik haal mijn schouders op en draai me om naar de uitgang. En dan zie ik hem. In een nis, vlak naast het portaal. De heilige Jacobus. Hij draagt een mantel, een wandelstok en een hoed. Aan zijn heup bungelt de schelp. Dat is het. Ik heb een schelp nodig, die ik om mijn nek kan hangen, zoals de pelgrims. Paolo had er ook eentje aan zijn riem.

In het voetgangersgebied zijn er veel van dat soort winkels. Stokken, hoeden, en van die schelpen. In alle soorten en maten. Met opdrukken en beeltenissen van heiligen. Ze zijn allemaal te duur. Uiteindelijk ontdek ik een simpele schelp aan een leren koordje. Ik draai hem om en zie de prijs. Een euro en twintig cent.

Bij de toeristeninformatie informeer ik naar de route, de Camino, en ik ontvang een kaart waarop de herbergen staan aangegeven. Het is tweeëntwintig kilometer lopen naar de eerstvolgende pelgrimsherberg.

De zon brandt onbarmhartig op mijn hoofd. Ik moet even zoeken, maar dan vind ik de toegang naar de weg. Die voert naar de bergen die opdoemen in het binnenland van het schiereiland.

Ik schiet goed op, zo zonder enige bagage. Op mijn borst bungelt de schelp, wat voor mij een vreemd gevoel is aangezien ik mijn hele leven nooit sieraden heb gedragen. Bijzonder. Sinds ik de schelp draag voel ik me niet meer zo verloren. De weg volgt de hoogtelijn langs de baai van Arousa, ik zie de tegenovergelegen oever liggen, of misschien is het wel het eiland waar deze baai zijn naam aan dankt. De uren verglijden, en het lukt me om de pijn in mijn voet te negeren en me alleen nog maar op de toekomst te focussen. Karl May vindt beekjes, die naar het dal stromen, en eerst durf ik daar zelf niet uit te drinken. Maar na een paar uur vraag ik me niet meer af hoe het zit met meststoffen en afwateringssystemen, maar kniel ik naast hem neer en drink met hem mee.

Om vijf uur 's middags bereik ik de pelgrimsherberg. Ik bel

aan, toon mijn schelp en zeg er meteen bij dat ik geen geld heb.

'Als je de acht euro voor een bed niet kunt betalen, dan moet je in het bos slapen,' zegt de man.

De deur gaat weer dicht.

'Ook goed,' zeg ik tegen Karl May. Dan lopen we nog een stukje door. En terwijl ik verder loop vraag ik me af waar Caroline nu is, en of ze op dit moment vanaf de andere kant op Santiago afrijdt. In elk geval komt ze zeker niet te voet. Ik stel me haar gezicht voor als ik haar vertel van mijn avontuur. Dat houdt me een tijdje gaande. Ik zie ons al in Santiago aan het avondeten zitten. Ik beeld me elke gang in, en denk lang na over welke wijn we zullen drinken, en dan bedenk ik ineens dat ik mijn rekeningen moet laten blokkeren. Want het mobieltje stond nog aan en nu kan Paolo de hele wereld over bellen op mijn kosten. De woede maakt zich alweer van mij meester. Maar ik merk hoe het me uitput, deze woede. Het berooft me van mijn kracht en dus probeer ik Paolo uit mijn gedachten te bannen om me in plaats daarvan Carolines gezicht in herinnering te roepen, haar weerbarstige haar, de markante vorm van haar ogen, haar wervels die zich onder haar T-shirt aftekenen, het stukje huid, daar waar haar shirt eindigt en vlak voor haar spijkerbroek begint als ze bukt... ja, als ik Caroline straks weer zie, dan ben ik gered. En pas als de schemering inzet merk ik hoe mijn knieën knikken, zo uitgeput ben ik.

Het is heel lang geleden sinds ik voor het laatst in het bos heb geslapen. Dat was toen Heinrich en ik een hut hadden gebouwd van dennentakken. Besluiteloos kijk ik rond in de struiken, waarachter een bos begint. Er zijn hier geen dennen, maar wel eucalyptusbomen en pijnbomen. Ik zoek lang naar een geschikte plek. Die moet vlak zijn, niet zichtbaar vanaf de weg, maar er ook weer niet te ver bij vandaan. Ik kies voor een kuil onder een vertrouwenwekkende eucalyptus. Ik verzamel een hoop van zijn sikkelvormige blaadjes en bouw daar een slaapplek van. Als ik ga liggen en mijn bed uittest, merk ik mijn lichaamsgeur op. Ik stink. Ik verlang naar een douche. Ik verlies me een poosje in de herinnering aan het bad in Finisterre. Dan word ik door honger overmand, en mijn laatste maaltijd in Muros trekt aan mij voorbij. Wat zou ik nu niet geven voor een koud biertje. Maar de vermoeidheid is sterker. Ik knipper met mijn ogen. Karl May zit waakzaam naast me en kijkt naar de weg. Uit het bos hoor ik geknisper en gekraak, vreemde geluiden, vermoedelijk van dieren. Een maalstroom van beelden wervelt door mijn hoofd. In de boom boven me klinkt een geluid, maar ik ben te moe om mijn ogen open te doen. Dan heb ik het gevoel alsof ik val, steeds dieper in een zacht, wollig gat.

Ik word wakker omdat ik druppels voel op mijn gezicht. Als ik mijn ogen open, weet ik niet waar ik ben. Er druppelt iets van het plafond, en ik tast naar de lichtschakelaar. Maar het enige wat ik voel is een zacht vel. Het is Karl May die naast me, of liever gezegd, bijna op me ligt. Ik adem een scherpe geur in, en weet niet of die van hem komt of van mezelf. Het regent. Ik hoor het stromen, ook al lig ik nog droog onder de bescherming van de boom. Maar dat zal niet lang meer duren. De eerste druppels dringen al door het bladerdek.

Ik ga rechtop zitten en daar heb ik meteen spijt van. In mijn slaap heb ik me diep onder de eucalyptusbladeren gewoeld, en die hebben mijn lichaamswarmte binnengehouden. Maar nu moet ik klappertanden van de kou. Ik leun tegen de boomstam, trek Karl May bij me, die zich tegen me aan vlijt en doorslaapt. Maar ik ben klaarwakker. De lichtgevende cijfertjes op mijn horloge staan op halfvier. Het begint harder te regenen en ik hoor hoe het bos een zucht slaakt onder het gewicht van de druppels. Dan voel ik een vochtige sluier die me in het gezicht slaat. En daarna is het zover. Het bladerdek boven me rilt even, en de regen breekt er doorheen en stort zich met bakken tegelijk op ons neer. Ik ben doornat. Dan kan ik ook wel gewoon doorlopen, denk ik, en ik sta op, en loop op de tast van stam tot stam, tot ik bij de weg ben. De eerste ochtendschemering doet het zwart om mij omslaan in een rijkgeschakeerd grijs, en het tekent de contouren van de weg af, en zo vervolg ik mijn weg: nat, koud met pijnlijke ledematen. Maar dat kan me niet schelen. Ik voel de weg meer dan dat ik hem zie, mijn lichaam loopt er tastend overheen. De wandelschoenen schuren, ook al passen ze me alsof ze nooit van een wegloper zijn geweest, maar van mijn tweede ik.

Er glipt iets voor me de weg over. Karl May spitst zijn oren. Hij vindt het maar niks, dit uur van de ochtend, want we zijn niet de enige schepsels die op weg zijn. Het bos om ons heen is volop in beweging. Ik ben op het platteland opgegroeid en de bossen waren mijn tweede thuis. Wanneer is dat eigenlijk voorbijgegaan? Natuurlijk, het hield op met Heinrichs dood. Daarna mocht ik niks meer van mijn moeder, ik mocht niet meer op kamp met de padvinderij en ik mocht ook geen meerdaagse tochten maken met mijn sportvereniging. In plaats daarvan zat ik in de kinderkamer, die ik nu voor mij alleen had, voor de computer. Ik had er eerder eentje dan alle andere kinderen in ons stadje. Het was het enige wat mijn moeder niet vol argwaan bekeek, toen ze me al het andere verbood. Het duiken, uiteraard, het klimmen, het kajakken, het deltavliegen. Alleen wandelen was nog toegestaan. Alleen onder mijn ouders' vleugels. Sindsdien ben ik in elk geval 's nachts nooit meer buiten geweest.

De regen wordt heftiger. In plaats van me te ergeren, trek ik mijn kleren, die aan mijn lijf plakken, uit. Spiernaakt ga ik in de regen staan. Zo heb ik toch een douche, denk ik, en ineens ben ik uitgelaten, strek mijn armen in de lucht en laat het zweet van me af spoelen. Dan zie ik Paolo weer voor me, en hoe hij naakt door de golven dartelde terwijl ik bij de branding stond en hem niet begreep. Hij had natuurlijk ook al dagen niet meer kunnen douchen, en hij had zich in zee gewassen. Ik hijs me weer in mijn broek, hoe klef en nat die ook is. Mijn overhemd bind ik om mijn heupen, ik trek mijn wandelschoenen weer aan, zet mijn tanden op elkaar en loop door.

In een klap keren de kleuren weer terug op aarde. Het houdt op met regenen. In de opgaande zon is de wereld een pas gewassen juweel, schitterend en fonkelend. Van de baai is niets meer te zien. Beneden me ligt een stad, flarden nevel zweven boven de rivier. De toren van een kathedraal reflecteert de vroege zonnestralen.

We komen al snel bij een splitsing met een waterput. Karl May gaat op zijn achterpoten staan en drinkt. Padrón 4 km, Santiago 24 km, lees ik op de wegwijzer.

Het is vandaag vrijdag. Vierentwintig kilometer moet makkelijk lukken. 'Vanavond zijn we in Santiago,' zeg ik tegen Karl May. Naast de kruising staat een overdekt bankje. Ik ga er even zitten. En ik heb meteen het gevoel dat ik nooit meer overeind kan komen. Mijn benen zijn als lood, en het wordt zwart voor mijn ogen. Als ik mijn ogen na een poosje weer open, weet ik dat ik geslapen heb. Karl May snuffelt aan een plastic zak. Moeizaam kom ik overeind, buk, en maak hem open. Een leeg lunchzakje, een verfrommeld boterhammenzakje, een bruin uitgeslagen aangevreten appel met happen eruit. Ik wil er net mijn tanden in zetten als ik me bewust word van wat ik doe. Vol walging gooi ik de appel ver van me af. Karl May steekt zijn neus tussen het lege papier. Hij woelt er in en vindt nog een broodkorstje ook. Met één hap is het verslonden.

In mijn buik klopt een knagende pijn. Mijn hart gaat tekeer. Ik ben volkomen uitgeteld. Alle energie die ik hiervoor nog had, in de regen, is nu weg. Ik heb het warm en koud tegelijk. Zo ver heen ben ik dus al, denk ik terwijl ik mijn ogen sluit. Twee nachten buiten en vierentwintig uur niets te eten en ik ben al bereid om in vuilnis te graven als een hond. Ik ga op de bank liggen en voel hoe hard die is. Alles doet me pijn.

En dan hoor ik plotseling Carolines stem, toen ik haar aan de telefoon had. *Waarom bel je?* zei ze, *hebben ze soms je creditcard weer geblokkeerd?* Er klonk een hatelijke ondertoon in door, en ineens bedenk ik dat ze bepaald niet enthousiast zal zijn als ze alweer mijn leven moet redden. Misschien wil ze wel niet eens geloven dat het allemaal pas na mijn telefoontje is gebeurd. En dan denk ik: misschien is het juist daarom wel gebeurd. Omdat zij die zin heeft uitgesproken. Misschien speelt ze wel met Paolo onder een hoedje. Waarschijnlijk komt ze helemaal niet, ze heeft toch ook gezegd dat ze niet komt. En dan zie ik mezelf lopen en lopen, en de wandelschoenen aan mijn voeten worden groter en groter terwijl ik krimp en krimp. De schelp om mijn nek wordt almaar zwaarder, trekt me steeds verder omlaag, tot mijn monstrueuze wandelschoenen diep in de aarde steken en me naar beneden trekken en ik geen lucht meer krijg. Die schelp wurgt me, en terwijl ik naar lucht hap hoor ik Karl May in de verte grommen. 'Het is al goed,' zegt een stem, 'ik doe je baasje niks, dan doe jij mij ook niks, afgesproken?'

Ik sla mijn ogen open. Ik lig nog altijd op de bank, en elke centimeter doet pijn. Voor me staat een gestalte in het tegenlicht, die me aankijkt.

'Hallo,' wil ik zeggen, maar er komt alleen wat gekraak uit mijn mond.

De gestalte verroert zich niet.

'Bijt je hond?' vraagt ze.

Ik schud mijn hoofd.

Het is een jonge vrouw. Ze draagt het type zonnebril dat wielrenners dragen, met schuin geslepen gele glazen, en een elastiek om het achterhoofd. Voor op haar borst bungelt de schelp.

'Ben je ziek?'

Ik richt me op.

'Geen idee,' mompel ik. Mijn vinger heeft iets hards omkneld. Het is de schelp, die ik in mijn slaap heb afgetrokken.

'Je bent ook een pelgrim,' stelt het meisje vast en ze doet haar rugzak af.

'Ja,' zeg ik, 'ik geloof van wel.'

Ze kijkt naar Karl May.

'Heb je geen bagage?' vraagt ze dan.

Mijn god, denk ik, kan ze me niet met rust laten?

'Zie jij soms bagage liggen?' vraag ik.

Het klinkt onvriendelijk. Maar ik voel me ook zo beroerd. Mijn hoofd doet pijn. Alles doet pijn.

'Hier,' zegt het meisje, en ze reikt me een beker aan. Ik kan het niet geloven. Normaal zou ik dat nooit hebben aangenomen. Ik deel geen drinkgerei met andere mensen. Ik ga nog liever dood. Maar nu grijpen mijn bevende handen zo gretig naar het bekertje van een thermoskan dat ik moet oppassen om niet te knoeien. Het is thee. Warme thee. Kostelijke, warme thee. Helaas is het bekertje veel te snel leeg.

'Dank je,' zeg ik.

'Ik heet Almut,' zegt het meisje, 'en jij?'

Mijn antwoord klinkt als gekras.

'Mijn hemel,' zegt het meisje, 'wat is er met je gebeurd?'

'Ik ben beroofd,' zeg ik, en ik kijk naar haar thermoskan. 'Auto. Geld. Alles. In de duinen.'

'Wat?'

De mond van het meisje valt open.

'En waarom ben je dan niet naar de politie gegaan?'

Ik haal mijn schouders op. Ja, waarom eigenlijk niet?

'Ik moet naar Santiago,' zeg ik, en elk woord is een inspanning. 'Morgen moet ik er zijn. Om drie uur.'

Het meisje genaamd Almut neemt me van top tot teen in zich op. Dan begint ze in haar rugzak te rommelen. Ze trekt er een pakketje uit dat in papier is gewikkeld.

'Hier,' zegt ze.

Als ze ziet hoe mijn vingers beven, helpt ze me bij het uitpakken.

Het is een boterham. Ik staar ernaar alsof ik geen idee heb wat het is.

'Toe maar,' zegt ze, 'eet maar op.'

Ze kijkt naar de weg die naar Padrón voert, en ik zet mijn tanden in het broodje. Kaas met plakjes tomaat en sla. Ik heb nog nooit zoiets lekkers gegeten. Na een paar happen legt Karl May zijn poot op mijn knie. 'Ik was je bijna vergeten,' zeg ik, en dan deel ik de rest van de boterham met hem. Het meisje zegt dat ze eigenlijk niet zo van honden houdt, maar dan doet ze toch haar rugzak open en trekt er een zakje met salami uit, dat ze openmaakt en waaruit ze Karl May begint te voeren.

Er komt een wandelaar uit de richting van Padrón aangelopen.

'Dat is Ina,' zegt het meisje. 'We hebben nu eenmaal niet hetzelfde looptempo.'

Ik haal diep adem. Met het eten in mijn maag gaat het al weer beter. Maar toch klopt en bonst het nog altijd bij mijn slapen. Al mijn ledematen doen pijn. Bij Ina loopt het zweet van het voorhoofd. Haar vriendin vertelt haar wat er over mij te vertellen valt. Beroofd. Moet naar Santiago. Totaal uitgehongerd. Blauwe ogen kijken mij bezorgd aan.

'Hebben jullie misschien een pleister?' vraag ik, en ik trek mijn schoenen uit.

'Laat eens kijken,' zegt Ina, en ze slaakt een kreet als ze mijn voetzolen bekijkt. Ik voel wat steken en branden. 'Bloedblaren,' zegt Ina. 'De snee van de scherf is gaan zweren. Die moeten we schoonmaken.'

Ik ga weer op de bank liggen en doe mijn ogen dicht.

Dan strek ik mijn verbonden voeten uit in de zon, zoals de pelgrims bij de Cabo de Finisterre.

Ze geven me medicijnen, schone pleisters om te kunnen verwisselen, een paar sokken, twee mueslirepen en een fles water, die ik steeds kan bijvullen. Dan vist Ina ook nog een T-shirt uit haar rugzak. Hij is lichtblauw en verwassen, en dwars over de borst staat: DE WEG IS HET DOEL.

'Probeer maar even,' zegt ze. 'Misschien past hij.'

De weg is het doel. Nee, denk ik, geen sprake van. Ontdaan bekijk ik mijn eens zo prachtige overhemd, dat er nu sjofel uitziet. Geen twijfel. Zuchtend trek ik het lichtblauwe ding over mijn hoofd. Het past. Dan steken de meisjes de koppen bij elkaar en geven me twintig euro. Voor de herberg in Santiago, zeggen ze, en om nog iets te kunnen eten. Ik dring er op aan dat ze hun adres voor me opschrijven, zodat ik hun alles terug kan betalen. Maar dat wimpelen ze af. Pelgrims helpen elkaar, leggen ze uit.

En dan nemen we afscheid. En ondanks mijn pijnlijke voeten hebben we niet hetzelfde tempo. Ik heb niet voor niets jarenlang getraind op de Blauen Tötz.

Laat in de namiddag hebben we het gered. Vanaf een heuvel zie ik alles voor me liggen, het doel van mijn omzwervingen, Santiago de Compostela. De kathedraal steekt uit boven een wirwar van huizen, omgeven door een stadsring. De laatste kilometers gaan een stuk moeizamer dan het de hele dag is geweest. Eindeloze invalswegen die zich niet van de invalswegen van andere steden onderscheiden, supermarkten, bouwmarkten, autohandelaren... ik doe mijn ogen dicht en loop, probeer helemaal nergens meer aan te denken, vooral niet aan mijn pijn, vooral niet aan dat wat me nog wacht. Eindstation Santiago, zonder de as van oom Gregor heeft mijn reis geen zin. Ik heb gefaald en zal dus nooit te weten komen wat hij me in zijn laatste brief wilde zeggen.

Ik sjok achter andere pelgrims aan en op een gegeven moment loop ik een poort door, en bevind ik me in de wirwar van kleine straatjes van de binnenstad, en het asfalt maakt plaats voor plaveisel. Op een plein kijk ik omhoog, en dan valt mijn oog op een gebouw waarop staat: 'Comisaría de Policía'. Het uur der wrake is aangebroken.

Honden zijn niet welkom. Dat maakt de bewaker bij de ingang me duidelijk. De trappen naar het bureau zijn van marmer, en ook hier schijnt het principe te gelden dat men de mensen vooral wil intimideren.

'Wacht hier op me,' zeg ik tegen Karl May. 'Ik kom zo weer terug.'

Karl May aarzelt. Hij wil hier niet blijven zitten, en hij kijkt me angstig aan.

'Ik kom gewoon weer terug, dat beloof ik je, makker,' zeg ik, en ik aai hem tot hij ontspant en braaf naast een zuil gaat liggen. Hij kijkt me zo lang mogelijk na.

In de hal vraag ik vasthoudend door. Achter een scherm zit een meisje bij een computer. 'Ik wil graag aangifte doen,' zeg ik. Ze pleegt een telefoontje. Zegt dat ik moet wachten. Ten slotte komt er een agente. Een modern uniform, roodblond haar, zomersproeten, felle ogen die me van top tot teen opnemen. Ik schat dat ze begin vijftig is.

'Waar gaat het om?' vraagt ze in keurig Duits.

Ik leg het haar uit. 'Mijn auto is gestolen, eergisteravond, een huurauto.' Ik noem het merk, het kenteken, de plaats. Bruine ogen met groene stipjes erin bekijken me alert.

'Een ogenblikje,' zegt ze, 'kunt u dat nog eens herhalen, dat kenteken van uw auto. Of schrijft u het maar even voor me op.' Dan neemt ze me mee naar een kantoor, en wenkt het meisje van de computer om ons te begeleiden.

'Hier,' zegt ze dan, en ze legt een stapel formulieren voor me neer. 'Vult u deze maar in.'

Ik zucht en bijt op mijn tanden. Dan pak ik de balpen die ze voor me ophoudt en ga aan de slag. Twintig minuten later ben ik klaar. De vrouw is verdwenen. Een wachtmeester brengt de formulieren weg. Een andere neemt onopvallend plaats voor de deur. Ik wacht. Een kwartier. Twintig minuten. Een halfuur. Ik begin te koken.

'Wat is er nu aan de hand?' vraag ik aan het meisje achter de computer, hoewel ik weet dat ze me niet kan verstaan.

Ze kijkt op en knikt. Zegt maar één woord, dat ik niet versta. Natuurlijk niet, ik spreek geen Spaans.

In de hoek staat een groene plant. Ik merk dat ik me nauwelijks kan inhouden om die in stukken te scheuren. In plaats daarvan bestudeer ik het patroon op de vloer. Marmerplaten, in een visgraat gelegd. Na een uur komt de roodblonde vrouw terug. 'Wilt u alstublieft opschrijven welke spullen zich in uw auto bevonden?'

Ik word zo zoetjes aan echt kwaad.

'U laat mij een uur wachten om mij te vragen wat voor spullen er in mijn auto lagen?'

Haar ogen zijn wat meer samengeknepen.

'Nou?'

Briesend van woede ga ik weer zitten. Ik schrijf alles op wat ik me kan herinneren. Mijn koffer met kleding. Mijn jasje met daarin mijn portemonnee. Mijn mobiele telefoon, en een stapeltje brieven.

'Wat zat er precies in uw portefeuille?' vraagt de vrouw.

Ik probeer me te concentreren.

'Rond de driehonderd euro cash. Mijn paspoort. Rijbewijs. Creditcard. Een paar bonnen. Bijvoorbeeld eentje van het hotel in Finisterre.'

Haar blik blijft een poosje op me rusten. Dan legt ze iets op tafel, en ik kan mijn ogen niet geloven. Mijn portemonnee.

'Is deze van u?'

'Hoe komt u hieraan?'

'Wilt u even controleren of alles erin zit?'

Ik voel de vertrouwde gladheid van het rundleer. Alles zit er nog in. Het geld. De creditcard. Zelfs het kleine stukje varen dat ik voor Caroline heb bewaard.

'Hoe komt u hieraan?' wil ik weten.

'Uit uw auto,' zegt de vrouw koeltjes.

'U... u hebt de auto gevonden?'

'Dat was niet zo moeilijk,' zegt de agente. 'Je kon hem niet missen.'

Ik heb geen idee waar ze het over heeft.

'Een ogenblikje,' zegt de vrouw, en ze draait zich om en loopt weg.

'Hoort u eens,' roep ik haar na, 'ik heb niet alle tijd van de wereld. Er wacht buiten iemand op me, dus kunt u alstublieft even uitleggen...'

'Wie er ook op u wacht,' zegt de vrouw, 'zal geduld moeten hebben.' En dan is ze weg.

Geduld. Na alles wat ik heb doorgemaakt heb ik geen geduld meer. Maar als ik opsta en naar de deur loop, verspert de agent me de doorgang. Hij zegt iets tegen me. En toevallig kan ik zijn Spaans wel verstaan, want hij zegt dat ik niet weg mag. En dan komt de agente terug met twee geüniformeerde agenten, type bullebak.

'Helaas zien wij ons gedwongen,' zegt het mens met de roodblonde haren, 'om u in voorlopige hechtenis te nemen.'

'Wat?' schreeuw ik. 'Bent u soms helemaal gek geworden? Mijn auto is gestolen, verstaat u überhaupt wel Duits? MIJN AUTO IS GESTOLEN.' De beide reusachtige kerels gaan aan weerskanten van me staan en ik word door zo'n enorme woede overmand dat ik de grond onder mijn voeten weg voel zakken en wild om me heen begin te slaan. Er kletteren allerlei voorwerpen op de grond, iemand brult als een beest, dat ben ik. Dan trekken ze het T-shirt over mijn hoofd, zodat ik niets meer kan zien en bijna geen lucht meer krijg. Ze verdraaien mijn armen, zodat ik het uitschreeuw van de pijn en met mijn voeten stamp. Ik probeer een van de agenten, Paolo indachtig, in zijn edele delen te trappen, maar het heeft geen zin. Ze slepen me weg.

'Laat me los, verdomme!' En ze laten me inderdaad los, ik raak uit balans en stort keihard op de grond. Er valt een deur in het slot. Ik hoest en wis het zweet van mijn gezicht – ineens is het weg, de woede. Spoorloos verdwenen. Ik sta op. Kijk om me heen. In de hoek zie ik een wastafel en een toiletpot. Ik strijk met mijn hand over mijn gezicht. Als ik mijn ogen weer opendoe, is alles er nog. Geen twijfel mogelijk, dus. Ik zit in de cel.

Hoofdstuk 20

Waarin Caroline naar Santiago komt, en besluit dat het allemaal anders moet

Zo vast en diep als vannacht heb ik al heel lang niet meer geslapen. Nog voor de zon opkomt word ik wakker, klim uit de auto, kijk naar de sterren die een voor een verdwijnen. Ik studeer even op de kaart, en dan rijd ik weg. Via Luarca naar Ribadeiro en dan door naar Mondonedo, waar ik stop voor een ontbijt en kijk naar hoe de marktkoopvrouwen hun kraampjes opbouwen. Dan gaat het verder naar Villalba en richting La Coruña. Bij Bezantos buig ik af richting zuiden, en een halfuur later ben ik in Santiago.

Nou, zeg ik bij mezelf, dat ging soepel. Ik rijd zo ver mogelijk de oude binnenstad in. Dan parkeer ik in een ondergrondse garage. Als ik de trap op loop en in het daglicht stap sta ik precies voor het hoofdbureau van politie. Prima, denk ik, een beter bewaakte plek voor mijn auto is er niet.

In het hotel schuin aan de overkant van het plein huur ik een kamer. Het is kwart over twaalf. Nog drie uur.

Ik neem een douche, kleed me om, doe op bed een dutje van een kwartier, en dan houd ik het niet meer uit. Ik borstel mijn haar tot het glanst, doe mascara op, en smeer zelfs wat oogschaduw over mijn oogleden. Ik bekijk mezelf een poosje in de spiegel. Dan vertrek ik. Beneden bij de receptie vraag ik hoe ik naar de kathedraal moet komen.

'Bent u dan niet bang?' vraagt de portier in keurig Engels.

'Bang? Waarvoor?'

'U gaat me toch niet vertellen dat u niet van de aanslag hebt gehoord?' vraagt hij.

Ik schud mijn hoofd en begrijp dat ik nu onmiddellijk het hele verhaal te horen zal krijgen. De portier likt zijn lippen.

'Twee dagen geleden,' zegt hij, 'was er hier een bomalarm. Stelt u zich eens voor, er stond ineens een auto, recht voor het hoofdportaal van de kathedraal. Uitgerekend op de Praza del Obra d'Oro, waar je alleen met duizenden speciale vergunningen kunt komen. De toeristenbussen mogen er niet eens stoppen, en toen stond er ineens die auto. Midden op het plein. De politie was er meteen bij, want men heeft het al maanden over een mogelijke aanslag op Santiago. Bovendien zou op die dag om elf uur onze premier de eredienst bijwonen, ja, ja. En een uur daarvoor, niemand weet hoe het kon gebeuren, duikt die auto ineens op.'

Wat wil die man nou, vraag ik me ongeduldig af.

'Ja en,' zeg ik, 'die auto zal toch nu wel weggesleept zijn, mag ik aannemen?'

De man is geschokt over zoveel naïviteit.

'We zijn hier in Spanje, señorita,' zegt hij met een grafstem, 'en hier zitten er meestal bommen in auto's die op plekken staan waar ze niet horen te staan. Vooral zo vlak voor een bezoek van de premier. Dat lijkt me duidelijk.'

Ik knik. Natuurlijk. De ETA. Maar wat dan nog.

'U hebt geen idee wat voor toestand het was. Het plein moest worden ontruimd. En niet alleen het plein, ook de kathedraal. Direct daarnaast ligt de Parador de Los Reyes Catolicos, het duurste hotel van heel Spanje, waar alles al helemaal klaar was om de premier te ontvangen. De halve binnenstad moest leeg. Er moesten bomexperts overkomen uit Madrid. De politie hier, puh, wat zal ik zeggen, die begonnen in de lente al over een mogelijke aanslag, maar er hoeft maar dit te gebeuren of het is een stel hulpeloze kinderen. Maken de ene fout na de andere. Een vriend van me zit bij de politie, en die vertelde me dat zijn collega's overal sporen hebben achtergelaten in de auto. Er was geen vingerafdruk meer te identificeren, stelletje sukkels. Niet dat ze anders iets gevonden hadden, want die terroristen, dat zijn wel professionals.'

'En?' vraag ik, 'zat er een bom in?'

De man lacht.

'Zij beweren natuurlijk van wel. Hier, het staat allemaal in de krant. Ze maken nu ruzie over de vraag of het de ETA was of een moslimorganisatie. Maar volgens die vriend is het allemaal onzin. Er was geen spoor van een bom te vinden. Geen springstof, niks. En die arme dwaas die de auto daar heeft neergezet, die hebben ze nu ook gesnapt. Maar daar willen ze geen ophef over maken. Want ze staan toch al zo voor schut.'

De portier lacht besmuikt.

'Wat een clown,' zegt hij. 'Die komt naar Santiago en parkeert zijn auto recht voor de kathedraal. En dan marcheert hij naar de politie en bezweert dat de auto gestolen is. Wat heb je toch ook een rare mensen op de wereld.'

Dan betrekt zijn gezicht opeens.

'Maar voor het toerisme heeft dit ongelofelijk veel schade aangericht, wat denkt u? Eergisteren zaten we nog vol, en vandaag had u de kamers voor het uitzoeken. Mensen die overhaast vertrokken, afzeggingen. Wij zijn de dupe...'

Ik heb genoeg gehoord. Ik lach even met de portier over mensen die geen stap verzetten en die hun auto overal maar laten staan, en dan vertrek ik. Over een paar uur zie ik Gregor weer, en dat is mij opwindend genoeg.

Tien minuten later sta ik zelf op de Praza del Obra d'Oro, dat ingesloten is door eerbiedwaardige gebouwen, die, hoe schitterend ze ook zijn, in schoonheid worden overtroffen door de kathedraal.

Hier sta ik dus, twee uur te vroeg. Ik kijk om me heen. Overal staan agenten of ze lopen gespannen heen en weer en houden jonge mensen in wandelkleding in de smiezen die op de grond gaan zitten en hun rugzak af willen doen. Doorlopen, dit is geen hangplek. Al zijn de aangekomen pelgrims nog zo verbijsterd en laten ze zich af en toe zelfs tot een woordenwisseling laten verleiden. Maar het is duidelijk dat de agenten vandaag nergens de humor van inzien. Vooral links voor het gebouw staat een enorme groep politieagenten en ik zie zelfs soldaten. Dat moet dat beroemde hotel zijn waar de premier is ondergebracht. Ik ben vergeten om aan de portier te vragen hoe lang het bezoek zou duren.

Voor een agent mij kan aanspreken, loop ik door. Alles wat niet in beweging is, lijkt verdacht. Ik bestijg de trap naar het portaal, maar de deur is op slot.

'Omdat er een dienst gaande is,' legt de vrouw van het souvenirwinkeltje halverwege de trap uit. Ik loop om de kathedraal heen, en kom zo bij de tegenoverliggende ingang, aan de zuidkant.

Wat een bende. Van alle kanten verdringen zich de pelgrims bij een kerkgebouw en ik laat me met de stroom meevoeren naar binnen en struikel over een vouw in de loper. De pilaren steken een flink eind omhoog, en er hangt een gouden baldakijn over het altaar. De dringende pelgrims en ordebewakers, agenten en priesters, duwen ons voort. Allemaal zijn ze er gespannen op beducht om niemand ook maar een moment stil te laten staan. Hoe moeten we elkaar ooit vinden in deze mensenmassa? Dat was dus geen slim plan, om af te spreken bij de kathedraal van Santiago, om drie uur op zaterdagmiddag. Waarom nou uitgerekend Santiago, waarom op zaterdag en waarom nu, nu de premier er is? Uiteindelijk heeft de stroom me tot het achterschip gevoerd, waar de pelgrims in de rij staan bij een sokkel om een steen te kunnen kussen. Als ik dichterbij kom, zie ik dat ze hun vinger in een kuiltje in de zuil leggen, dat daar ongetwijfeld is ontstaan door de talloze aanrakingen voor hen. Ze leggen hun voorhoofd op de steen. Het is een gezicht, vermoedelijk het gezicht van de heilige Jacobus. Ik blijf hier lang staan, vergeet de tijd, en kijk naar de gezichten van de mensen. Sommigen lopen de tranen over de wangen. Wat zou dat voor een gevoel zijn, als je je doel bereikt na zo'n lange tocht?

Ik denk ineens aan Angela, en mijn zoektocht naar haar. Als ik zou willen, sta ik binnen een paar dagen voor haar, en bij die gedachte begint mijn hart wild te kloppen.

Ik wend me af. En onmiddellijk komen er priesters aangelopen om ons bij de zuil weg te jagen. Tot teleurstelling van de wachtenden spannen ze koorden die de toegang tot het heiligdom versperren. Er begint weer een mis, en kennelijk mag men gedurende de dienst niet in de buurt van de zuil komen. Ik sla de verschillende soorten pelgrims gade, kijk in euforische gezichten, en zie ook pelgrims die ruzie zoeken met de priesters. Ze zijn ervan overtuigd dat het hun kerk is en niet een kerk van voorschriften. Dan ontdek ik een man die op de stenen vloer zit en tegen een zuil aan leunt. Vermoeid drukt hij op de toetsen van zijn mobieltje. Hij verstuurt een sms'je: goed aangekomen in Santiago, stel ik me zo voor. Dan zie ik een ouder stel in kniebroeken, geruite hemden en met grijze vilten hoedjes op. Ze slepen zich voort door de gang. Ik prent me de uitdrukking op het gezicht van de vrouw goed in. Ik lees er pijn in, en ongeloof dat ze eindelijk is aangekomen. Ik herken in haar blik ook de ergernis over de mensenmassa, en hulpeloosheid. Ze weet niet waar ze nu naartoe moet. Tot ze uiteindelijk een plek vinden in een van de achterste kerkbankjes, zij aan zij. Ze houden elkaars hand vast, en sprakeloos staren ze naar het gouden altaar voor in de kerk.

Ik kijk naar de lange rijen mensen die staan te wachten voor de talloze biechtstoelen. Er wordt een mededeling omgeroepen dat de biecht in alle Europese talen kan worden afgenomen, dat over enkele minuten de mis van drie uur begint en dat men nu plaats moet nemen en in geen geval in de gangpaden mag blijven staan.

Drie uur. Ik schrik. Ik loop richting zijuitgang, en ik ben op dit moment de enige die naar buiten wil. Iedereen wil naar binnen, want de mis begint immers zo. Als ik de uitgang bereik is het twee minuten over drie. Op de stenen bank die helemaal langs de buitenmuur loopt zitten pelgrims hun broodjes te eten. Ik ga op een vrij hoekje zitten en zoek het plein af naar Gregors gestalte, met Karl May aan zijn zijde. Nee, vals alarm.

Dit kan toch niet. Hij kan me toch niet zomaar hiernaartoe laten komen en dan zelf niet komen opdagen. En dan bedenk ik me dat hij bij de hoofdingang staat te wachten, op het prachtige plein, en ik spring al van het bankje, loop de trappen af, en wurm me door de menigte. Godallemachtig wat een geduw en getrek. Op het plein voor het hoofdportaal liggen nu toch bergen rugzakken en pelgrims staan of hurken of zitten, ja ze liggen zelfs op de straatstenen. De agenten hebben het opgegeven om met hen in discussie te gaan. Er staan een paar Japanners voor een onbeweeglijke Heiligenfiguur in een bruine mantel, met hoed en staf. Aan zijn riem bungelt de sint-jakobsschelp en zijn verstarde gezicht is goud geschminkt. Als zijn ogen niet af en toe zouden knipperen, dan was het bijna niet te geloven dat het geen echt standbeeld is. Een van de Japanners trekt me aan mijn arm en wijst op zijn camera. Foto, foto, alstublieft. Maar ik trek me los, en een kring dansende mensen dwingt me om een enorme omweg te maken, het halve plein over. Als ik eindelijk bij het bordes aankom is Gregor in geen velden of wegen te bekennen.

Ik loop de treden op, hoewel ik zo ook wel kan zien dat hij er niet is. Het is tien voor halfvier. Wat een stom plan was het ook om hier af te spreken! Ik draai drie keer in de rondte. Kijk ingespannen van de trap naar beneden, en ineens weet ik helemaal niet meer hoe Gregor er ook weer uitzag. Ik ben vergeten wat voor kleren hij zou kunnen dragen. Toen we afscheid namen in Brest droeg hij alleen mijn trui en de supermarktjeans.

Ik huiver in de namiddagzon. Hij komt niet. Hoe kom ik er in godsnaam bij dat ik alleen maar naar Santiago hoefde te rijden en dat hier een prachtige romance op me zou liggen te wachten? Dat alles werkelijkheid zou worden waar ik eigenlijk helemaal niet in geloof? En dat ik uitgerekend van iemand als Gregor Beer verwacht dat hij me niet teleurstelt?

'Dit kan toch niet,' zeg ik hardop. 'Hij kan toch niet met mij afspreken en dan niet komen opdagen?' Ik dwing mezelf om niet alweer op mijn horloge te kijken. Het is net alsof alles ervan afhangt dat ik nu niet kijk hoe laat het is, maar dat ik hem nu nog een kans geef. Wie weet waardoor hij is opgehouden. Je kunt toch wel even op elkaar wachten?

Je hebt zelf gezegd dat je niet zou komen, denk ik. Jij hebt zelf gezegd dat hij dat wel op zijn buik kon schrijven, dus hoe kom je er dan bij dat hij zich de moeite zal getroosten om te komen kijken of je woord houdt? Waarom zou hij dat zichzelf aandoen? Het is je eigen stomme schuld. Hoe moet hij weten dat je van mening bent veranderd?

En dan komen er mensen de trappen oplopen, en ik kijk iedereen in het gezicht, alsof ik hen puur met de kracht van mijn wens in Gregor kan veranderen. Eentje beantwoordt mijn blik. Het is een man van Gregors leeftijd, maar hij is het niet. Hij draagt een Indiase linnen broek in een verbleekte kleur paars, een gescheurd T-shirt. In zoiets zou Gregor zich nooit vertonen. Ik wend mijn blik af en kijk, zonder het te willen, naar de tijd. Het is iets voor vieren. Ik wil het niet geloven. Ik kijk een poosje naar hoe de secondewijzer over de wijzerplaat trekt. Eén rondje. Twee rondjes. Drie rondjes. Er valt een schaduw over me heen. Dat moet hem zijn. Ik wacht drie tikjes van de secondewijzer af en kijk dan op. Het is Gregor niet. Het is die vent in die paarse broek.

'Sta je op iemand te wachten?' vraagt hij.

'Wat gaat jou dat aan?' zeg ik. De man vertrekt geen spier. Ik kijk langs hem de trap af. Zoveel mensen, en geen van hen is Gregor. De dansende kring is nog groter geworden. In het midden van de kring zitten twee mannen, eentje met een gitaar, de ander met een tamboerijn. Ik heb zin om naar beneden te lopen en dat ding uit zijn handen te trekken. En bij die ander wil ik zijn gitaar op zijn schedel stukslaan en ik wil de mensen die als in een trance dansen uiteendrijven. Ik wil elke politieagent zijn pet van zijn hoofd slaan, hen bij hun revers pakken en door elkaar rammelen. De Japanners wil ik als een troep kippen opjagen om hen vervolgens met de fototoestellen om hun nek te wurgen. Ik zou graag een enorme hamer ter hand nemen en op deze vervloekte trap inbeuken, steen voor steen, ach wat nou hamer, een bom! Had ik maar een bom, denk ik, dan zou ik deze hoop steen die ze kathedraal noemen in de as leggen, met het Parador, de premier, de hele stad, heel Galicië, heel Spanje, de hele wereld erbij.

'Wil je ophouden met zo naar me te staren?' val ik uit tegen de man in de paarse broek, die er nog steeds staat en maar naar me blijft kijken. Hij glimlacht. Wat me nog veel woedender maakt.

'Je ziet eruit als iemand die het liefst de hele boel zou platbombarderen,' zegt hij.

'Nou en,' zeg ik, 'wat gaat jou dat aan?'

Hij lacht weer.

'Dat zei je net ook al.'

Ik sta op en loop een stukje de trap af. Halverwege blijf ik staan. Toen ik klein was heb ik wel eens geprobeerd om een deal te maken met het lot, of om het een hak te zetten, onder het motto: als je nu die hele trap af loopt, dan komt hij niet. Als je blijft wachten, laten we zeggen nog een halfuur, en als het je lukt om die hele tijd niet op je horloge te kijken, dan... wat dan?

Het voelt alsof alle vreugde uit me wegsijpelt, heel langzaam, als de inhoud van een zandloper. Ik ben acht, ik ben jarig en mijn vader had beloofd dat hij er zou zijn, maar hij kwam niet. Waar zat hij toen ook weer? Ik ben het vergeten. Wat ik niet ben vergeten is hoe ik weigerde om naar bed te gaan, voor het geval hij toch nog thuis zou komen. Ik ben op een gegeven moment aan de tafel met daarop mijn cadeaus in slaap gevallen. Oma heeft me naar bed gebracht en de volgende ochtend was alles weer zoals altijd, alleen bij mij vanbinnen was er iets veranderd. Ik heb mijn vader daarna nooit meer geloofd als hij zei dat hij dan-en-dan weer thuis zou zijn. En ik heb ook nooit meer op hem gewacht.

Vastbesloten loop ik de trap af. Het is halfzes. 'Dit doet echt de deur dicht,' zeg ik hardop. 'Maak ik een omweg van zeshonderd kilometer, is hij er niet.' Voor de allerlaatste traptrede schiet me ineens iets te binnen. Ik haal mijn mobieltje tevoorschijn en zoek naar zijn oproep. Ik kies het nummer. Klem mijn lippen op elkaar terwijl er verbinding wordt gemaakt: 'Dit nummer is momenteel niet bereikbaar,' zegt een computerstem, 'probeert u het later nog eens.'

Met een klap word ik me bewust van de pijnlijkheid van mijn situatie. Ik denk aan Anna en dat hele gedoe. Luciens gezicht wordt een met dat van Gregor dat ik nu tot in detail voor me zie, en dan hoor ik hen lachen.

Moet je haar nou zien, zegt Gregor, *die geloofde echt dat ik hier op haar zou wachten. Terwijl ik haar toch al in Brest heb duidelijk gemaakt dat ze niks voor me betekent.*

Ja, zegt Anna, *ze heeft een probleem met mannen, maar dat ligt voor de hand.*

Zie je nou wel, zegt mijn vader, *ik heb toch gezegd dat dit op niks zou uitlopen.*

'Ben je met de auto?'

Ik draai me om. Alweer diezelfde vent. Net stond hij nog boven, en nu leunt hij over de balustrade van het laatste bordesgedeelte.

'Kun je me misschien een lift geven? Waar moet je heen?'

Ik draai me van hem weg. Ik trek ook altijd de verkeerde mannen aan. Altijd van die lastige types, hardnekkig als vliegen. Dan legt hij zijn hand op mijn schouder, wat ik dus absoluut niet trek.

'Wacht even,' zegt hij. Wachten? Ik heb genoeg gewacht.

'Vergeet het maar,' zeg ik, 'ik ben nu eenmaal liever alleen onderweg. En dan begint die vent te lachen. Ik kijk hem even aan. Er is iets aan zijn gezicht dat me irriteert, tot ik zie dat hij een tatoeage tussen zijn wenkbrauwen heeft, een knoop van verstrengelde lijntjes, niet groter dan een vogeloog.

Het is allemaal zijn schuld, denk ik, alleen zijn schuld, en hoewel ik weet dat het onzin is, bijt ik me vast in de gedachte dat als hij niet was opgedoken, Gregor hier nu zou zijn. En hij zegt: 'Dat heeft onlangs iemand ook al een keer tegen me gezegd, maar dat zeggen ze allemaal eerst...' Nu is de maat vol, en mijn hand schiet naar voren, nee, niet mijn hand, mijn vuist, en die raakt hem midden in zijn gezicht, precies op die belachelijke tattoo. Hij wankelt en valt van de trap in een groepje met jonge meisjes, en onder enorm gegil sleurt hij hen mee in zijn val. Ik ben nu omringd door mensen. Handen die naar me grijpen, witte uniformen, die ik nu daadwerkelijk de petten van het hoofd sla, tot ze me tegen de grond drukken. Witte broeken met scherpe vouwen, zwartglanzende schoenen, harde gezichten met daarboven de lucht, zo blauw... Gek dat die er toch altijd is, die lucht. Dat hij niet verduistert, oplost, verdwijnt met deze vervloekte dag. Zaterdag om drie uur bij de kathedraal, dat zal ik de rest mijn leven niet meer vergeten, en ik kan het mezelf niet vergeven dat ik zo onnozel ben geweest om nog echt te komen ook. Dat ik oprecht geloofde dat het dit keer anders was. Dat ik echt heb gedacht: op jou kan ik bouwen. Dat ik dit hele stuk alleen voor hem heb gereden. Hij hoefde maar te fluiten, als naar een hond... en dan trekken ze me overeind, draaien mijn armen op mijn rug en slepen me weg. In het voorbijgaan zie ik hoe bij die vent het bloed op zijn smerige broek druppelt, maar die genoegdoening duurt maar kort, want dan volgt de schaamte. Niet omdat honderden pelgrims me aanstaren alsof ik de duivel zelf ben, nee, omdat ik niets beters kon bedenken dan op commando komen aanlopen. *Inderdaad,* zeg ik bij mezelf, *je wist ook niets beters, want waar moest je heen. Je kunt niet meer naar huis, bij Anna heb je het verbruid, je hebt helemaal niemand op de hele vervloekte wereld. Het enige wat jou rest is de zoektocht naar je ontaarde moeder, en verder kun je je net zo goed van een rots storten. Nou ja, daar zijn er genoeg van, daar in het zuiden van Portugal.*

Op het politiebureau recht tegenover mijn hotel denk ik aan mijn auto, die onder me in de ondergrondse parkeergarage staat. Een roodblonde vrouw met zomersproeten schudt haar hoofd. 'Wat is er toch met die Duitsers,' zegt ze, 'zijn jullie allemaal aan het doordraaien?'

Ik kijk naar een kwijnende kamerplant die in de hoek staat.

'Als jullie die plant niet snel in een grotere pot met meer aarde zetten dan gaat hij dood,' zeg ik.

De vrouw trekt haar wenkbrauwen op.

'Bent u zich ervan bewust dat u iemands neus hebt gebroken en dat er nog twee mensen met kneuzingen naar het ziekenhuis zijn afgevoerd?'

Ik bestudeer het patroon op de vloer. Marmerplaten die in een visgraat zijn gelegd.

'Die kerel viel mij lastig,' zeg ik. 'Mag dat dan hier in Spanje? In het heilige Santiago de Compostela? En toen keek iedereen weg, ook die strenge agenten van jullie!'

Ze legt me een formulier voor dat ik moet invullen, maar ik ben er klaar mee en scheur het in kleine stukjes. Ik moet mijn gegevens opgeven bij zo'n computermuts, maar ik denk er niet aan. 'Jullie hebben mijn paspoort,' zeg ik bits, 'dus wat wilt u nou nog verder van me. Waarom laten jullie me niet gewoon met rust?'

'Jammer,' zegt de roodharige agente. 'Ik wilde u net een voorstel doen. U betaalt honderdvijftig euro boete, die aan het pelgrimsbureau ten goede zal komen, of u blijft hier een nacht in de cel.'

'Prima,' zeg ik, 'dat lijkt me een eenvoudige keuze.'

'Dat dacht ik al,' zegt zij. 'Uiteindelijk bindt iedereen in.'

Ze schrijft een bekeuring uit, die ze naar me toe schuift.

'U begrijpt me verkeerd,' zeg ik. 'Die huichelaars van een pelgrims krijgen geen cent van me. Het kan me niet schelen waar ik vannacht slaap.'

In het begin vind ik het allemaal nog reuze interessant. Bed, tafel en krukje zijn aan de vloer vastgeschroefd. In de hoek zijn een wastafel en een toiletpot.

Geen raam. Heel even slaat de paniek toe. Hoe red ik het zonder raam? Dan voel ik het tochten door een schacht in het plafond waar tralies voor zitten. Een cel met airco, niet slecht.

Jammer van de dure hotelkamer, denk ik, en ik wikkel me in de kriebelige deken. Een waardig slot van een verschrikkelijke dag. Ik rol me op tot een bal. Stel me voor dat ik in de buik van mijn moeder zit. Maar die gedachte biedt me geen troost meer, zoals vroeger toen ik nog een kind was en mijn moeder nog een engel. Ik probeer Angela uit mijn gedachten te bannen. En Gregor ook. En Anna. En Lucien. Maar ik heb de een nog niet uit mijn hoofd gezet, of de ander duikt alweer op via de andere kant. Gregor is al helemaal hardnekkig. Hij wil maar niet loslaten en hij spiegelt me beelden voor van dingen die hij nu, op dit moment, aan het doen zou kunnen zijn. Ik zie hem door een of andere oude binnenstad slenteren, de as van zijn oom verstrooien, met een andere vrouw dineren. Ik kreun. En ik heb deze beelden nog niet verjaagd of Anna duikt voor me op. Anna die haar hand voor de mond slaat, Anna die mij vol afkeer aankijkt, Anna die zich tegen Lucien aan vlijt. Ik gooi me op mijn andere zij. Ik kan net zo goed proberen om een zwerm muggen te verjagen. Dan begin ik de tovernamen van mijn enige vrienden op te roepen, want dat helpt altijd. *Botrychium lunaria, de maanvaren, Ophioglossum vulgatum, de addertong, Pteridium aguilinum, de adelaarsvaren, Polypodium vulgare, engelzoet, Dryopteris filixmas, de mannetjesvaren,* en dan de familie van de *Adiantum, de Japanse pauwenstaartvaren, het zwartbruine venushaar.* Ik schrik op. Er roept iemand, het is een vertwijfelde kreet die me door merg en been gaat. Ik houd mijn handen voor mijn oren. *Hanenkamwijfjesvaren, wenteltrapwijfjesvaren*, en niet te vergeten het *Himalaya venushaar.* Nu denk ik ineens aan Fred. Ja, op Fred kon je bouwen. Die was zo stipt als de prikklok op het instituut. Hij liet me nooit wachten, heeft nog nooit zijn woord gebroken en nooit meer beloofd dan hij kon waarmaken. En precies om die reden ben ik bij hem weggegaan, omdat hij mij op de zenuwen werkte, omdat hij me te saai was en omdat ik mijn toekomst met hem voor de rest van ons leven kon voorspellen, en bovenal, omdat ik niet van hem hield.

Jij bent helemaal niet in staat om van iemand te houden, zei Anna. En ik maak me nog kleiner. *Dryopteris affinis vallichiana, Osmunda cinnamonea, Woodsia polystichoides,* en de reusachtige *Dicksonia antarctica*, die wel tot vijf meter hoog kan worden. Drie meter twintig was het exemplaar dat ik vlak voor Pasen nog uit Australië had gekregen. Het is moeilijk, zo niet onmogelijk om varens uit Australië te importeren. Het heeft me bijna drie maanden gekost om alle benodigde vergunningen te krijgen. Maar ook de *Dicksonia* heeft de hagelstorm met Pinksteren niet overleefd.

Ze bieden geen troost meer, de magische namen. In plaats daarvan zwerf ik door de tuinen die ik in Zuid-Frankrijk heb aangelegd. Maar daar is ook het dinosauriërpark van Victor, van wie ik helemaal geen afscheid heb genomen, en Anna's plaatsje achter de wilde roos, met de lavendelstruiken en de zinloze zonnewijzer die Lucien per se wilde hebben. Ik bal mijn vuisten nog eens, bijt op mijn knokkels om niet in janken uit te barsten. Maar het helpt ook niet om aan Isabelles waterlelievijver te denken of aan Claudes terrastuin. Daar kan ik nooit meer aan denken zonder Luciens hand in mijn haar te voelen, zijn adem te ruiken, zijn erectie te voelen.

Wat een zinloos leven, denk ik. Een jeugd vol leugens, een mislukte carrière, stukgelopen vriendschappen, uitzichtloze liefdes.

Ik ben weer bij mijn beginpunt aanbeland, mijn gedachten draaien rond in een kringetje, en nu hoor ik ook weer dat geschreeuw. Het is waarschijnlijk iemand zoals ik, ook opgesloten in een cel. Weer herhaal ik hardop de tovernamen. Ik mompel ze in de wollen deken, en net als ik bijna een soort van slaap kan vatten, gaat de plafondverlichting uit.

Zwart.

Ik sper mijn ogen wijd open, maar het is aardedonker en nergens is ook maar het geringste streepje licht, geen kiertje, niks. Het geschreeuw is opgehouden. Een wattige nacht, als een hol waarvan de wanden steeds verder van elkaar wijken, steeds sneller bij mij vandaan, zodat ik gedesoriënteerd achterblijf, verloren in het universum. Het is echt zo, het bed lost op en ik zweef als een ster, een komeet die gewichtloos door deze kosmos zweeft, helemaal alleen, zonder reden, zonder doel. Ik begin te huilen, maar ik ben het niet die huilt, er is iets binnen in mij dat huilt. Iets dat ik altijd al met me meedroeg maar dat ik goed verborgen hield. En dat huilt nu redeloos en het weet van geen ophouden. Helemaal alleen in dit universum zweeft iets rond dat Caroline heet. Zonder doel en zonder troost.

Ik huil de hele nacht door. Ook in mijn slaap, die toch op een gegeven moment vat op me krijgt. Ook in mijn droom, die me door tranendalen voert, door grotten en bronnen en wellen, en stille ondergrondse meren.

Dan word ik wakker omdat een kille zon op me wordt afgevuurd.

De tl-balken zijn weer aangegaan. Het is acht uur 's ochtends.

Ik was mijn gezicht. Boven de wastafel hangt geen spiegel. In plaats daarvan heeft iemand een grimas in de muur gekrast, een duivelskop die zijn tong naar me uitsteekt. 'Ook goedemorgen,' zeg ik. 'Wat zie je er leuk uit, joh.'

Wat moet ik doen al ze straks komen om me hier uit te halen? Hoe moet het verder? Ik wil weg uit deze stad. Maar waar moet ik naartoe?

Het wordt tijd dat ik me eens bezin op waar het eigenlijk allemaal om draait. Waarom ik huis en haard heb verlaten. Niet om voor een of andere gek wiens auto is geëxplodeerd half Europa door te trekken en dan met hem in bed te belanden. Niet om in een bergdorp aan de noordkant van de Pyreneeën tuinen aan te leggen. Niet om in een pelgrimsoord een nacht in de bajes te zitten. Ik ben van huis en haard weggegaan om mijn moeder te vinden.

Angela. Ik zal haar ter verantwoording roepen. Je kunt niet zomaar iemand op de wereld zetten om vervolgens te doen alsof het jou verder niets meer aangaat.

En aan deze gedachte klamp ik me vast, tot ze komen en de deur opendoen. Ik loop de gang door, de trap op, en ik heb het gevoel alsof ik aan een graf ben ontsnapt dat me voor één nacht heeft opgeslokt. Maar nu gaat de reis verder, en wat was, dat beloof ik mezelf, dat ligt achter me en daar heb ik niets meer mee te maken. Het is zondagmorgen, tien uur. Mensen stromen naar de kathedraal, en de zon kruipt over de daken van de huizen en treft me midden in mijn gezicht.

Er glipt een hond de hoek om. Karl May, denk ik. Maar dat kan toch niet? Zie ik spoken? Ik loop een stukje achter hem aan, kijk in een paar portalen, en gluur een steegje in. Niks te zien. Geen hond. Maar toch. Ik zou zweren dat hij het was.

'Karl May!' roep ik. Niks. Ik vergis me zeker. Er zijn vast een heleboel honden die er precies zo uitzien als Karl May.

In het hotel werpt de portier me een vuige blik toe. Joost mag weten wat hij denkt over waar ik de nacht heb doorgebracht. Maar je maat bij de politie zal het je snel genoeg vertellen, denk ik, terwijl ik op de sleutel sta te wachten, die hij omstandig voor me opzoekt.

'Het was Karl May niet,' zeg ik hardop tegen mezelf in de lift.

Maar toch. Als ik onder de douche sta kan ik het gevoel maar niet van me af schudden dat er iets niet in de haak is. Maar wat? Karl May kan niet in de stad zijn. Anders was Gregor gisteren wel gekomen. Maar wat nu als hem iets is overkomen? Dan word ik kwaad. Typisch, in plaats van de hint te begrijpen en die kerel voorgoed uit mijn gedachten te verbannen, ga ik me weer zorgen maken.

'Nee,' zeg ik, en ik draai de koude kraan vol open. 'Onzin. Jij wilt maar niet inzien dat hij jou heeft laten barsten. Ja. Laten barsten. En nu is het genoeg, over en uit.'

En terwijl ik me afdroog en schone kleren aantrek laat ik mezelf plechtig zweren dat ik me, wat er ook gebeurt, nooit meer inlaat met iemand als Gregor Beer. Nooit meer, in geen geval, of hij nu opbelt, voor de deur staat, of letterlijk geen cent meer heeft. Gregor Beer bestaat niet meer voor mij. Tot in de eeuwigheid, amen.

Ik pak mijn tas in en wil alleen nog maar weg uit deze stad.

'Hebt u het al gelezen?' vraagt de portier als ik afreken, en hij reikt me de zondagskrant aan. 'Het schijnt dat ze nu bewijs hebben. Het waren dezelfde terroristen als destijds in Madrid.'

'O ja,' zeg ik zonder enige interesse. Als iemand mij nog eens zo behandelt, word ik zelf ook terrorist. Maar dat denk ik alleen maar.

'Het is treurig,' gaat de man door, 'hoe hier in dit land politiek wordt bedreven. Zelfs de premier heeft het in zijn toespraken alleen nog maar gehad over die foutgeparkeerde auto. Terwijl zijn bezoek een heel andere insteek had. De autonomie. De gevolgen van de olieramp. De situatie van de Galicische vissers. Maar nee, alles draait alleen nog maar om die auto. In wat voor tijd leven we toch?'

Hij heeft gelijk. Maar het kan me niks schelen. Wat heeft dit met mijn eigen ellende te maken? Niks. Dan bedenk ik iets.

'Zeg,' vraag ik hem, 'hebt u hier op het plein toevallig een hond zien lopen, ongeveer zo groot, met een lichtbruine, ruige vacht?'

De man kijkt me aan.

'Een hond? Nee, señorita. Wij zijn er trots op dat er in Santiago geen zwerfhonden zijn. En mocht ik er eentje zien, dan kunt u van me aannemen dat ik hier meteen gif strooi. Dat ontbrak er nog maar aan. Kijk,' zegt hij, en hij bladert door de krant. 'Hier staat zwart op wit waartoe zulke beesten in staat zijn. In Saragoza hebben zwerfhonden een oude vrouw aangevallen en gedood. Moet u deze foto eens zien, dat is toch een schande? Hier, wat zegt u daar nu van?'

Ik kan nauwelijks de impuls onderdrukken om de krant uit

zijn handen te scheuren om er een compacte prop van te maken. In plaats daarvan laat ik hem gewoon staan en loop de ochtend in. Vastbesloten steek ik het plein over. Zag ik daar niet iets bewegen achter die vuilnisbakken?

'Karl May!' roep ik lokkend. Ik loop naar de bakken, en roep nog eens. 'Kom hier, Karl May. Die vent wil je vergiftigen als hij je ziet!'

Maar er is geen hond te bekennen. Ik ben echt aan het doordraaien. Hoog tijd dat ik hier wegga.

Even later verlaat ik de stad in de richting van de Portugese grens. Van nu af aan wordt alles anders, zeg ik hardop. Van nu af aan vertrouw ik echt alleen nog maar op mezelf. Van nu af aan ben ik degene die de spelregels bepaalt. En compromissen worden niet meer gesloten.

DEEL 3

De bestorming van de hemel

Hoofdstuk 21

Waarin Caroline een pad redt en een bittere pil moet slikken

Met een zucht van verlichting neemt de dag afscheid. In de duinen wacht het klankkoor van de avond, het zagen en tsjirpen, het krassen en kwinkeleren van weet ik wat voor dieren allemaal. Tussendoor hoor ik het knarsen van voetstappen op kiezelpaden, flarden van zinnen en kreten in verschillende talen.

In het hokje naast me begint een oververmoeid kind tegen de geruststellende stem van zijn moeder in te huilen. Aan de toename van zijn volume kan ik volgen hoe ver de wasbeurt van het kind vordert, en als de frequentie twee octaven wordt opgeschroefd staat het wel vast: vandaag moet zijn haar gewassen worden.

'Regarde ça,' zegt de moeder, *'tout ce sable.'*

Ze heeft gelijk, ook ik zit onder het zand. Ik ben hier nu nog maar een paar uur, en nu al knarst het tussen mijn tanden.

'Ingrina,' zeg ik voor me uit, terwijl ik me afdroog en het kunststukje volbreng om me in dit kleine hokje aan te kleden zonder een kledingstuk in het aarzelend stromende douchewater te laten vallen. Ingrina. Alsof het mijn redding is. Maar redding waarvan? Ik ben uiteindelijk drie dagen onderweg geweest, met een vastbeslotenheid die me nauwelijks met rust wenste te laten. Kilometer na kilometer op weg naar het zuiden, voorbij Porto en ook voorbij Coimbra, en ook aan de verleiding om af te slaan bij Lissabon bood ik weerstand. *Nee,* zei ik tegen mezelf, *je hebt al veel te veel tijd verdaan, en je bent per slot van rekening niet voor je plezier op reis.*

En zo drukte ik met mijn rechtervoet het gaspedaal in, trapte alleen op de rem als ik inkopen moest doen, of moest eten en slapen. Mijn hoofd deed zijn best om niet meer aan datgene te denken wat ik achter heb gelaten. En op de derde dag nadat ik Santiago had verlaten, reed ik langs het plaatsnaambordje van Vila do Bispo. En voor ik er erg in had, was ik het dorp alweer voorbij. Maar in plaats van te stoppen en om te keren, gaf ik gas. Opgelucht. Die Angela kon ik altijd nog opzoeken. Ze heeft zelf zesentwintig jaar gewacht voor ze een teken van leven gaf, dus het komt niet aan op een dag of twee.

Toen zag ik het bordje met het opschrift: 'Camping Ingrina, 2,5 km'. En nu ben ik dus hier, vlak achter de duinen, aan de Atlantische Oceaan.

Ik trek mijn beha aan, pak mijn T-shirt van het haakje. Zoals altijd zit hij binnenstebuiten gedraaid. Ineens hoor ik voor de deur van mijn hokje een kreet, en meteen daarop nog eentje, iets verder weg. Getrappel van voeten, een hele stroom woorden in een vreemde taal, nog meer gegil en gelach, een gebiedende mannenstem. Ik gooi de deur open om te zien wat er aan de hand is. Het heeft meestal niet veel goeds te betekenen als een vrouw hysterisch tekeergaat en een man een militair toontje aanslaat.

Bij de ingang van de vrouwendouches drommen de mensen samen. Kinderen slaan met stokken op iets in dat ik niet kan zien.

Ik schuif een paar vrouwen aan de kant, en probeer te zien waar de kinderen zo verbeten op los meppen. Dan beginnen ze weer te krijsen en er springt iets zandkleurigs tussen hun benen door – het is een monsterlijk grote pad. Ik had geen idee dat die beesten zo groot konden worden. In doodsangst waagt het beest een directe vlucht, dwars door de rijen met vijanden. Gefascineerd kijk ik naar de modderbruine rug, de met wratten en bulten bedekte kop en de ogen die angstig in hun kassen rollen.

Wat te doen? Ik trek het deksel van een plastic vuilnisemmer en schudt de inhoud uit de emmer. 'Nu is het genoeg,' roep ik tegen de kinderen, die rondzwaaien met hun stokken en als ze niet willen luisteren, trek ik de grootste jongen die erop gespitst is om de vijand te harpoeneren het wapen uit handen. 'Ophouden!' zeg ik tegen hem. De pad blaast zijn keel op, kijkt me aan en alsof hij voelt dat er van mij geen gevaar uitgaat, doet hij een vertwijfelde sprong in mijn richting. Ik neem stelling met de emmer en bij de tweede sprong weet ik hem te vangen. Vlug het deksel erop, klaar.

'Dat was het,' zeg ik tegen iedereen. 'De jacht is voorbij.' Maar waarom staren ze me nou allemaal zo aan? En niet eens in mijn gezicht, maar verder naar beneden? Hun blik blijft hangen op borsthoogte! Als ik omlaag kijk, stel ik vast dat het T-shirt nog in de douchecabine moet hangen.

'Wat nou,' snauw ik een huisvader toe wiens ogen bijna uit de kassen vallen. 'Heb je nog nooit een vrouw in haar beha gezien, of zo?' En dan marcheer ik weg, met opgeheven hoofd en met de pad in de vuilnisemmer onder mijn arm.

'We noemen hem naar jou,' zegt Mariza. 'Carolina, dat is een goeie naam voor een pad. Ga je mee als ik haar morgenochtend vrijlaat?'

Natuurlijk ga ik mee. Dat moeras waar ze het beest in gaan vrijlaten, moet ik zien.

'Geweldig dat je haar hebt gevangen,' zegt Mariza en dan giet ze een beetje water in de emmer. 'In dit jaargetijde duiken ze steeds op in de washokken. Meestal komen de mensen mij halen. Maar soms vermoorden ze de padden ook gewoon. Moet je haar nou eens zien, is ze niet prachtig?'

Mariza is klein en pezig, ik schat even oud als ik, en als Raffaelo er niet is, runt zij de camping. Ze spreekt goed Engels, en zowaar wat Duits dat ze van de toeristen heeft geleerd.

'Hier,' zegt ze, en ze houdt iets voor me op. 'Dit is voor jou. Omdat je Carolina hebt gered.'

Het is een ronde, poreuze steen met twee gaten, waar ik mijn vingers in kan steken.

'Dat is een gelukssteen,' zegt Mariza. 'Die vind je wel eens op het strand. Je moet er doorheen kijken en een wens doen.'

Ik weeg de steen in mijn hand. Een wens?

'Daar moet ik even over nadenken,' zeg ik tegen Maria. Ze lacht.

'Doe dat,' zegt ze. 'Denk er heel goed over na. Dan gaat hij in vervulling.'

De volgende ochtend drinken we in de receptie een kopje koffie, zo zwart als teer en we wachten tot Raffaelo komt om Mariza af te lossen. Ze werkt hier al zeven jaar. Maar niet voor lang meer. Ze legt haar hand op een stapel boeken die op het bureau ligt.

'Morgen ga ik naar Lissabon.'

Haar ogen stralen, en ze gaat zachter praten, alsof ze een geheim verraadt. 'Ik moet toelatingsexamen doen. Voor de universiteit. Ik wil marien bioloog worden.'

Jammer, denk ik, heb ik net vriendschap met iemand gesloten, gaat ze alweer weg.

'En jij?' vraagt Mariza, 'jij lijkt me niet iemand die hier komt voor een strandvakantie.'

'Jawel,' zeg ik halfhartig, 'een strandvakantie, daar kom ik voor, wat denk je dan?'

Mariza grijnst.

'Je hoeft het me niet te vertellen,' zegt ze, 'maar ik zie meteen dat je hier voor iets anders komt.'

En dan vertel ik het haar. Dat mijn moeder hier woont terwijl ik zo lang dacht dat ze dood was. Mariza hoort het allemaal aan alsof ze zulke verhalen wel vaker hoort. Ook het verhaal over de ansichtkaart schijnt haar niet te verrassen.

'Mijn zusje is er ook vandoor gegaan,' zegt ze als ik uitverteld ben. 'Heeft de baby bij mijn moeder achtergelaten. Niemand weet wat er van haar geworden is. Misschien dat zij ook ooit eens zo'n kaartje stuurt? Het is hartstikke moeilijk om hier weg te komen, daar kan ik een boek over schrijven. Maar morgen, morgen is het voor mij ook zo ver.'

Maar dan komt Raffaelo met slecht nieuws. Mariza's gezicht betrekt terwijl hij op haar inpraat. Als we de paddenemmer in haar auto tillen, is haar vrolijke stemming volkomen omgeslagen.

Als we over een hobbelweg rijden, zegt ze dat het ernaar uitziet dat ze toch niet weg kan.

Haar stem trilt.

'En alles was geregeld, Manoel zou mij aflossen, en nu heeft hij zijn been gebroken.'

Mariza zwijgt. Ik hoor hoe Carolina in haar emmer omscharrelt. Laten we hopen dat ze het deksel niet loskrijgt.

'Is er dan niemand anders behalve Manoel die dat zou kunnen doen?' vraag ik.

Mariza haalt haar schouders op. 'Dit is al de derde keer,' zegt ze. 'De eerste keer werd mijn moeder ziek. Er zijn nog drie jongere kinderen bij ons thuis, en daar moest ik voor zorgen. De vorige keer kreeg Raffaelo een ongeluk met een motor. Moest hij drie maanden in het gips. En dan nu Manoel.'

Dat kan toch niet waar zijn, denk ik. Er zal toch wel iemand zijn die een weekje op die camping kan passen...

'Zo,' zegt Mariza. 'We zijn er.'

In een slenk groeien biezen en oeverriet. Mariza sjouwt de emmer de auto uit en klimt door de struiken naar beneden. Dan opent ze het deksel en legt de emmer op zijn kant op de grond. Er gebeurt niets. Maar als Mariza een stukje verderop gaat staan, waagt Carolina zich voorzichtig naar buiten. Eerst steekt ze haar kopje uit de emmer. Dan, met één sprong, is ze eruit en verdwijnt ze tussen het groen van de planten.

'Het ga je goed, Carolina,' roept Mariza haar na. 'En zeg tegen de andere padden dat ze beter hier kunnen blijven.'

'Hoe lang moet je dan weg?' informeer ik.

'Een week.'

Mariza is niet bepaald spraakzaam op de terugweg.

'En waarom zeg je niet gewoon tegen Raffaelo dat hij de boom in kan? Hij moet die camping dan maar even in zijn eentje runnen.'

Mariza werpt me even snel een blik toe.

'Hij is mijn oom,' zegt ze. 'Tegen een oom zeg je niet zo snel dat hij de boom in kan. En trouwens, wie zegt dat ik dat examen haal? Als ik het niet haal, dan is dit een prima baantje. En als ik studeer, dan moet ik hier in de vakantie werken om het geld te verdienen waar ik van moet leven, want ik heb geen rijke familie, zoals andere mensen.'

En dan kijkt ze me aan, en in haar ogen zie ik iets oplichten. Midden op het landweggetje trapt ze op de rem en zet ze de wagen stil.

'En jij dan?' vraagt ze, 'zou jij mij niet kunnen vervangen?'

'Ik?' vraag ik verrast.

'Een week,' zegt Mariza, 'je hebt je voor een week ingeschreven, en over een week ben ik weer terug.'

Nee, denk ik, geen compromissen, dat heb ik mezelf bezworen. Ik heb wel wat anders te doen dan op een camping te hangen.

'Maar je kent mij helemaal niet,' ontwijk ik haar vraag, 'en je oom ook niet. Hoe moet hij weten dat ik er niet met de kas vandoor ga? En bovendien... ik heb geen idee wat er allemaal bij komt kijken.'

'O,' zegt Mariza, 'het is heel simpel. Dat kun jij best. En Raffaelo vindt het vast goed. Hij móét het goed vinden. Iemand die een pad het leven redt, daar kun je op bouwen.'

En dan zet ze de auto in de versnelling en stuift ervandoor, over het ene gat in de weg na het andere.

Moet ik Mariza laten stikken? Als Raffaelo mij hartelijk de hand schudt, kan ik niet anders meer en zeg dat ik het zal doen.

'Je wisselt elkaar steeds af. De ene dag werk je van negen tot één, en de volgende dag van vier tot acht.'

Ik knik.

'Er is nog één dingetje,' voegt Mariza er gegeneerd aan toe. 'Je moet twee keer in de week een bardienst draaien. We doen het vandaag wel samen, dan laat ik je alles zien. Wees maar niet bang, je redt het best.'

Ik trek een gezicht. 'Was dat het?' vraag ik. 'Niet nog andere dingetjes die je even was vergeten?'

Mariza schudt haar hoofd. En dan valt ze me om de hals.

'Doe me in elk geval één plezier,' zeg ik, terwijl ze me bijna platdrukt, 'zorg dat je dat vervloekte examen haalt!'

Later zwerf ik over het kampeerterrein. De meeste gasten zijn nog aan het strand of op een tripje, en hun tenten staan verstopt onder de bomen. Boven op het duin, dat de camping van de zee scheidt, zie ik een camper staan die eruitziet alsof hij daar is gestrand. Ik vraag me af of hij nog rijdt. Op de terugweg neem ik een ander pad, dat naar de bar voert.

'Twintig kilometer door beschermd natuurgebied,' hoor ik ineens iemand zeggen, en ik krimp ineen. Ik heb allang geen Duits meer gehoord. Op een roestige stoel zit een man in zandkleurige kleding, en met een gezicht en haren in diezelfde kleur. Als hij niks had gezegd, had ik hem nooit opgemerkt.

'Een snelweg,' verklaart hij, 'een snelweg tot aan het strand.' Dan strijkt hij verstrooid een lok haar uit zijn gezicht, kijkt op en kijkt mij in de ogen.

'Hallo,' zeg ik.

'Ben je ook van Lagos hiernaartoe gekomen? Daar was het je zeker te druk, of niet?'

'Nee,' zeg ik, 'ik ben niet in Lagos geweest.'

'Daar mis je dan niks aan,' gaat hij verder, 'behalve dan als je over de snelweg tot vlak bij het strand wilt kunnen komen. Om over de hotels nog maar te zwijgen. Costa Brava aan de Algarve. Nog even en de graafmachines gaan ook hier aan de slag. Let op mijn woorden. Raffaelo verpatst de hele boel en gaat op zijn lauweren rusten. En dan komt die snelweg hier ook. Hier,' zegt hij, en hij wijst over de duinen naar het strand.

Ik weet niet precies wat ik moet zeggen. Maar er wordt ook niet van me verwacht dat ik iets zeg.

'Het is die verdomde wind,' zegt de man, en zijn gezicht vertrekt. 'Daar draaien ze allemaal van door.'

'O ja,' zeg ik, hoewel ik weet dat het geen zin heeft om tegen deze man in te gaan. 'Maar er waait toch helemaal geen wind, momenteel?'

'Geen wind?' vraagt hij. 'Voel jij de wind dan niet? Nou, wacht dan maar af. Over precies drie uur komt hij weer opzetten, en dan zul je het beleven. Je kunt er de klok op gelijk zetten. En dan blijft hij drie weken waaien, verdomme. Het gaat je door merg en been. Toen wij hier voor het eerst kwamen, en dat is nu al meer dan dertig jaar geleden, waren wij de eersten. We hebben vervallen finca's opgebouwd en groenten verbouwd en we hielden geiten. Tja. In die tijd was er hier nog helemaal niets. Geen vliegveld, nauwelijks hotels, en al helemaal geen snelwegen. Het toerisme maakt alles kapot.'

'Waarom gaat u dan niet ergens anders heen?' vraag ik.

'Waarom niet?' vraagt hij alsof hij me niet goed heeft verstaan. 'Waarom ik niet ergens anders naartoe ga? Omdat die vervloekte kar niet meer kan rijden, die zit vast, en om hem weer vlot te trekken, kost een paar duizend euro. En die heb ik niet. En al had ik die wel, vertel jij me dan maar eens waar ik naartoe moet? Moet ik dan weer terug soms, zoals al die andere lafbekken? Moet ik dan weer netjes met een das om op kantoor gaan zitten en lekker het globaliseringsspelletje meespelen? Nou, daar pas ik voor. Je moet jezelf 's avonds ook weer in de spiegel kunnen aankijken. Nee. Hajo Scheske gaat niet meer terug. Ik heb dit stekje uitgezocht en hier blijf ik ook.

Al blijf ik hier in mijn eentje over. Ik zeg het je, op een dag gooi ik me voor de graafmachines. Iemand moet het doen.'

Ik spring van mijn ene voet op de andere.

'Goed,' zeg ik, en ik draai me om en wil doorlopen, 'tot ziens dan maar weer.'

'*Goed*, zegt ze,' mort Hajo Scheske me achterna. 'Niks goed, tot ziens, tot ziens, ja zeker tot ziens, want wie hier strandt, die loop je steeds weer tegen het lijf, dat lijkt me duidelijk.'

Mijn hemel, denk ik, wat een type, maar de schrik slaat me om het hart want ook ik ben hier zomaar terechtgekomen, en nu zit ik hier, om iets waar ik niets mee te maken heb, nog een hele week vast.

Ik loop vlug de treden op naar het restaurant. Raffaelo is met een jongen, Nuno heet hij, bezig om twee barbecues op het terras op te bouwen. Er hangen bloemenslingers boven de deur van de ingang. Hij wil me iets uitleggen, maar ik begrijp hem niet. Allemachtig, hoe moet dat, een hele week. Portugees is totaal anders dan alle andere talen die ik ken.

'Big party,' zegt hij, *'every month Raffaelo's famous chicken party, everybody coming.'* Ik begin te lachen omdat ik hier, aan het einde van de wereld een kippenfeest ga vieren. Dat is toch ook een giller?

Iedereen komt tegelijk, en iedereen heeft honger en dorst. Zolang er nog niets af te ruimen valt, schenk ik cola en wijn, trek ik flessen bier en frisdrank open, en dan lokt de geur van het kippenvlees nog meer gasten. Het terras is overvol, en ineens trekt er een windvlaag overheen en beginnen de slingers vervaarlijk te wapperen. De eersten verdringen zich al om binnen te komen. De wind is op komen zetten, precies zoals Hajo al voorspelde. Totdat iedereen een plekje heeft gevonden, heerst er chaos. Het restaurant zit stampvol en Mariza flitst tussen de tafeltjes door om iedereen te brengen waar hij zin in heeft, en wel zo snel mogelijk.

Ik weet niet hoe ik het heb. Nuno doet achter het buffet zijn best om de drankjes die Mariza hem toeschreeuwt klaar te zetten, en ik ruim de afwasmachine in en zet hem aan, verzamel het vuile servies, gooi de kippenbotjes in de vuilnisbak, stop mijn armen tot mijn ellebogen in de gootsteen en spoel de glazen die Nuno meteen weer van me overneemt en vult en klaarzet voor Mariza. Het is een hels kabaal in het restaurant. De deuren en ramen die op het terras uitkomen klapperen in de wind, dus die worden dichtgedaan, waardoor het binnen de kortste keren om te stikken is. Ik stop mijn handen in het spoelwater, stel hele legers schone glazen naast me op, die Nuno weer vult. Tussendoor pak ik de borden met kippenbotjes, ruim ik de afwasmachine uit, vul hem weer, enzovoort, enzovoort. Dan begint Mariza opeens langzamer te bewegen. De meeste gasten hebben genoeg gehad. Ik ruim de laatste tafels af. Ergens achteraan ontdek ik Hajo Scheske. 'Zie je nou wel,' roept hij tegen me als ik zijn bord afhaal. 'Zei ik het niet, de wind. De wind maakt alles kapot.'

Een vrouw zit bij hem aan tafel. Ze schaterlacht en legt een hand op zijn schouder. Ik probeer de tafel in orde te maken. Twee lege wijnflessen, een overvolle asbak. Ik heb een dienblad nodig. En dan voel ik hoe de vrouw me aanstaart, en ik kijk haar in het gezicht. Zwarte ogen met kringen eronder, donker haar met zilveren lokken erdoor, een roodgeverfde mond met rimpels eromheen. Ze trekt aan haar sigaret, blaast de rook uit, en kijkt me strak aan. Het is een expressief gezicht met vele sporen. De landkaart van een strijdlustig leven, schiet me door het hoofd. Ze is niet meer de jongste, misschien een jaar of vijftig. Waarom staart ze me zo aan, verdomme?

Ik wend mijn blik af en ga door met mijn werk. Rare lui, hier, denk ik, vreemde types.

Raffaelo komt met twee borden kip. Een voor Mariza en een voor mij.

'Kom,' zegt ze, 'eten!'

Het vlees smaakt overheerlijk.

'Ja,' zegt Mariza, 'Raffaelo's kip is beroemd. Hij marineert hem eerst twee dagen, maar geen mens weet waarin. Dat blijft zijn geheim, toch, Raffaelo?' Hij grijnst. Dan gaat hij de barbecues schoonmaken, en hij is de deur nog niet uit of er klinkt lawaai aan Hajo's tafeltje. Gekletter, gegil en gelach.

Mariza slaakt een zucht. 'Altijd hetzelfde liedje,' zegt ze. Dan staat ze op, want de vrouw roept haar. Luidkeels scandeert ze bevelen en de zandkleurige man aan haar zijde lacht en joelt en klapt in zijn handen. Mariza veegt de scherven bijeen, praat op beiden in, en probeert hen tot kalmte te manen. Maar ze bereikt het tegendeel, en andere gasten beginnen zich al naar deze tafel om te draaien en kijken geërgerd en vol afkeer. 'Koffie,' schreeuwt de vrouw, en iets wat klinkt als 'medronjo'.

Mariza's gezicht betrekt en gebaart naar Nuno achter de bar. Die stort zich op de espressomachine en pakt twee glazen van de plank waar hij een heldere vloeistof in schenkt. *'Nooooo,'* klinkt de vrouw vanaf het tafeltje, en wat ze verder zegt versta ik niet. Mariza probeert haar opnieuw tot kalmte te manen, maar de vrouw staat op, loopt naar het buffet en grist Nuno de fles uit handen. Een paar van de gasten moeten erom lachen. Anderen kijken elkaar veelbetekenend aan.

Als de vrouw weer bij haar tafeltje terug is, gaat ze niet zitten. Nee, ze steekt de fles voor zich uit als een buit en begint aan een soort van toespraak. Ze is dronken, dat is wel duidelijk. En hoewel ik er niks van versta, is het ook duidelijk dat ze weinig verheffende teksten uitslaat. Als een man aan een tafel naast haar iets tegen haar zegt, geeft ze hem een klap voor zijn hoofd, met de vlakke hand.

Gelach, gejoel, gegil.

Dan gaat de deur open. Daar staat Raffaelo, als een rots. Het valt stil in de zaal.

'Angela,' zegt hij, en mijn hart staat stil. Van wat hij verder allemaal zegt, versta ik geen woord. Mijn blik kleeft aan deze vrouw, die zich zo weerzinwekkend misdraagt. Angela, dat kan toch niet, er zijn toch nog wel meer Angela's op deze wereld. Honderdduizenden Angela's. Dit is gewoon toeval, verder niet.

Maar diep in mijn hart weet ik heel goed wie ik hier voor me heb. *Zie je die gelijkenis dan niet? Ze lijkt precies op jou,* zei mijn vader. *Je lijkt met de dag meer op haar.* Ik voel me niet lekker.

De vrouw die Angela heet geeft zich niet gewonnen. Met felle ogen schreeuwt ze Raffaelo iets toe. Die knikt, goedmoedig maar beslist. Hij neemt Hajo de fles uit handen, die toch al leeg is. Hij pakt Angela bij de arm, hangt haar tas om en duwt haar naar de deur. Ze krijst en verzet zich. Dan richt Raffaelo zich in zijn volle lengte op en wordt streng als tegen een stout kind. Er volgt nog een scheldkanonnade en dan staat ze buiten.

'Jullie kunnen geen van allen aan haar tippen,' schreeuwt Hajo Scheske met overslaande stem, 'geen van jullie!' En dan verdwijnt hij ook.

'Mijn god,' zegt Mariza. 'Raffaelo heeft haar al zo vaak de toegang geweigerd, maar elke maand komt ze weer.

Ze kijkt me aan.

'Hoe heet ze,' vraag ik geheel ten overvloede.

'Angela. Ze is een Duitse. Een kunstenares. Maakt heel rare dingen. Beelden, of zo.'

Ik storm naar buiten. Ik loop en loop en loop over de zandweg richting duin. Achter een struik ga ik over mijn nek. Ik spuug de gal uit en loop door. Het is nacht, maar het is bijna volle maan en ik zie een splitsing in het pad. Op goed geluk kies ik een richting.

Angela.

Ik had het me heel anders voorgesteld.

Nee.

Ik heb er helemaal geen voorstelling van gemaakt, maar als ik al iets voor me zag, dan zeker niet dit. Dat is mijn moeder niet. Niet dat afgeleefde, dronken, relschoppende wijf. Niet die vriendin van die gestoorde kerel. Ik begin te rennen. Angela's lach schalt in mijn oren. Ze staat voor me in het donker en ze maakt obscene gebaren in Raffaelo's richting. *Nee,* zeg ik bezwerend bij mezelf, alsof ik alles kan veranderen door het alleen maar te willen. Nee, nee, nee. Maar ik ben geen klein meisje meer dat zich 's avonds voor het slapengaan leugens op de mouw laat spelden en dat sprookjes verzint waarin haar moeder een engel is, of een fee. Het is soms beter om de waarheid niet te kennen. Wat zei Sebastian ook weer, vlak voor ik vertrok?

Je had het kunnen weten, denk ik, een vrouw die haar baby in de steek laat, is een monster. Je hebt een monster gevonden, maar wat had je dan gedacht?

Ik blijf abrupt staan. Dit is het einde van de weg. Ik sta aan de rand van een steil klif, en onder me ligt de weidse zee in het maanlicht. Een paar honderd meter onder me. Nog twee passen en ik hoef me nooit meer ergens zorgen over te maken, over niks, ook niet over wat voor sloerie mijn moeder is.

Ik ga op een rotsblok zitten. Mijn knieën trillen. Mijn keel brandt van de gal. Ik heb de smaak van halfverteerde kip in de mond.

Wat moet ik nu?

De wind blijft maar tekeergaan en doet mijn ogen tranen. 'De wind maakt alles kapot,' zei Hajo. Ik ril. Vreemde zinnen en flarden van herinneringen komen bij me op.

Wat moet ik nu?

Ik ga weer naar huis. De zaak is afgedaan. Ik weet wat ik moet weten. Maar wat moest ik dan precies zo dringend weten? Wat?

Ik heb geen idee.

Het gezicht van mijn vader. *Ik zei het toch? Jij wilde het niet horen. Het spijt me voor je, maar nu weet je dus waarom je zonder moeder bent opgegroeid.*

Ik heb het ijskoud. Ik kijk omlaag naar de zee. Die is diepzwart, en het maanlicht werpt een weerspiegeling over me heen als een ijzige speer. Het ziet er mooi uit, maar ik kijk ernaar alsof het heel ver van me af staat.

Dat ben ik niet, de vrouw die hier zit. Dat zijn niet mijn wangen, waar de tranen over stromen die door de wind aan haar ogen worden ontlokt. Dat is niet mijn lichaam dat rilt van de kou.

Achter me klinken voetstappen. Ik draai me om. Het is Mariza. Ze aarzelt, maar gaat naast me zitten.

'Hier ben je,' zegt ze.

Dan zeggen we allebei een hele poos niets.

Uiteindelijk raap ik mezelf bij elkaar.

'Ik heb er nog eens goed over nagedacht,' zeg ik zonder Mariza aan te kijken, 'maar ik ga morgen weg. Het spijt me vreselijk, maar ik kan niet blijven.'

Mijn woorden klinken kil, mijn stem is hees.

'Heeft dat soms iets met die Angela te maken?' vraagt Mariza.

Ik wil iets zeggen, maar mijn keel is met een laag ijs bedekt. Ik knik.

'Is zij soms...?' vraagt Mariza, en ik knik weer. Dan zwijgen we. Wat zou ze ook moeten zeggen? *Gefeliciteerd? Wat fijn dat je haar eindelijk hebt gevonden?*

In feite heeft zij mij gevonden, bedenk ik, ik heb haar niet gevonden. Die gedachte houdt me een poosje bezig.

'Moet je horen,' zegt Mariza weer, 'vind je niet dat je haar nog een kans moet geven?'

Ik staar haar aan. Hier buiten, in het maanlicht, lijkt ze net een klein, spichtig jongetje. Ik heb geen idee wat ze bedoelt.

'Ieder mens heeft recht op een tweede kans,' gaat ze verder. 'Ze was vanavond dronken. Nou en. Ik ken haar niet, maar misschien is ze in werkelijkheid heel aardig...'

'In werkelijkheid,' bauw ik haar na. 'Wat was dat vanavond dan? Acteerde ze maar wat? Was het een slecht toneelstuk?'

'Je kunt een mens niet op basis van één avond veroordelen...'

'Ach, hou toch je mond,' zeg ik fel. 'Bespaar me je onzin.'

'Goed,' zegt ze, en haar stem klinkt heel anders. 'Wat jij met je moeder doet, moet jij weten. Maar jij hebt mij iets beloofd. Jij hebt gezegd dat je hier zou blijven, en je kunt nu niet ineens vertellen dat je morgen weggaat. Wil je me dan echt laten stikken?'

'Ik zal je eens wat zeggen,' zeg ik bits, 'het zal me een rotzorg zijn. Wat kan mij dat examen van jou nou schelen? Hoe kom je erbij om je zo in mijn leven te mengen? Ik ga weg, hoor je, meteen morgenvroeg.'

En dan sta ik op en stampvoet de hele weg terug. En pas als ik bij mijn auto ben en me op mijn matras gooi, vraag ik me af waarom ik uitgerekend op Mariza kwaad ben.

Hoofdstuk 22

Waarin Gregor vervelt en doorrijdt naar het zuiden

Ik lees oom Gregors brieven door, de één na de ander, terwijl mijn voeten vervellen als slangen in het voorjaar.

Ik eet de maaltijden van mijn pensionhoudster en ik drink de wijn die haar zwager zelf heeft gemaakt. In het dorp koop ik een drie dagen oude Duitse krant en ik lees alles over de verijdelde bomaanslag in Santiago, waarbij mijn auto een hoofdrol speelde.

Wat ik veel liever zou willen weten, is waar Caroline uithangt. Mijn mobieltje vertelt me dat ik verleden week zaterdag om iets na vijf uur een oproep heb ontvangen. Van haar. Ik denk er een hele dag over na of ik haar moet bellen.

Nee, zeg ik tegen Karl May. Het is beter als ik haar persoonlijk spreek.

Toen ze mij uit de cel haalden, was het maandag. Urenlange verhoren die ik zonder klagen over me heen liet komen. Mijn woede was helemaal op, in deze contourloze tunnel van tijd, die me op de een of andere manier een spiegel voorhield. En wat ik in die spiegel zag, beviel me helemaal niet. En uiteindelijk begreep ik het. Dat wat Caroline me van het begin af aan al duidelijk wilde maken. Ja, meteen al toen ze in de basiliek mijn neus brak. Dat er dingen zijn die je niet met geld kunt kopen. En dat het nu uitgerekend op die dingen het meest aankomt.

Toen ik het politiebureau verliet, kwam er iets op me afgestormd, dat me bijna omvergooide. Karl May! Hij sprong tegen me op alsof er helemaal geen zwaartekracht bestond, en in zijn sprong likte hij me in mijn gezicht. Hij had een opgedroogde wond dwars over zijn neus, en hij was zo mager geworden dat ik zijn ribben kon voelen.

We verlieten de stad en reden naar het zuiden. In mijn auto lag alles wat ik in de duinen was kwijtgeraakt. Daar lagen oom Gregors urn en mijn schoenen plus sokken voor bij de bestuurdersstoel. Aan de andere kant van de Portugese grens zochten we een slaapplek, die we vonden in een familiepension. Karl May krijgt de kliekjes van de eigenaresse, groente met vlees en vis en aardappelen. Hij maakt geen enkele onderscheid, en schrokt alles met evenveel overgave naar binnen. Ik borstel hem urenlang met de hondenborstel die Caroline nog voor ons heeft gekocht, tot zijn vacht eindelijk begint te glanzen.

Onze pensionhoudster bekijkt mijn voeten.

'Peregrino,' zei ze vol ontzag en ze sloeg een kruis toen ze mijn wonden zag, en nu brengt ze me elke avond een bak warm water met een scheutje dennenolie bij wijze van voetenbad.

Ja, ik moet met Caroline praten, persoonlijk. En ik probeer me te herinneren waar haar moeder ook weer woonde. Ze heeft de stad wel genoemd, toen op de veerboot, Portugal, zei ze, en daarna noemde ze de naam en zei ze: 'Waar dat ook maar mag liggen.'

Ik ben altijd trots op mijn geheugen, en herinner me normaal gesproken de kleinste details. Zoals Carolines mobiele telefoonnummer, getallen die ik één keer hoor, blijven me altijd bij.

Maar die plaatsnaam...

Ik koop een kaart van Portugal en bestudeer die uitvoerig, alsof de kaart me wel zal vertellen waar Caroline nu is. Misschien is ze wel al terug naar huis? Ze zei nog dat ze helemaal niet naar Portugal wilde.

Maar ik weet dat dat niet kan. Ze is naar Santiago gekomen. Waarom zou ze anders geprobeerd hebben om mij te bellen. En dus is ze ook doorgereden naar Portugal.

'We gaan haar zoeken,' zeg ik tegen Karl May. 'En al moeten we dat hele land doorkammen, jij en ik, we zullen haar vinden.'

Ik sorteer en inspecteer mijn kleren alsof ze van een ander zijn, vind Carolines trui en zoek tevergeefs naar een spoortje van haar geur in de donkerblauwe wol. De rest geef ik aan de pensionhoudster om te wassen. Ik maak een lange wandeling met Karl May, leer wat woordjes Portugees en merk dat de taal eigenlijk wel iets weg heeft van de streektaal uit mijn geboorteplaats. In dit land zou ik Gregorio heten, en alweer, zoals zo vaak de laatste tijd, sinds ik hoorde dat oom Gregor dood was, schiet het door mijn hoofd wat er zou zijn gebeurd als ik Gregor Beer eens zou laten sterven en hier een nieuw bestaan zou opbouwen. Als wijnboer. Of als visser. Of als een van de vele mannen die hier hun dag doorbrengen op het dorpsplein. Sigaartje roken, zonder te praten. Af en toe knikt er eens eentje en ze kijken mooie meisje na.

Maar mooie meisjes interesseren mij niet. Ook het nichtje van de pensionhoudster niet, die sinds kort elke middag langskomt, om mij koffie en koek op mijn kamer te brengen. En die is echt knap, en in een vorig leven zou ik zeker zijn ingegaan op haar ondubbelzinnige aanbod.

Om vervolgens, als mij dat zo uitkwam, zonder verdere uitleg afscheid van haar te nemen.

Maar daar heb ik nu gewoon geen zin meer in. Als ze op mijn deur klopt, denk ik aan Caroline. De hele tijd denk ik aan Caroline. En op een ochtend word ik wakker en dan heb ik ineens het gevoel dat ik haast moet maken. Dat ik hier niet nog langer moet blijven hangen, maar dat ik naar haar op zoek moet.

En dus worden de gewassen en gestreken overhemden in de koffer gestopt, de auto wordt ingeladen en er wordt afscheid genomen. Ik moet een paar flessen wijn meenemen. En een heleboel taart. De pensionhoudster en haar nichtje zien me niet graag gaan. En als ik wegrijd, vraag ik me af hoe vaak ik in mijn leven mensen achterliet zonder ook verder nog maar een gedachte aan hen te wijden. Ik heb misschien een heel gat achtergelaten.

Een gat? denk ik. Hoe bedoel je, een gat? Word nou niet ineens sentimenteel, Gregor Beer. Je laat hier helemaal geen gat achter.

Het gevoel dat ik haast moet maken, houdt aan en trekt me in zuidelijke richting. Ik overnacht in de buurt van Porto en stel me voor hoe we hier op een dag samen naartoe zullen gaan, Caroline, Karl May en ik. Maar dan vraag ik me af, waarom ik daar zoveel vertrouwen in heb; hoe kom je erbij dat je haar inderdaad zult vinden? En als je haar al vindt, dat ze jou dan niet meteen wegstuurt of zelfs voor de tweede keer de benen neemt?

Dan schiet ik in de lach. Karl May kijkt me aan en grijnst mee. Een stuk ten zuiden van Lissabon pauzeren we in een plaatsje genaamd Milfontes. Ik eet zeevruchten met rijst, drink daarna een kop koffie met daarbij een borrel die ze *medronho* noemen, en die wordt gemaakt van de vruchten van de aardbeiboom. Het is een specialiteit uit de Algarve, als ik de ober tenminste goed begrijp.

De volgende ochtend ben ik al bij zonsopkomst aan het strand. Ook hier zie ik ons samen lopen, Caroline en ik. Karl May zal om ons heen dansen, net zoals hij nu om mij heen danst. De eerste zonnestralen komen voorzichtig over de bergen van het achterland gekropen, en veranderen het strand in een goudgevlekt tapijt van licht en schaduw.

Bij het ontbijt vouw ik de kaart nog eens open. Het is niet meer zo ver naar Sagres. Tegen de middag moeten we daar wel kunnen zijn. En dan valt mijn blik op een plaats daar vlak voor, een soort knooppunt van noord naar zuid en ook in oostelijke richting naar de Algarve, Vila do Bispo, en dan hoor ik Carolines stem weer: ergens in Portugal, Vila do Bispo, waar dat ook mag zijn.

De belangrijkste passage uit oom Gregors brief ken ik uit mijn hoofd: 'Mijn laatste brief krijg je van Sofia Pereira, de eigenaresse van Hotel Miramar in Sagres, overigens een uitstekend adres om te overnachten.'

Ik heb geluk en krijg een kamer met uitzicht op zee. Als ik naar Dona Sofia vraag, heb ik minder geluk. 'Ze is naar familie toe,' hoor ik.

'Wanneer komt ze dan weer terug?'

Dat weet niemand.

De trek in oesters is me vergaan. Wat ook vergaan is, is mijn gelatenheid. Van de ene seconde op de andere ben ik kwaad op de manier die ik ken uit mijn echte leven. Heb ik dat echt een poos 'mijn vorige leven' genoemd?

'Maar ik moet haar spreken,' zeg ik tegen het meisje bij de receptie. 'Het is dringend. Wat moet ik doen?'

Ze kijkt me vriendelijk aan.

'We moeten haar allemaal spreken. Ook dringend. En als u het mij vraagt moet u gewoon vakantie vieren.'

Mokkend trek ik me terug op mijn kamer met uitzicht op zee. Neem een douche. Ruim mijn koffer uit. Ga op het balkon zitten, in het late middagzonnetje. Ik blader een toeristenbrochure door, die het papier niet waard is waarop het is gedrukt. 'In de voetsporen van Hendrik de Zeevaarder,' lees ik. En dan is het er weer, dat gevoel. Dat ik haast moet maken. Caroline. Oom Gregor is per slot van rekening dood, dus die kan nog wel even wachten. Wat ben ik toch een sukkel!

Achter de receptie staat een jongeman in een duiktijdschrift te bladeren. Nee, zegt hij, hij kent geen Duitse kunstenares die windsculpturen maakt. Angela Ritter, die naam heeft hij nog nooit gehoord. De verkeerde doelgroep, denk ik, en ik vraag hem om een telefoonboek. Daar staat ze niet in. Dus ga ik op weg. Terug naar Vila do Bispo. En onderweg vraag ik me af hoe het er hier moet hebben uitgezien ten tijde van Hendrik de Zeevaarder. Zowel Sagres als Vila do Bispo lijkt de afgelopen vijftig jaar pas te zijn ontstaan, en is voor weinig geld uit de grond gestampt, niet bedoeld om eeuwen voort te bestaan. Ik drentel wat door het plaatsje tot ik iets vind wat op het centrum lijkt. Daar parkeer ik de auto en doe ik Karl May voor de zekerheid aan de lijn. Ik ga een bar binnen. En ik denk aan mijn belevenissen in hartje Frankrijk.

Ik vraag naar Angela Ritter en iedereen die dat hoort, draait zich om en monstert me van top tot teen. Daarna schudden ze hun hoofd. Nee. Niemand kent haar. Waarom heb ik dan het gevoel dat iedereen heel goed weet over wie ik het heb?

Vervolgens ontdekt ik een internetcafé. Een meisje met ringen in de neus en lippen wijst me een plekje bij een monstrueuze computer uit de steentijd. Het duurt eindeloos voor ik verbinding heb. Ik haal mijn e-mail op, kijk vluchtig de lijst langs en doe de map dan weer dicht. Niks interessants.

Dan voer ik 'Angela Ritter' in bij de zoekmachine. Ik haal een beker koffie en wacht ongeduldig tot het apparaat de site heeft geladen. Na een paar pogingen heb ik haar gevonden. Angela Ritter, Sculpturen. Ik bekijk een foto. Het is net of een oudere Caroline me aankijkt. Precies diezelfde directe, of liever provocerende blik. Op een andere foto zie ik haar aan het werk. Ze is echt precies haar dochter, een aantrekkelijk vrouw van rond de vijftig. Ik klik door haar cv en bekijk haar lijst met werken. Eind jaren tachtig begon ze haar carrière met vreemde machines zoals die van Tinguely. Er staat zo'n installatie in de tuin van een bibliotheek in Amsterdam, en nog eentje in een cultureel centrum aan de Costa Brava. Een paar jaar daarna ontstaat de eerste windsculptuur in het kader van een beurs in Connecticut. In 2000 ontving ze een prijs voor een soortgelijk werk in Noorwegen en uitnodigingen voor internationale symposia. In 2002 maakt ze vijf beelden die op windmolens lijken voor een verzamelaar in Cornwall. In 2003 ontmoet ze César Manrique op Lanzarote en geeft ze een workshop in Californië, waar ze nog drie sculpturen plaatst. Dan op uitnodiging naar Parijs, lezingen. Een laatste opdracht in de buurt van Cannes. Dat was het. Al drie jaar geen nieuwe toevoegingen. En geen woord over 'De wet der beweging' op Île d'Ouessant. Wat is er gebeurd, Angela?

Ik klik door de foto's en ik moet zeggen dat ik het mooi vind wat ik zie. Natuurlijk niet die mislukte Tinguely-imitaties, nee, haar laatste werken zijn het meest interessant. Ze zijn zilver en slank en tot de kern teruggebracht met steeds een verrassend detail. Ik zou de sculpturen eigenlijk in het echt moeten zien, in beweging. Dan pas kun je zeggen of ze goed zijn. Ik laat de lijst met referenties uitprinten. Dan krijg ik een idee. En dat verrast me dusdanig, dat ik helemaal niet doorheb dat ik die vieze koffie tot de laatste druppel opdrink. Ik ga naar 'contact' en ik schrijf mevrouw Ritter een bericht.

Nog geen uur later gaat mijn telefoon. We spreken af elkaar de volgende dag, vroeg in de middag, te ontmoeten. Het liefst zou ik haar ter plekke naar haar dochter vragen. Maar plotseling word ik door twijfel overvallen. Wat nu als Caroline helemaal nog niet bij haar moeder is geweest? Wat nu als ze zich heeft bedacht? Wat nu als ze ruzie hebben gekregen, wat gezien Carolines karakter niet ondenkbaar is?

Morgen, denk ik. Als ik haar zie. Dan weet ik vanzelf wat ik moet zeggen.

En in de tussentijd? *Vakantie vieren,* zei het meisje van de receptie. Ik besluit naar de kaap te rijden.

De laatste honderd meter van de kaarsrechte weg naar de vuurtoren zijn omzoomd met kraampjes die souvenirs en zoetigheid verkopen.

Ik koop een pakje met kruislings ingesneden vijgen waar vier witte amandelen in gedrukt zijn. *'A cruz o príncipe,'* zegt het meisje, 'het kruis van de prins.' Ik proef zo'n vijgenkruis en koop meteen nog een pakje. Ze zijn zacht en smaken heerlijk, want ze zijn met marsepein gevuld.

Dan sta ik met alle andere toeristen wat perplex op de zogenaamde windroos. Een Duitser die eruitziet als een leraar verzekert een vrouw dat zelfs wetenschappers geen idee hebben wat deze grote, ronde plek met een indeling die veel weg heeft van slordig gesneden taartpunten, te betekenen heeft. Hendrik de Zeevaarder zou er de windrichtingen mee hebben willen aangeven, wat een lachertje is, want iedereen kan met eigen ogen zien waar in het westen de zon ondergaat. Daar heb je echt geen complexe berekening voor nodig.

'Misschien,' zegt een jongen, 'stond hier in het midden wel een vlaggenmast, en dan lazen ze af uit welke richting de wind kwam door te kijken hoe de vlag wapperde.'

De volwassenen beginnen te lachen, maar ik vind dit nog helemaal niet zo'n rare gedachte. Een slim ventje, denk ik. En het beeld van de vlag in de wind brengt me weer op Angela Ritters werk en mijn idee.

Daar zit ik de hele avond op te broeden. Een sculptuur. Voor oom Gregor. In plaats van een grafzerk. Iets dat in beweging blijft, zoals hij ook altijd in beweging was. Een perpetuum mobile. Hoe moet dat worden aangedreven? De wind? Water? Waar zou ik dat moeten neerzetten? Moet ik dan eerst een perceel grond kopen? Een park aanleggen? Maar dan is mijn oom toch juist begrensd in zijn bewegingen, en dat vind ik geen prettige gedachte. Het zou beter zijn als het een sculptuur was dat zich als een boot over de zee bewoog. Zou dat iets zijn? Of iets onder water? Of in de lucht? Een kunstwerk dat als een satelliet in een baan om de aarde draait? Een nieuwe maan, een raket, die door het heelal zwerft?

Waar gaan de doden eigenlijk naartoe? Waar is de man die mij op deze reis heeft gestuurd nu, op dit moment? Is hij nog steeds onderweg, in een andere dimensie? Of is het leven als een vlam die uitdooft en is er niets meer van hem over? Of leven ze in ons voort?

Ik blijf heel lang op het terras zitten, en zie en hoor niks van de gasten om me heen. Er staat een fles Douro voor me op tafel, en ik drink wel meer dan één glas op mijn oom Gregor.

Hoofdstuk 23

Waarin Caroline iemand nog een kans geeft en iemand anders niet

Ik voer de namen van de gasten die zijn aangekomen in Raffaelo's boek in en beantwoord duizend vragen. Ik neem bestellingen op voor de broodservice en leg uit hoe je naar Lagos, Albufeira en Sagres rijd, zonder dat ik daar zelf ben geweest.

En af en toe red ik een pad, die ik dan naar het moeras breng. Eén keertje word ik daarvoor gehaald door een jongetje van twaalf dat me helpt bij het vangen.

'Hoe heet jij?' vraag ik hem.

'Daniel,' zegt hij.

'Dan noemen we hem naar jou, oké? Daniel is een mooie naam voor een pad. Wil je soms mee als ik hem terugbreng naar waar hij vandaan komt?'

Daniel knikt enthousiast.

En zo rijden we samen de landweg af, en ik denk met heimwee aan Mariza. De week is al bijna om, en ik zou zo graag willen weten hoe haar examen is gegaan.

Vijf dagen, dus nog twee dagen te gaan. En de wind die kwam opzetten, die avond toen ik Angela voor het eerst zag, is nog steeds niet gaan liggen. 'Hij blijft drie weken waaien, verdomme,' zei Hajo. Die ben ik uit de weg gegaan, tot ik merkte dat hij mij ook mijdt.

Op het strand graven de mensen kuilen in het zand, waar ze

wallen omheen bouwen. Daar liggen ze een halfuurtje beschut in de zon, maar dan gaat de wind weer tekeer en worden ze onder het zand begraven, zodat de mannen weer naar hun schep moeten grijpen. In mijn vrije tijd maak ik lange wandelingen naar de stranden in de buurt. Ik mijd de klip waar ik toen die nacht naartoe ben gelopen, alsof het een verboden plek is. Mijn zwerftochten en de regelmaat van mijn diensten helpen me om wat tot bedaren te komen.

Langzaamaan kom ik tot een besluit. Eerst is het nog een optie, ver weg aan de horizon van mijn gedachten. Dan begint het steeds meer vorm te krijgen. De zaak in eigen hand nemen en Angela nog één keer zien. Misschien heb ik wel eerder de behoefte om te zeggen wat ik er allemaal van vind dan dat ik haar een tweede kans gun, zoals Mariza dat noemde. Ik ben tot de slotsom gekomen dat ik Angela niet per se aardig hoef te vinden. Ze is zoals ze is. Niet dat ze er zo gemakkelijk mee weg hoeft te komen. Ik ga haar zeggen wat ik te zeggen heb.

Maar wat heb ik dan precies te zeggen? Zolang ik dat niet weet, heeft het geen zin om haar op te zoeken.

Vanavond heb ik bardienst. Ik ben als de dood dat Angela weer opduikt en dat ze de scène van de vorige keer herhaalt. Steeds weer dwaalt mijn blik af naar de deur. Maar ze komt niet, en Hajo ook niet. Er zijn vanavond überhaupt weinig gasten, en om elf uur is het klaar. Terwijl ik het buffet opruim, samen met Nuno, voel ik dat het zover is. Morgenvroeg ga ik naar haar toe.

Voor ik me kan bedenken, vraag ik aan Raffaelo of hij weet waar ik haar kan vinden. Hij vraagt me drie keer, tot hij me eindelijk gelooft, of ik echt *die* Angela moet hebben. Dan pakt hij een stuk papier en maakt een schets voor me. Een complex web van kruisende lijnen. Aan het eind een rechthoek met daarbovenop een driehoek. Angela, schrijft hij er schuin onder.

Uiteraard lig ik 's nachts urenlang wakker. Natuurlijk verslaap ik me de volgende ochtend. Als ik opschrik is het al bij tienen. Het goede daarvan is dat ik geen tijd heb om nog verder na te denken. De weg naar Angela's huis had ik zonder Raffaelo's tekening nooit gevonden. Het ligt verstopt achter verwilderde citroenbomen. Voor het huis staat een auto.

Shit, denk ik, straks heeft ze bezoek. Ik parkeer een stuk bij het huis vandaan, zodat mijn auto vanaf het huis niet te zien is en loop het laatste stukje. Er springt een kat op, die een hoge rug maakt en naar me blaast alvorens ze in de richting van de buitenlandse auto loopt.

Het huis is waarschijnlijk een paar keer uitgebouwd. Aan weerszijden van een natuurstenen gebouw staan twee aanbouwen. Achter de ramen van de rechtervleugel zie ik schimmen bewegen. Ik stap in de schaduw van een boom en vraag me af wat ik nu zal doen.

De kat paradeert met opgestoken staart langs me en verdwijnt achter een ligusterhaag. Ik loop achter haar aan en beland bij nog een aanbouw met hoge ramen en een dak dat deels van melkglas is. Metalen beelden omzomen het pad. Ik herinner me hoe trots ik was toen ik in Dodants kantoor Angela's schetsen en het model bewonderde. Naast de ingang ontdek ik een zitje dat door een wingerd wordt afgeschermd. Gemetselde bankjes aan drie zijden van een natuurstenen tafel, met daarop kussens van zeildoek. Het ziet er uitnodigend uit. Er ligt een pakje sigaretten naast een asbak, met een aansteker erbovenop. De kussens tonen een afdruk alsof er net nog iemand op heeft gezeten.

De deur naar het atelier staat open. En dus ga ik naar binnen. Deze ruimte met gedempt licht doet me denken aan mijn kas. Maar in plaats van de kleur groen overheersen hier het wit en het zilver. Aan het plafond hangen twee beelden die voortdurend langzaam om elkaar heen draaien. Ik zie niet waar ze aan bevestigd zijn, zodat het lijkt alsof ze gewichtloos boven mijn hoofd zweven.

Op tafels liggen ontwerpen en schetsen, die allemaal zijn beschreven met dat grote handschrift dat ik vanbuiten ken van de ansichtkaart. Aan de muur zijn zwierige pentekeningen geprikt. Ze tonen een ensemble van lansvormige tongen die zich vrij om elkaar lijken te kunnen bewegen. Elk blad toont een andere constellatie. Op een tekentafel, zoals architecten die gebruiken, vind ik een bouwtekening. En op de werkvlakken in het midden van de ruimte liggen metalen delen, gezaagd, gebogen, in hun eentje of samengevoegd.

Ik doe een deur open. Machines en apparaten. Zagen, lasapparaten, boren, ik betreed een volledig uitgeruste metaalwerkplaats. Mijn vingers glijden over de werkvlakken en trekken een duidelijk spoor door het stof. Hier is al heel lang niet meer mee gewerkt. Met de andere machines ook niet. Als ik me omdraai, schrik ik. Ik kijk in de verwarde ogen van een vrouw. Het zijn mijn eigen ogen. Spiegelende metaalplaten in verschillende diktes staan hier keurig langs de wand opgesteld.

Heel lang blijf ik hier gewoon maar staan kijken. Ik probeer om datgene wat ik zie in verband te brengen met de vrouw die zich op Ingrina zo vreselijk aanstelde. Het licht danst op de roterende elementen onder het plafond. 'Je mag een mens niet beoordelen op basis van een eerste indruk,' zei Mariza. Langzaam loop ik langs de tekeningen en mijn blik valt op de datum. Ze zijn meer dan drie jaar oud. Nergens een spoor van 'De wet der beweging'.

Verward loop ik weer naar buiten, en ga aan tafel zitten. Ik kijk naar het pakje sigaretten, en de asbak met de peuken.

Mijn blik valt op een plant. Een piepklein potje midden op tafel. Een warrig groen plantje, dat ik maar al te goed ken. *Selaginella*. Het is een van de potjes die ik weggaf aan klanten toen mijn zaak net open was. Ik doe mijn ogen dicht. Dat kan toch niet. Het is toeval, iets anders kan het niet zijn. Maar dan pak ik het bloempotje op. Tussen het groen kan ik de sticker nog zien. 'De wereld van varens'. Dit is onmogelijk, herhalen mijn gedachten. Onmogelijk. En toch. Er is maar één verklaring mogelijk. Angela moet in mijn zaak zijn geweest. Maar wanneer dan?

'Zo, daar ben je dan,' zegt een stem.

Ik kijk op. Daar staat Angela en ze bekijkt me geamuseerd. Ze loopt naar de tafel, pakt een sigaret uit het pakje en steekt die op. Ik zou haar bijna niet meer terugkennen. Haar haren zijn strak achterovergekamd, bij de slapen zie ik de sporen van de kam nog zitten. Haar gezicht is opgemaakt, en de donkerrode lippen lijken ontspannen. Ze draagt felgekleurd linnen, een strakke broek en een bloes die bijna tot de knieën reikt. Met het dichtgeknoopte kraagloze boordje lijkt ze wel een Indiase maharani.

'Fijn dat je het je gemakkelijk hebt gemaakt,' zegt ze. 'Ik heb dadelijk tijd voor je. Ik laat nog even mijn atelier zien aan een klant.'

En dan begint het me te duizelen. Want daar komt Gregor de hoek om, niemand minder dan Gregor. Dat is wel de laatste die ik hier had verwacht. Daar komt Karl May ook aangesprongen. Hij stopt, aarzelt en komt dan met wapperende oren op me afstuiven.

'Caroline!' zegt Gregor.

Ik verstop mijn gezicht in Karl Mays vacht.

'Wat fijn om je te zien!'

Ik werp hem een blik toe. Onwillekeurig doet hij een stap naar achter. Mijn hart gaat zo tekeer dat ik het in mijn oren voel bonken.

'Ik moet met haar praten,' hoor ik Gregor door dit gebulder heen zeggen.

Nu gaat hij zeker zeggen dat hij alles kan uitleggen.

'Geef me heel even de tijd,' begint hij, 'ik kan...'

'... alles uitleggen?' vraag ik en mijn stem klinkt als schuurpapier.

Angela heeft twee passen opzij gedaan, trekt aan haar sigaret en bekijkt ons geïnteresseerd.

Ik draai me van hem af, kroel Karl May achter de oren. Hij sluit zijn ogen van genot. Er loopt een litteken over zijn neus. Dat had hij nog niet toen ik hem voor het laatst zag.

Gregor trekt iets uit zijn zak en houdt dat voor me op. Als ik niet reageer legt hij het voor me op tafel. Het is een visitekaartje. Van een hotel.

'Hier kun je me vinden,' zegt hij, en er komen hete tranen van woede in mijn ogen.

'Hoezo zou ik jou willen vinden?' en sneller dan ik kan denken hebben mijn vingers het kaartje in piepkleine stukjes verscheurd en in de asbak gestrooid.

'Caroline,' zegt hij langzaam. 'Waarom denk je dat ik hier ben...'

'Ik heb geen flauw idee,' zeg ik, 'en ik wil het ook helemaal niet weten.'

Ik sta op en loop weg. Langs de ligusterhaag, naar mijn auto. Maar voor ik instap, bedenk ik me. Ik wil Angela spreken, en dat laat ik me door Gregor niet afnemen. Karl May is me achternagelopen. Hij kijkt naar me op alsof hij wil zeggen: zo is hij nu eenmaal. Wees toch niet zo streng voor hem.

'Ja, maar ik ben nu eenmaal geen hond, Karl May,' zeg ik, en hij laat zijn kop hangen.

Naast de uitbouw ontdek ik een pad. Het loopt de heuvel op. Karl May sjokt een poosje achter me aan, maar dan blijft hij achter en keert ten slotte om.

Ik loop snel. Mijn hart gaat nog altijd tekeer alsof het me de boodschap in mijn oren wil hameren. Wat moest Gregor nou uitgerekend hier? Hoe komt hij erbij om bij Angela op bezoek te gaan? *Waarom denk je dat ik hier ben?* zei hij. Ik heb geen idee wat het antwoord is op die absurde vraag. Net wat voor hem, denk ik. In Santiago laat hij me stikken en als ik het eindelijk bijna ben vergeten, komt hij hier ineens weer opduiken. Bij mijn moeder. En dan is hij me ook nog eens voor.

Voor, waarmee dan? vraag ik me verward af. Buiten adem blijf ik staan en kijk om me heen. Angela's huis ligt ver beneden me, verstopt tussen de bomen. Daarvoor strekt de vlakte zich voor me uit, en daarachter ligt de zee. Daar, voor die intens blauwe strepen moet Ingrina ergens liggen. En verder naar het westen tekent de kaap met de vuurtoren zich af.

Onder een mispelboom ga ik in het gras zitten. Na een poosje hoor ik een motor en vlak daarna kan ik Gregors auto zien die traag tussen de citroenbomen beweegt, beneden op de vlakte. En mijn domme hart krimpt ineen, alsof het zich nog steeds iets aantrekt van die stomme kerel. Alsof het feit dat hij wegrijdt alweer een verlies is.

'Hij wil me de opdracht geven om een sculptuur te maken,' zegt Angela en ze schenkt me een glas witte wijn in.

Daar heb ik niets op te zeggen.

'Hoe ken je hem?'

Nog steeds zwijg ik liever. In plaats van antwoord te geven kijk ik rond in Angela's huis. Het is een ratjetoe van planten en stenen, ruw en bewerkt, figuren van hout en keramiek, boeken en alle mogelijke vondsten. Precies het tegenovergestelde van de sfeer in haar atelier. Daar lijken heldere gedachten vorm te krijgen, terwijl hier de chaos heerst. Precies zoals in mijn eigen gevoel, denk ik, terwijl er twee katten uit een stoel springen die ik door de bontgekleurde stof en alle kussens niet eens had zien zitten. Uitpuilende asbakken, verwelkte bloemen in een vaas, tijdschriften, brieven, geopend, ongeopend, een vergeten bord met uitgedroogde sinaasappelschillen in de boekenkast, een sneeuwbol tussen twee stapels kunstboeken en een mandje met fruit en schelpen en slakkenhuisjes.

De keuken en zitkamer lopen in elkaar over. Angela zet de fles witte wijn terug in de koelkast. 'Ga zitten,' zegt ze, 'of wil je meteen weer weg?'

Ik ga in een rieten stoel zitten, die bedenkelijk onder me begint te kraken.

'Je was in München,' zeg ik.

Angela neemt plaats in een sleetse leren stoel, en zet haar glas op de leuning zonder het los te laten. Dan zie ik ineens Sebastian voor me in zijn eeuwige leren stoel, met het glas whisky precies op deze manier balancerend op de stoelleuning.

'Ja,' zegt ze.

'Wanneer?'

'Een paar weken geleden. Ik ben in je winkel geweest.'

Hoe gaat het met je? En met de kleine? Met Pinksteren ben ik in Duitsland. Misschien dat ik dan even langskom, echoot het in mijn hoofd.

'Waarom heb je dan niks gezegd?'

'Je had het zo druk.'

Stilte.

Druk. Natuurlijk. Ik had het altijd druk. Maar ik moet dat potje met *Selaginella* toch persoonlijk aan haar hebben overhandigd. En toen heb ik niks gemerkt.

'Waarom zei je dan niet gedag. Waarom heb je niet gezegd wie je was?'

Angela kijkt in haar glas. Ze haalt haar schouders op, alsof het een vraag is die er eigenlijk niet toe doet.

'Ik heb gezien wat ik wilde zien.'

'Wat, wat wilde je dan zien?'

Ik ben ineens ongelooflijk kwaad.

'Dat het goed met je gaat. En dat...'

Ze aarzelt en steekt haar onderlip een stukje naar voren.

'Ach, weet ik veel.'

Het klopt bij mijn slapen. Je moeder was er en je hebt haar niet eens herkend. Natuurlijk niet! Hoe had ik haar nou moeten herkennen. Ik had haar toch ook nog nooit gezien? Maar toch. In de romantische wereld van mijn kindertijd zou ik mijn moeder altijd hebben herkend. Uit miljoenen mensen. En dan staat ze in mijn winkel, ik praat met haar, geef haar zo'n dom potje, en laat haar weer gaan.

'Je wilde zien of het goed met me ging? Na zesentwintig jaar?'

Angela's ogen worden klein. Als een kat zit ze in haar stoel te loeren. Dan barst ze uit in schaterlachen. Ik krimp ineen. Als ze zo lacht, is ze weer precies die vrouw die ik in de bar zag.

'Jij bent precies zoals ik. Mijn god, dat iemand die je niet kent zo verschrikkelijk op je kan lijken. En zal ik je eens wat zeggen,' zegt ze, in alle ernst nu, 'dat is precies waar ik altijd zo bang voor ben geweest. Dat je zomaar een stuk van mij zou overnemen alsof het je toebehoorde. Mijn ogen. Mijn haar. Mijn trekken. Zelfs de manier waarop je je haar uit je gezicht veegt. Hoe je loopt. En hoe kwaad je steeds bent. Vooruit, wanneer kom je nou eens met je verwijten? Waar wacht je nog op?' Op dit moment haat ik haar intens en heb ik zoveel afkeer van haar dat ik het liefst zou opstaan en voor altijd zou verdwijnen. Want zij en ik hebben niks, nee, helemaal niks met elkaar te maken.

Maar ik blijf zitten. Ik ga er eigenlijk nu pas echt voor zitten. Ik blijf zitten en ik kijk haar aan. Ik kijk naar de grijze lokken in haar haar, de rimpels die weer zichtbaar worden door haar make-up, ik kijk naar haar sterke handen waaraan je goed kunt zien hoe oud ze is, de hals die in drie diepe plooien in stukken wordt verdeeld. De vouwtjes bij haar mondhoeken. Wat dacht ik nou laatst? De landkaart van een strijdlustig leven? Ik ben jong, denk ik, en jij bent oud, dat is wat wij met elkaar te maken hebben. En verbeeld ik het me nou, of zie ik haar zelfverzekerdheid onder mijn blik smelten? De hand die haar wijnglas naar de mond brengt, trilt.

'Ik kan er niks aan doen,' zeg ik uiteindelijk, en ik verbaas me over de kalmte in mijn stem, 'dat jij een keertje een onenightstand hebt, en dat je dronken of high was zodat je je door mijn vader hebt laten bezwangeren.'

Dat komt als een klap in haar gezicht. Haar ogen worden donker en rood, alsof ze heeft gehuild. Maar het is meteen weer voorbij.

'Heeft hij dat gezegd?' vraagt ze fel. 'Een *onenightstand*? Ik heb zin om naar München te rijden en hem eens flink af te ranselen!'

Ik moet bijna lachen, want ik zie helemaal voor me hoe

Sebastian een pak slaag krijgt van deze vrouw, en dan zie ik Gregor, die dubbel klapt van mijn uithaal, en al het bloed in zijn gezicht. Misschien hebben Angela en ik nog wel meer gemeen dan me lief is.

'Was het dan niet zo?' vraag ik.

'Heeft hij dat echt gezegd?'

Ik knik.

Ze staat op en pakt een fles van de plank. Ze schenkt een flinke bel in.

'Wil je ook een cognac?' vraagt ze. 'Nee? Zeker weten?'

Ik kijk naar hoe Angela drinkt. Na twee slokken komt er weer wat kleur in haar gezicht. Hoe is het dan gegaan, wil ik vragen. Maar iets houdt me tegen.

'Hoe heb je me eigenlijk gevonden?' wil Angela weten.

'Je kaartje,' zeg ik. 'Ik ben bij Dodant geweest.'

Angela's gezicht verhardt.

'Ik heb je sculptuur gezien. Althans, wat daar nog van over is.'

Ik moet toegeven dat ik er een zeker genoegen in schep om haar te tergen. Toch weet haar reactie me te verrassen.

'Heeft hij je soms gestuurd?' vraagt ze scherp. 'Ben je gekomen om mij te bespioneren? Heb je nog contact met Dodant?'

Ze is opgesprongen. Ze staat wijdbeens voor me alsof ze me elk moment uit de rieten stoel kan trekken. Dan komt ze tot bezinning. Zet een paar grote stappen door de kamer. De katten springen alle kanten op.

'Die kerel wil me kapotmaken,' zegt ze en ze steekt nog een sigaret op hoewel er nog eentje ligt te gloeien in de asbak. 'En het was bovendien zijn schuld. Hij wilde besparen op het materiaal. Slechte kwaliteit. En de werklui die hij mij ter beschikking stelde, dat waren allemaal klungelaars. Incestueuze dwazen, die eilanders, allemaal. Dat heb ik hem ook gezegd. Als u hier op bezuinigt, dan geef ik geen garanties. En nu dreigt hij me met zijn advocaat. Wil me ruïneren. Trouwens, dat heeft hij al gedaan.'

Ze laat zich weer in haar stoel vallen. Ze kijkt me aan alsof ze was vergeten dat ik er zat.

'Wat heeft hij je dan verteld?'

Ik haal mijn schouders op.

'Niks dat je niet al weet, neem ik aan.'

Angela blaast haar rook vol verachting uit.

'Doe je er jaren over om een carrière op te bouwen,' zegt ze, 'en dan heb je één keer pech, gaat het meteen als een lopend vuurtje door het wereldje. Ja. Natuurlijk. Ik had het nooit moeten laten gebeuren. Twee opdrachten werden ingetrokken. Niemand heeft het meer over mijn successen. "Ritter's sculptures blowing in the wind" stond er in een internationaal kunsttijdschrift. Dat kom je nooit meer te boven.'

Angela broedt voor zich uit. Dan grijpt ze haar cognacglas en stelt vast dat dat leeg is.

'Die Beer,' zegt ze ineens. 'Die ken jij dus. Was is dat voor een vent? Hij wil een sculptuur. Meent hij dat, denk je?'

Hoe moet ik dat weten, denk ik. God weet wat hij met een sculptuur wil.

'Geen idee,' zeg ik en ik ontwijk haar blik.

'Je hebt wat met hem,' zegt ze. 'Of niet?'

'Bemoei jij je nou maar met je eigen liefdesleven,' antwoord ik scherp.

Angela trekt spottend haar wenkbrauwen op. Ik bijt op mijn lippen. Gregor. Mijn hart begint meteen weer als een dolle te bonzen. Verdomme, denk ik. Verdomme, verdomme, verdomme.

'Zie je hem nog?'

Angela laat niet los.

'Kunnen we het niet over iets anders hebben?'

Mijn stem klink schril. Ik haat mezelf daarom.

'Ik wil alleen maar weten of jij nog in hem geïnteresseerd bent,' gaat Angela onaangedaan verder. 'Ik vind hem namelijk wel leuk. Hij heeft me uitgenodigd om morgenavond met hem te eten. En dan, wie weet…'

Ik kan mijn oren niet geloven. Eten? Gregor en Angela? Een gevoel als gesmolten metaal overvalt me en schiet door mijn aderen.

'Dat meen je niet,' hoor ik mezelf zeggen. 'Hij had je zoon kunnen zijn.'

Angela gooit haar hoofd in haar nek en schaterlacht. *Ik haat je!* wil ik roepen. *Ik laat je vermoorden als je niet met je poten van Gregor afblijft.*

'Jij bent jaloers,' zegt ze uiteindelijk. 'Mooi zo.'

'En jij,' zeg ik, kokend van woede, 'jij bent belachelijk. Een vrouw van jouw leeftijd. Heb je dan helemaal niet door hoe er over je geroddeld wordt?'

Ze lacht niet meer. Ik kijk haar in de ogen. Ze bekijken me afstandelijk. Ik kan niet zien of ze gekwetst is. En dan is mijn woede verdampt en heb ik spijt van wat ik heb gezegd. Zouden we niet gewoon vriendinnen kunnen zijn? Nee, ik zie wel dat dat onmogelijk is. Vriendinnen? Na alles wat er is gebeurd? En alles wat er nooit is gebeurd? Daar moeten we over praten, denk ik. Niet over Gregor. Wat absurd dat ik nu uitgerekend met Angela om hem moet vechten.

'Luister,' zeg ik uiteindelijk. 'Ik heb een heel lange reis achter de rug. En die reis heb ik niet gemaakt zodat wij elkaar beledigingen naar het hoofd kunnen slingeren. Ik zou graag willen weten wat er toen allemaal is gebeurd. Waarom je weg bent gegaan. Waarom je nooit meer iets van je hebt laten horen. Waarom ze tegen mij hebben verteld dat je dood was.'

Angela zwijgt. Rookt. Kijkt langs me heen. Ze ziet er moe uit. En oud. Veel ouder dan ze eigenlijk is.

'Ik vind,' voeg ik er ten overvloede aan toe, 'dat ik daar recht op heb.'

Ze kijkt op en trekt sarcastisch een mondhoek op.

'Zo, vind jij dat?'

Ik houd haar blik vast. Ze is sterk. Maar dat ben ik ook.

'Wat is er toen allemaal gebeurd?'

Hoofdstuk 24

Waarin Gregor Sofia leert kennen en een verrassend feit te horen krijgt

'Ze was niet echt enthousiast om me weer te zien,' zeg ik tegen Karl May. Die heeft zijn kop op zijn gekruiste voorpoten gelegd en ziet er bedroefd uit.

Je hebt gelijk, denk ik, het was een fiasco. De blik die ze me toewierp! Wat heb ik gezegd? Wat fijn je te zien? Dat was dus niet bepaald de juiste insteek. Ik heb ook geen enkele ervaring met het vrede sluiten met een vrouw. Als ze moeilijk gingen doen, liep ik gewoon bij ze weg, en dan zocht ik een andere uit. In mijn vorige leven.

Maar nu wil ik geen andere vrouw. Ik wil Caroline.

Ik moet haar maar even de tijd geven. Ze heeft nu genoeg te bespreken met haar moeder.

Daarna zien we wel verder.

In elk geval heb ik Angela weten te ontlokken dat ze nu op een camping werkt. Hoe heet die ook alweer? 'Ingrina'. Dat is tenminste iets.

'Dan weten we dat in elk geval, hè, Karl May?' zeg ik.

Toch maak ik me zorgen. Dit is precies wat ik nooit wilde. Dat moeizame getouwtrek. Waarom moet het allemaal zo gecompliceerd zijn?

Hoewel dat natuurlijk mijn schuld is. Het had helemaal niet complex hoeven zijn. Als ik mijn hand niet had weggetrokken, toen aan de ontbijttafel op het eiland, dan was alles heel simpel geweest. Simpel! Alsof zoiets ooit simpel kan zijn.

'Weet je wat het is,' zeg ik tegen Karl May, 'het ging mij toen allemaal gewoon te snel.'

Maar Karl May luistert niet. Hij kijkt geboeid uit het raam. Aan de rand van de straat spelen een paar straathonden die fel beginnen te blaffen als ze hem achter de ruit zien zitten. Eentje loopt zelfs een hele poos keffend met de auto mee, en Karl May gromt dreigend, om zich vervolgens vol minachting af te wenden, alsof dit allemaal ver beneden zijn waardigheid is.

In het hotel straalt het meisje van de receptie als ze mij ziet. Ze vraagt me heel even te wachten. 'Misschien buiten op het terras?' oppert ze.

Ik ga aan mijn lievelingstafeltje zitten, helemaal in de hoek, vlak bij de muur. Van hieruit heb je het mooiste uitzicht terwijl je toch beschut zit voor die alomtegenwoordige wind. Die was al op komen zetten voor ik kwam, en hij schijnt hier thuis te horen zoals de zee en de hemel.

Er komt een vrouw het terras op lopen. Ze kijkt om zich heen en glimlacht als ze mij ziet zitten. Ze is niet meer zo jong als ik op het eerste gezicht dacht, en in haar inktzwarte haar zitten hier en daar wat zilveren lokken.

'Welkom,' zegt ze. 'Ik ben Sofia. Het spijt me dat ik u heb laten wachten.'

Ze spreekt onberispelijk Duits.

We schudden elkaar de hand. Amandelvormige ogen nemen me op. Dan bukt ze zich om Karl May een aai te geven. Die kwispelt verheugd met zijn staart.

'Drinkt u een glas wijn met me?'

Ze gaat zitten. Bekijkt me.

'Het is echt jammer,' zegt ze, en ik weet niet waar ze op doelt. Jammer dat we elkaar nu pas ontmoeten, of dat oom Gregor is overleden, of heeft ze het gewoon over de harde wind?

'Uw oom heeft mij verzocht om u een bepaalde kamer te geven. Mijn dochter Anna wist dat niet. Als u het goed vindt, laat ik uw bagage daar naartoe brengen.'

'Dank u,' zeg ik confuus. 'Maar ik ben heel tevreden met mijn kamer.'

Sofia glimlacht.

'Dat doet me plezier,' zegt ze, 'maar het was echt heel belangrijk voor uw oom. Hij heeft zelf altijd in die kamer gewoond, meteen vanaf het begin.'

Vanaf het begin. *Wanneer was dat dan?* wil ik vragen, maar dan bedenk ik me wat er in zijn laatste brief stond. Dat hij deze reis jaren geleden al eens maakte, en niet in zijn eentje.

'U hebt er zelf geen omkijken naar,' zegt Sofia, 'mijn dochter zal uw spullen persoonlijk naar de nieuwe kamer brengen.'

'Goed dan,' zeg ik. 'Als dat u beter lijkt.'

Maar vanbinnen groeit een gevoel van onbehagen. Ik heb altijd geprobeerd om een zekere afstand tot mijn familie te bewaren. En nu voelt het net alsof ik op het punt sta een kamer te delen met mijn oom.

De ober komt de wijn brengen.

'Laten we drinken op uw oom,' zegt Sofia vrolijk. 'Hij was een geweldig mens. Hij zou niet willen dat wij om hem treuren. En het is fijn,' voegt ze eraan toe, 'dat u nu zijn nalatenschap kunt aanvaarden.'

Ze drinkt, maar ik ben te verward.

'Zijn nalatenschap?' vraag ik.

'Ja,' zegt ze. 'Daar heeft hij het vaak over gehad.'

Ik heb geen idee waar ze het over heeft. Al zijn materiële zaken heeft hij weggeschonken, heeft hij me geschreven. Geld is wel het laatste wat jij nodig hebt. En daar had hij ook gelijk in.

De wijn is heerlijk. Koel en verfrissend. Sofia vertelt me wat de specialiteit van de dag is, het is middag, en ik heb honger, voel ik. Ik kies de zeeduivel, een keuze waar ik geen spijt van krijg. Uit het restaurant klinkt zachte muziek. De donkere stem van een zangeres begeleid op piano. Het is een melodie waar ik wel naar moet luisteren, het dringt bij me binnen en verspreidt zich door me heen, en het weerklinkt in me. Ik weet niet of het nu een lied is over verdriet of over de liefde of over allebei. Een treurig liefdeslied.

Sofia komt zelf de koffie brengen. Ze zet een blaadje op tafel met daarop het mokkakopje, een glas water dat in de zon schittert als een juweel, en een schaaltje met suiker. En een brief. *Voor Gregor Beer jr.* staat erop.

'Sinds wanneer hebt u deze brief in uw bezit?' vraag ik aan Sofia.

'O,' zegt ze, 'pas een paar weken. Uw oom heeft hem hier voor u achtergelaten.'

'Hier? Hij was hier?'

Sofia kijkt me aan. Dan wendt ze vlug haar blik af en kijkt uit over zee.

'Ja,' zegt ze. 'Hij was hier, in het voorjaar. Maar ik wil u niet langer storen.' En met die woorden loopt ze snel weer weg.

Ik drink de koffie. En neem een slok water. Ik kijk naar de zee en het schiereiland met de vuurtoren en de ruïne, en de windroos waar niemand meer van weet waar die ooit toe diende. Ik luister naar de zangeres. Ik denk aan Caroline. Aan deze merkwaardige reis.

Ten slotte pak ik de brief op. Ik weet dat dit de laatste is. Mijn ogen beginnen weer te branden. Het is de wind, houd ik mezelf voor. Die eeuwige wind.

Ook deze sleutel heeft nummer 333. Ik loop een ruime suite in, die ik meer voel dan dat ik hem zie, want alle gordijnen zijn dicht. Ik schuif ze snel open, de een na de ander, en wordt verblind door het uitzicht. Het is een hoekkamer met ramen op het zuiden en westen, en onder me spreidt zich de kaap uit. Hier heeft oom Gregor dus gelogeerd, nog maar een paar weken geleden. Een gigantisch bed. Een onlangs gerenoveerde badkamer met jacuzzi. Mijn spullen zijn precies zo opgeborgen als ik dat zelf zou doen. Vanaf het bureau kun je de vuurtoren zien. Ik leg mijn brief daar neer. Dan strek ik me uit op bed, want ik wil even mijn ogen sluiten. Met een sprong is Karl May bij me.

'Nee,' protesteer ik, en ik probeer hem van het bed te duwen. 'Geen sprake van.' Maar Karl May negeert mijn geduw en geschuif, draait een paar rondjes en laat zich dan naast me vallen.

Ik ben te verdoofd om er nog iets tegen te doen. Ik zou eigenlijk een hondendeken over het bed moeten gooien, denk ik nog, maar dan val ik in slaap.

Na een poosje, ik weet niet of er minuten of hele uren voorbij zijn gegaan, schrik ik wakker. Karl May ligt naast me te snurken. Ik sta op en ik trek mijn overhemd en broek uit. Ondanks de dikke beglazing kan ik de wind om de hoek horen fluiten. Onder de douche laat ik de krachtige waterstraal direct op mijn hoofd kletteren. Ik ben helemaal niet gewend om midden op de dag te slapen.

Ik trek schone kleren aan en kijk op de klok. Iets na vieren. Zou ik vanavond al naar Caroline toe moeten gaan? Het liefst zou ik haar meteen op gaan zoeken op die camping. Besluiteloos sta ik in deze kamer met het duizelingwekkende uitzicht. Mijn blik valt op de envelop op het bureau. Ik ga zitten, en weeg de brief in mijn hand. Dan maak ik hem open met de zilveren briefopener die al klaarligt. Het ondertussen vertrouwde handschrift op dichtbeschreven papier.

Beste Gregor,
Welkom op het eindstation van onze reis. Ja, je hebt nu je doel bereikt – althans, bijna.
Ik neem aan dat je nu aan het bureau zit om deze laatste brief te lezen. Zo is de cirkel rond. Want aan dit bureau heb ik deze brief aan jou ook geschreven. En zeg nou zelf, is er een mooiere werkplek denkbaar? Ja, die is er. De brug van een schip is door niets te over-

treffen. Maar dat is voorbij. Er is veel voorbij. En het is ook goed zo, want er komt iets nieuws aan.
Een paar dagen geleden heb ik iets wonderlijks meegemaakt. Je moet weten dat ik hier vele jaren geleden heb leren duiken, en dat het sindsdien een van mijn grote liefhebberijen is. Ik ken elke plek langs deze hele kust, alles is me vertrouwd en dus ging ik op zoek naar mijn lievelingsplek.
Daar had ik die merkwaardige ervaring ook: ik werd overweldigd door de behoefte om daar te blijven. Voor altijd. Om niet meer op te stijgen, nooit meer. Het was als een lokroep en die ben ik ook gevolgd, steeds dieper, tot ik bij een onderwatergrot kwam. Daar trok het me naar binnen, en het leek me het juiste slot van mijn leven vol gemiste kansen. Gewoon niet meer boven water komen. Ik had mijn fles met perslucht al afgedaan, hield mijn duikmasker in mijn beide handen en keek naar de slang die me met het leven verbond. Ik luisterde naar het geruis van mijn in- en uitademen. Met net toen ik het masker wilde afnemen, volkomen met mezelf in het reine, kreeg ik jou ineens voor ogen, Gregor. Jouw gezicht. En toen begreep ik dat ik zo niet kon gaan. Niet voor ik jou de waarheid heb verteld.
De waarheid.
Dat is een groot woord. En toch, de waarheid die ik je te vertellen heb is belangrijk. Ik heb je moeder moeten bezweren dat ik dit geheim nooit van mijn leven aan je zou vertellen. Maar daarbeneden, terwijl ik op het punt stond om afscheid te nemen van mijn leven, vielen mij de schellen van de ogen. De oplossing. Of liever gezegd, mijn laatste opdracht. Ik zou me aan mijn woord houden. Nooit van mijn leven, daar zou ik me aan houden. Maar als ik dood ben, staat het mij vrij te zeggen wat ik te zeggen heb.
Ik luisterde naar het gorgelende geluid van mijn adem, daar op de drempel naar de dood, en in een klap was het me volkomen duidelijk. De reis die ik je zou laten maken. De tussenstops die ik je zou laten maken. De brieven die je zou krijgen. En dus deed ik de fles weer om mijn schouders en zwom ik omhoog, naar het leven.
En sindsdien zit ik hier, als ik tenminste niet met Sofia op het ter-

ras zit en een fles witte wijn met haar drink. Ik schreef zin na zin en in mijn hoofd beleefde ik de reis met je mee. Ik stelde me voor hoe je de enveloppen zou openen, en ik wist maar al te goed dat het wel een poosje zou duren. Ik zag je door Frankrijk rijden, en bij Malgorne aankomen, bij Cabo Touriñá. En nu ben je dus hier.
Dit is de vijfde en laatste brief. Morgen ga ik naar huis, waar ik de dood zal afwachten. Een afspraak waar hij zich stipt aan zal houden.

Mijn keel is kurkdroog. Ik laat de brief zakken en ga op zoek naar de minibar. Ik giet de inhoud van een flesje mineraalwater achterover en maak er meteen nog eentje open.

Er bewegen schaduwen door de kamer. Ze zijn afkomstig van meeuwen die vlak langs de ramen scheren. Karl May heeft zich midden op het bed uitgestrekt en jankt in zijn slaap. Zijn poten trillen. Hij droomt.

Iets weerhoudt me ervan om door te lezen. Wie ben jij, oom Gregor, dat jij het uur van je dood kent, en zelfs een afspraak met de dood hebt kunnen maken? Uiteindelijk wint toch de nieuwsgierigheid en ik lees verder.

Ik heb het aan niemand verteld. Ook niet aan Sofia. Er groeit iets in mijn lever waaraan ik zal sterven, vroeg of laat. De artsen geven me nog vier tot zes weken. Ik heb een poosje met de gedachte gespeeld om mijn leven zelf te beëindigen. Ik ben niet iemand die graag afwacht tot een stel losgeslagen cellen mijn lever volkomen hebben verwoest. Maar daar beneden ben ik toch op die gedachte teruggekomen. Ik zal mijn dood waardig tegemoet treden. En ik zal jou je erfenis geven.
Herinner je je nog de vrouw over wie ik het in mijn vorige brief aan jou heb gehad? Die vrouw is jouw moeder. We hielden van elkaar, hoewel we niet meer van elkaar hadden kunnen verschillen. Ik, de eeuwig rusteloze ziel, en zij, die niets liever wilde dan een huis en kinderen en een man op wie ze kon bouwen, zoals ze altijd zei. Ja, ondanks al die verschillen hielden wij van elkaar, en met haar kwam

ik hier voor het eerst, nu bijna precies vierendertig jaar geleden. Wij vonden Hotel Miramar, logeerden in deze kamer, ook al zag het er toen nog heel anders uit dan nu. Sofia was in die tijd nog een jong meisje, en wij werden meteen vrienden. Uiteraard was je moeder jaloers. Uiteraard werd ze duizelig van het uitzicht. Uiteraard vond ze de wijn te zuur, en de vis smaakte haar te veel naar zee. En mee duiken wilde ze al helemaal niet.

Dat maakte mij toen allemaal niet uit. Ik was verliefd. Op de momenten dat we geen ruziemaakten, hadden we een heerlijke tijd. Toen de reis voorbij was, ging ik weer naar zee. In die vier maanden op weg naar Australië heb ik overwogen om de zeevaart eraan te geven. Om je moeder ter wille te zijn. Om honkvast te worden. Ik dacht erover, maar ik kon het niet serieus nemen. We waren jong. We hadden ons hele leven voor ons.

Na zes weken kreeg ik een telegram. Ze was zwanger. Wanneer ik naar haar toe kon komen, wilde ze weten. Het was een schok die ik eerst even wilde verwerken. Ik wist niet direct wat ik zou moeten antwoorden. En dus gaf ik niet meteen antwoord. Kort daarop kwam een tweede telegram, je kent je moeder. Ze gaf me drie dagen de tijd om haar te laten weten wat ik ervan dacht. Dus stuurde ik haar een telegram om haar te laten weten dat dat niet genoeg tijd was, dat ik langer nodig had. Dat we alles wel zouden bespreken als ik terug zou komen van mijn vaart.

Toen ik acht weken later thuiskwam, was je moeder al getrouwd. Met mijn eigen broer. En ik? Ik was gechoqueerd en opgelucht tegelijk. Razend van jaloezie en oneindig bevrijd. Woedend en schuldbewust.

Ze dwong toen de belofte af dat ik hier voor altijd over zou zwijgen. Het was mijn broer die wilde dat ik je peetoom werd.

Maar in werkelijkheid ben ik je vader. Je kunt je wel voorstellen wat voor scènes je moeder allemaal heeft geschopt. Daar heb ik nu meer begrip voor dan toen. Nu denk ik dat het haar eigen slechte geweten was dat haar ertoe dreef om mij te beledigen. Je kunt de liefde niet zomaar uit je hart scheuren omwille van conventies en sociale regeltjes zonder daar zelf verbitterd van te raken. Waarom heeft ze niet gewoon gewacht? Waarom gunde ze mij niet de tijd die ik nodig had? Was het dan werkelijk zo belangrijk wat 'de mensen' er over te zeggen hadden? Moest je daar dan al je levensgeluk aan opofferen? De situatie die zij heeft laten ontstaan door met mijn broer te trouwen was grotesk, en zo is het nog steeds. Ze kon maar niet beslissen of ze mij helemaal uit haar leven wilde verdrijven of juist steviger aan zich wilde binden, hoewel dat laatste haar goed lukte, vooral door mijn schuldgevoel. Dus deed ze het maar allebei. Ze liet me deze plicht op me nemen en tegelijk duwde ze me weg. Totdat Heinrich stierf, waar ik ook schuldig aan ben.

Want ik was degene die jullie toen een duikuitrusting heb gegeven en ik heb de cursus betaald. Ik verheugde me erop om jullie te kunnen meenemen, bijvoorbeeld hier naar Sagres, of naar andere duikgebieden. Ik verzon in die tijd echt van alles wat ik met jullie zou willen ondernemen. Mijn broer stimuleerde me daarin, hij is een geweldige vent. Hij vond het geen punt. Hij hield ook van je moeder, en dat maakte het voor mij gemakkelijker om de situatie te accepteren. Ik wilde jullie natuurlijk leren kennen, deel uitmaken van jullie leven. Maar in plaats daarvan heb ik mijn zoon omgebracht. Je moeder is niet de enige die mij dat nooit heeft vergeven: ik heb het zelf ook nooit gekund.

Nu weet jij het dus, Gregor. Is het niet wonderlijk hoe het lot van een hele familie kan keren, alleen maar omdat de één te veel tijd nodig heeft om tot een beslissing te komen en de ander niet kan wachten? Hoe zou het zijn gelopen als ik haar toen zonder aarzelen mijn blijdschap over de zwangerschap kenbaar had gemaakt en haar, zoals ze graag wilde, ouderwets om haar hand zou hebben gevraagd? Zouden we dan nu tevreden en gelukkig zijn geweest, of zouden we dan inmiddels al uit elkaar zijn vanwege onze zo verschillende opvattingen over geluk? Wie zal het zeggen. Zou Heinrich dan nog hebben geleefd? Of was een vader als ik, zoals je moeder altijd beweert, nog veel eerder zijn dood geworden, en die van jou misschien ook?

Het is zoals het is. Ik denk dat het hoog tijd wordt om de wrok en de schuld te begraven. Wat gebeurd is, is gebeurd.

Er rest ons nog één ding. Mijn allerlaatste verzoek. Ik zou zo graag willen dat jij de urn met de rest van de as daar naar beneden brengt, waar ik een paar dagen geleden bijna zou zijn gebleven. Naar de onderwatergrot. Waar heb ik anders die duikcursus voor betaald? De cirkel is nu echt rond, die van mij, die van jou, die van ons.
Ik bedank je voor je geduld. En ik wens je alle goeds.

Je vader.

Ik heb geen idee hoe lang ik naar het laatste vel papier heb zitten staren. Dan heb ik het gevoel alsof ik geen lucht meer krijg. Ik moet deze kamer uit, met zijn schaduwen, de wind, het verleden dat loert in elke hoek. Karl May schrikt op. Met één sprong is hij naast me. De deur valt achter ons in het slot. Ik heb geen geduld voor de lift en loop de brandtrap af, hol door de receptie en sta buiten. Ik voel de autosleutel in mijn zak zitten, maar ik heb geen zin om te rijden. Ik zie een pad dat langs de rotsen naar boven voert.

De weg is steil, ik zie niets links van me en niets rechts van me. Al slingerend voert het pad me naar een hoger gelegen plateau. Onder me ligt het hotel. Daarachter de kaap.

Ik heb schoon genoeg van vuurtorens en kapen. De wind blaast in mijn gezicht, mijn ogen branden. Het pad loopt verder langs de rotsen. Kniehoge, stekelige struiken schrapen langs mijn dure broek. Het kan me niet schelen.

Ik loop mechanisch, ben vanbinnen helemaal verdoofd en leeg. Ik voel geen enkele emotie, niks, alleen die brandende ogen en mijn kuiten waar de doornen fijne patronen in krassen. En dan word ik toch wel zo verschrikkelijk kwaad. Wat is dit voor puinhoop! Had iemand niet een beetje netjes orde op zaken kunnen stellen? Dus mijn vader is mijn oom en mijn oom is mijn vader en dat allemaal door mijn moeders schuld? Nou en, wat maakt het uit? Nu hij dood is, en hij alle verantwoording heeft ontdoken, en de meest theatrale aftocht voor zichzelf heeft verzonnen die ooit is bedacht? Beloven dat hij er nooit van zijn leven iets over zou zeggen, donder toch op, en ik schop tegen een steentje. Mijn god, wat een lafaard!

'Lafbek die je bent!' schreeuw ik tegen de wind in.

Karl May, die door de bosjes zwerft en zijn neus hier en daar eens in een struik steekt, richt zich op en kijkt me aan met gespitste oren.

'Verschrikkelijke lafbek!' schreeuw ik nog eens, en ik storm verder. 'Had je niet naar me toe kunnen komen en me recht in mijn gezicht kunnen zeggen hoe het zit? Wat heb ik nu nog aan deze wetenschap? Wat moet ik ermee? Lezen wie mijn vader eigenlijk is, om hem vervolgens meteen weer te begraven?'

Ik blijf staan, met gebalde vuisten. Hij kan de boom in met zijn poppenkast.

Als mijn ogen maar niet zo branderig voelden. De struiken aan weerszijden van het pad worden hoger. Er staan er een paar vol in bloei, en ze worden omringd door een geur van verrotting. Een paar van de intens groene blaadjes voelen kleverig aan en maken rode vlekken op mijn armen. Die planten willen me pakken, maar ik loop door, en let er niet op. Ik zet de ene voet voor de andere, snel, steeds maar verder, tot de woede is vervlogen. De zon brandt op mijn huid en werpt mijn schaduw voor me uit. Af en toe fluit ik naar Karl May. Hij vindt het hier leuk. Zijn vacht zit onder de blaadjes en de bloempjes, alsof hij zich heeft opgedoft voor een uitbundig feest.

Het lopen doet me goed. Maar in mij ligt die oude, vertrouwde leegte op de loer, het gevoel van een onherstelbaar verlies. Ik gruw van die leegte, waar ik in de basiliek nog aan kon ontsnappen. Maar hier, aan het eind van de wereld, haalt het me in. Wat moet ik nu? De reis is ten einde. Wat moet ik verder met mijn leven? Hoe kom ik ooit uit deze chaos van verziekte relaties, deze wirwar aan schuldgevoelens en dit labyrint aan herinneringen?

Waarom heeft hij nooit iets gezegd? Eenzaam te sterven, als een oude wolf... En toch, ik had het niet anders gedaan. Het is net of ik zijn stem hoor. *Jij bent uit hetzelfde hout gesneden.*

Ik blijf abrupt staan. Ik sta aan de rand van een steile klip. De zee ligt een paar honderd meter beneden me. Nog twee passen en ik hoef me nergens meer zorgen over te maken. Over niks, niet over de vraag wie mijn vader is en wie mijn oom, en ook niet over wat ik nu verder met mijn leven aan moet.

Ik ga op een grote steen zitten. Karl May komt aanlopen en kijkt me hijgend aan. Dan gaat hij naast me zitten en kijkt in dezelfde richting als ik, over zee.

Ik kniel naast hem neer en begin al dat groen uit zijn vacht te plukken. Hij blijft heel stil zitten en kijkt me ingespannen aan. 'Het is zo voorbij,' zeg ik, en ik probeer een paar hardnekkige steeltjes weg te halen. 'Ik weet het,' zeg ik, 'het doet pijn, maar het is echt zo klaar. Nog even je tanden op elkaar. Zo.' Hij kijkt nu bedachtzaam, en dan likt hij me hartstochtelijk over mijn gezicht met zijn rozerode tong. Ik deins achteruit, maar hij werpt me een blik toe waaruit zulke onverholen liefde spreekt dat ik geen keuze meer heb. Ik sla mijn armen om Karl Mays hals en begraaf mijn gezicht in zijn vacht, zoals Caroline zo vaak deed.

Het is warm en ruikt zowel naar wildernis als naar geborgenheid, en dan begint er diep vanbinnen iets te trillen. Mijn keel knijpt samen, mijn ogen gloeien alsof iemand er met een hete ijzeren staaf in boort. Er breekt iets, en wat volgt is een overstroming langs mijn gezicht. Het branden is opgehouden. Wat een opluchting is dat. Er vallen druppels op mijn hand en in de vacht van Karl May, die zachtjes over mijn hand likt, en af en toe mijn gezicht.

Hoofdstuk 25

Waarin Caroline de macht van het zwijgen leert kennen en een gin-tonic drinkt

'Wat wil je van me weten?' zegt Angela. 'Je vader heeft je toch alles al verteld.'

Maar ik wil het van jou horen, denk ik, en ik kijk naar Angela's handen, die een eigen leven lijden. Ze zijn voortdurend in beweging en houden een sigaret vast, en dan weer een glas, om vervolgens de vingers te verstrengelen en weer los te maken.

'Wat heeft hij allemaal nog meer gezegd?'

Wat maakt dat uit? Ik ben nu hier en ik wil van jou weten hoe het was. Maar dat denk ik alleen. Waarom zou ik iets zeggen? Ik ontdekt wat voor macht je kunt hebben door te zwijgen, en haar gezicht wordt weer zo transparant bleek, en bij haar slapen zie ik de aderen door haar huid heen. Ze legt haar hoofd achterover en sluit haar ogen.

Ik wacht. En ik voel dat mijn zwijgen haar onrustiger maakt dan wat ik ook zou kunnen zeggen.

'Het is al zo lang geleden,' zegt ze.

'Ik heb de tijd. Je wist dat ik op een dag zou komen, denk ik, en je deze vragen zou stellen. Je verwachtte het al.'

Angela doet haar ogen weer open. Ze lijkt verbaasd om mij hier nog te zien zitten.

'Goed dan,' zegt ze. 'Als je maar niet denkt dat het dan ineens allemaal duidelijker wordt. We zijn het nooit ergens over eens geweest, Sebastian en ik. Nog nooit.'

Ze schiet in de lach. Het is een verbitterde lach.

'Weet je, ik zoek altijd van die mannen uit die totaal niet bij me passen.'

Hajo van de camping. En Gregor. Als ze maar met haar tengels van hem afblijft, anders krijgt ze het pas echt met mij aan de stok.

'En Sebastian,' vertelt Angela verder, 'was de grootste teleurstelling van mijn leven.'

Verbaasd kijk ik op. De grootste teleurstelling van haar leven?

Angela steekt een nieuwe sigaret op en neemt gretig een trek. Haar blik gaat aan mij voorbij en staart naar het verleden.

'Wat wil je dan weten?' vraagt ze. 'Waarom ik weg ben gegaan? Moet je mij dan zien! Kun je je zo'n vrouw voorstellen met een kind?'

Waarom niet, denk ik. Er zijn wel slechtere moeders in de wereld dan Angela.

'Nee,' zegt ze zachtjes. 'Dat nooit. Dat stond voor mij meteen al vast.'

Haar mond is als een rode streep dwars door haar gezicht heen, afwijzend, defensief. Misschien moet ik niet verder aandringen. Maar de vraag zweeft al door de ruimte, geladen door mijn zwijgen. Het is een zelfstandig ding geworden, dat zich niet meer laat terugnemen

'Ik heb helemaal niks met kinderen,' zegt Angela. 'Nooit gehad. Toen ik nog een klein kind was, begroef ik mijn poppen al in de tuin, als er iemand op het idee was gekomen om er mij eentje te geven. Misschien komt het wel doordat ik zelf zo'n verschrikkelijke moeder heb, die mij, hoe oud ze ook is, tot op de dag van vandaag het leven zuur maakt. Maar ik wil haar niet overal de schuld van geven. Nee. Het hele idee van een zwangerschap, baren, moeder zijn, heb ik altijd al weerzinwekkend gevonden.'

Waarom heb je dan niet wat beter opgelet, domme koe? wil ik vragen. Maar ik kan het niet. In mijn keel groeit een brok waar ik elk moment in kan stikken.

Angela staat op om zich nog een cognac in te schenken.

Dit keer vraagt ze niet of ik ook wil. Ineens ben ik bang voor wat ik te horen ga krijgen.

'Ik vermoed,' vertelt ze verder, alsof ze het over een andere vrouw heeft, 'dat Sebastian je heeft verteld dat ik toen ben weggelopen. Dat is ook waar. Maar verder is hij een leugenaar. Het was geen onenightstand, we hadden een relatie, ook al was het een nogal ongewone. Maar wat maakt het ook uit. Eén nacht of meerdere, dat maakt toch helemaal geen verschil?'

Jawel, denk ik. Voor mij wel. Voor mij is dat een groot verschil. Maar dat zeg ik niet tegen haar.

'We hebben allemaal zo ons eigen verhaal bedacht,' gaat ze door, op een toon alsof zij er totaal niet bij betrokken was, 'en we hebben allemaal wat anders verdrongen. Iedereen heeft wel een lijk in de kast. Het is al zo lang geleden. En waarschijnlijk had Sebastian ook gelijk. Zo was het beter voor jou.'

Angela kijkt me aan. Wat een onzin, denk ik, en ik voel hoe onzeker haar blik wordt. Zo was het beter voor mij? Beter dan wat?

'Ik had mijn leven toch al helemaal niet op een rijtje,' barst ze ineens uit. 'Hoe had ik dan ook nog eens de verantwoording voor iemand anders op me moeten nemen! Mijn eigen moeder verwijt me al mijn hele leven dat ik er ben. Hadden we die geschiedenis zomaar moeten herhalen?'

Geagiteerd tikt ze de as van haar sigaret en neemt een paar snelle trekjes. Ze inhaleert diep.

'Het valt niet mee,' zegt ze wat kalmer, 'om met mij om te gaan. Ik heb trekjes die jij echt helemaal niet wilt leren kennen. Natuurlijk kan ik me er gemakkelijk van af maken door het te schuiven op het feit dat ik kunstenaar ben. Maar dat is geen verklaring. Ik heb dit verdorven karakter niet omdat ik kunstenaar ben, maar ik ben kunstenaar omdat dat het enige redmiddel is voor iemand zoals ik. Geen idee of dat ook op anderen van toepassing is, maar voor mij gaat het wel op.'

Ze drukt de sigaret uit en springt op.

'Wil je mijn atelier zien?'

Het duizelt me.

'Ja,' zeg ik en ik voel hoe de controle over de situatie me ontglipt. Ik heb mijn zwijgen doorbroken en nu sta ik zelfs op, blij dat ik uit die krakende stoel weg kan.

Angela is weer in haar element. Met vlugge passen gaat ze me voor, en ineens lopen de katten achter haar aan, eentje rechts, eentje links, en zo schrijdt ze langs de ligusterhaag als een koningin uit vervlogen tijden, begeleid door haar totemdieren.

De deur van het atelier is dicht. Zij weet niet dat ik er al stiekem heb rondgekeken. En toch kan ik het gevoel maar niet van me afschudden dat ze alles weet, en dat ze me heeft bespioneerd, misschien wel door de ogen van haar katten.

Midden in de ruimte blijft ze staan en draait zich om.

'Dat was een opdracht voor een Japans energieconcern,' zegt ze, en ze wijst op een model van goed anderhalve meter hoog dat op een sokkel staat. 'Eén op tien,' zegt ze, 'het origineel is vijftien meter hoog.'

Ik herken het werk van de schetsen en ontwerpen. Dat model stond er net nog niet. Kennelijk heeft Angela het aan Gregor laten zien. Ze zet een paar schakelaars om en een ventilator blaast lucht tegen het model zodat de lansvormige elementen in beweging komen.

Ik kom een paar stappen dichterbij staan, en dan begint de sokkel te draaien. In de rotatie nemen de elementen een andere positie in ten opzichte van elkaar, en ontstaan er steeds nieuwe constellaties.

'Ongelofelijk,' hoor ik mezelf zeggen.

'Wacht,' zegt Angela, 'dat is nog niet alles.'

Er begint een schijnwerper te stralen, en waar het licht de oppervlakten raakt, verandert de kleur van het metaal.

Rood, via violet naar blauw, via groen naar geel.

'Een regenboog,' zeg ik.

Angela straalt.

'De originele segmenten gaan bij een bepaalde windsnelheid trillen, en elk element heeft daarbij een eigen klank. En als het regent worden ze door vallende druppels in beweging gebracht en dan vormen ze een percussie-instrument. Dat kan ik je nu helaas niet laten zien. Alleen in een computersimulatie.'

Ik kijk gefascineerd naar het vormenspel in het licht.

Dan merk ik dat Angela naar me staat te kijken.

'Jouw planten,' zegt ze, 'met die lange, smalle bladeren, die waren mijn inspiratie hiervoor.'

Ineens is het brok weer terug, onverdraaglijk drukt het tegen mijn keel en het voelt zwaar op mijn borst.

'Het is alleen niet gerealiseerd,' hoor ik Angela zeggen. 'De Japanners hebben de opdracht teruggegeven. Ze betalen liever geld wegens contractbreuk dan dat ze het risico nemen dat het ding hen straks om de oren vliegt.'

Het licht dooft. Het model blijft staan en de beweging van de elementen ebt weg.

Het is tijd om te gaan. Meer kom ik vandaag toch niet te weten.

'Als Sebastian,' zegt Angela in de stilte, 'als hij toen... dan was ik waarschijnlijk gebleven.'

Haar stem klinkt ijl en breekbaar. De zon staat laag en de eerste stralen vallen door de openstaande deur naar binnen. Ik moet gaan. Dringend. Raffaelo wacht. Maar ik blijf staan, als aan de grond genageld. En langzaam, stukje bij beetje, lost het brok in mijn keel op.

Het wordt avond, en ik ben er nog steeds. Op de stenen tafel staat de *Selaginella*. Daaromheen heeft Angela schaaltjes met kaas, olijven en ingemaakte groente neergezet. In elke sinaasappelboom lijkt zich een cicadeorkest te verzamelen, om ons heen vibreert de tuin.

Een van de katten springt bij Angela op schoot, maakt een

hoge rug, miauwt en vlijt zich tegen haar buik. Angela legt haar hand op haar ruggetje en meteen begint het dier te spinnen. 'Je was toen zo verrukkelijk, als paddenstoel.'

De zin past in deze omgeving als een sneeuwvlok in de woestijn. Ik begrijp eerst helemaal niet waar ze het over heeft. Je was toen. Zo verrukkelijk. Als paddenstoel. En dan weet ik het weer, de voorstelling op school, het kostuum van beige flanel met de grote muts, rood met witte stippen. Ik was een vliegenzwam, en Anna – uiteraard – een elfje. Als paddenstoel hoefde ik alleen maar te staan, wat ik heel fijn vond, want ik kon niet zo zweven en met vleugels flapperen als Anna. En dat hoefde ik dus niet te doen, want een paddenstoel heeft geen vleugeltjes. 'Die moet gewoon staan, met zijn wortels in de grond,' legde de juf me uit, 'en dan zegt hij zijn tekst op...' Maar hoe kan Angela dat nou weten. Die was toen toch nog dood, of op zijn minst afwezig. Zij, die geen kinderen wilde en poppen begroef. *Jij was toen zo verrukkelijk als paddenstoel.* Dat is minstens twintig jaar geleden, en Sebastian was weer eens niet komen opdagen omdat hij in Egypte of Mesapotamië of China of Mongolië zat. Wat heeft een rijzende ster in de antropologie, hoogleraar, gespecialiseerd in dodencultus, er nu aan om zijn dochter als paddenstoel op een schooltoneel te zien staan? Maar hoe weet Angela dit in godsnaam, wil ik vragen, maar mijn keel is zo droog dat ik niet eens kan slikken.

Angela zit onbeweeglijk in de schemering. Haar gezicht valt weg in een schaduw. Ik heb de indruk dat ze nu al spijt heeft van wat ze heeft gezegd.

'Ik was erbij,' zegt ze uiteindelijk.

Hoe dan, denk ik, *hoe was je erbij?* En ik sta weer op dat podium, helemaal confuus en opgewonden, verblindt door al dat licht dat op mij en alleen op mij leek te schijnen. *De elfjes dansen in de nacht*, schiet me door het hoofd, nee, het is onmogelijk. Dat ben ik toch allang vergeten. *Betoverd door de maan zijn macht.* Wat een beroerde tekst. En dan staat Angela op en loopt het huis in. Ze was er dus, en ik wist van niks. Achter het felle licht ging de donkere massa schuil van ouders, het ene na het andere gezicht, waaronder ook dat van oma. Maar niet het gezicht van mijn vader. En aan de mogelijkheid dat achter die barrière van licht ook het gezicht van Angela te zien was, had ik nooit gedacht, want die was bij de engelen… dan komt ze weer terug. Angela komt terug en ze legt iets tussen ons in op tafel. Ze schuift de olijven aan de kant, maakt plaats voor een boek, dat ze openslaat. Dan zie ik mezelf als paddenstoel en Anna als elfje, en de andere kinderen als bomen en dwergen, als een vos en een haas.

'Je was erbij,' fluister ik. 'Hoe kan dat nou?'

En dan slaat Angela de bladzijde om, en ik zie mezelf met een paar schoolvriendinnetjes aan de Isar, in mijn oranje badpak. Hoe oud ben ik daar, elf of twaalf? En weer slaat ze een bladzijde om en ik zie mezelf staan wachten voor de balletschool van Anna. Ik sta er een beetje onnozel bij, want ze is laat, zoals zo vaak. Ik krijg het steeds warmer. Weer gaat de bladzij om, en ik zie mezelf met Anna in een ijssalon. Mijn springerige haar heb ik achter mijn oren geveegd en ik buig me over de beker ijs naar Anna, die me iets heel sensationeels vertelt, met fonkelende ogen – en ik ben, zoals altijd, de geduldige toehoorder.

'Je hebt me bespioneerd,' hoor ik mezelf zeggen, en ik sla zelf om naar de volgende bladzijde, waarop ik in een bloemenwinkel sta en een varen bekijk. 'Je hebt me geschaduwd, terwijl ik dacht dat jij…' En dan klap ik het album dicht. 'Dat is toch wel het laatste, echt, het allerlaatste…' maar dan breekt mijn stem, hij blijft gewoon weg, en in feite valt er ook niets meer te zeggen. Er viel al heel lang niets meer te zeggen, en dus sta ik op en loop naar mijn auto. Ik stap in en rijd weg.

Als ik op de camping aankom is het kantoortje allang gesloten. Ik heb geen zin om naar bed te gaan. Op weg naar het restaurant loop ik Raffaelo tegen het lijf.

'Mariza is back,' zegt hij stralend, nog voor ik mijn excuses

kan aanbieden voor het feit dat ik eind van de middag niet ben komen opdagen. *'And there is somebody waiting for you,'* gaat hij verder terwijl hij met zijn hoofd gebaart in de richting van de bar. Mariza, denk ik, en ik ga wat sneller lopen.

Voor de glazen deur van de ingang blijf ik staan. Nee, het is niet Mariza. Aan een tafeltje, midden in de zaal, zit Gregor achter een leeg glas wijn. Hij draagt mijn wollen trui en aan zijn voeten ligt Karl May te slapen. Ze zijn de enige gasten. Nuno staat achter het buffet glazen te poetsen. Gregor leunt met zijn hoofd in zijn hand, de andere hand ligt naast het glas. Hij lijkt in gedachten verzonken. Of moe. Door de dichte deur ziet het eruit als een deel van en schilderij, een scène uit een film.

Moet ik naar binnen gaan?

Mijn hand ligt op de klink. Ik kan nog terug, me verstoppen in mijn auto, doen alsof ik niks heb gezien.

Dan steekt Karl May zijn kop omhoog. Ook Gregor kijkt op. Hij ziet er anders uit, doodmoe. Zijn broek is verkreukeld, zijn schoenen zanderig. Ik doe de deur open.

Hij kijkt me aan, en zijn ogen stralen.

'Caroline,' zegt hij alsof hij het tegen zichzelf heeft.

Ik ga tegenover hem zitten. Er moet iets zijn gebeurd sinds vanmiddag. Zijn ogen zijn rood, alsof hij heeft gehuild.

Ook ik sta op het punt in tranen uit te barsten. De foto's. Ze was er. En toch was ze er niet. Welke moeder doet zoiets? Komen, foto's maken en weer verdwijnen. Niet herkend.

'Ik weet dat je kwaad op me bent,' zegt Gregor en hij schraapt zijn keel, 'omdat ik er toen niet was, in Santiago. Laat me je vertellen waarom ik niet kon komen.'

Ik wacht. Bekijk zijn gezicht. Zijn mond heeft de vorm van een vrucht, schiet het door mijn hoofd, en ik probeer te bedenken welke.

'Vertel maar,' zeg ik koeltjes.

'Wil je iets eten...'

'Nee,' onderbreek ik hem, 'ik heb geen honger.'

Gregor haalt zijn vingers door zijn haar. Een aardbei, denk ik, zijn mond is net een aardbei...

'Het is nogal een lang verhaal...'

'Dan vat je het maar samen.'

Ik kan nu eenmaal niet anders. Ik heb per slot van rekening door hem een nacht in de cel gezeten.

Gregor kijkt me aan, van mijn ene oog naar mijn andere oog, en weer terug.

'Hoeveel tijd krijg ik van je?' vraagt hij.

'Trakteer me maar op een gin-tonic?' stel ik voor. 'Zolang ik die nog niet op heb, heb jij de tijd.'

Hij ademt diep in en uit.

'Goed,' zegt hij en hij wenkt Nuno. 'Wat zou je zeggen van een heel groot glas?'

Hoofdstuk 26

Waarin Gregor een presentatie verprutst en struikelt over een liefdespaar

Het is maar goed dat ik heb geleerd hoe je een succesvolle *pitch* moet houden. Je moet je idee in vijf minuten kunnen verkopen, anders verlies je. Ik weet weliswaar niet hoeveel dorst Caroline heeft, maar ze zal allicht een paar minuten nodig hebben om haar gin-tonic op te drinken.

Dat ik deze plek gevonden heb – dat zou ik vroeger toeval hebben genoemd. Geen idee hoe lang ik op de klip heb zitten huilen. En wat me nog het meest verbaasde: dat het me niet kon schelen. Ik zat tussen de struiken en de rotsen op de grond en ik huilde. En Karl May, een geduldige kameraad, met een wijze blik waarin geen oordeel lag, geen verwijt, geen spot, legde zijn poot op mijn knie en likte me af en toe over mijn oor, mijn nek, of waar hij verder maar bij kon.

Op een gegeven moment was de tank leeg. Ik stond op en zag dat het al was gaan schemeren. Te donker om het pad terug naar Sagres te volgen. *Als je niet van deze klip wilt storten,* zeg ik bij mezelf, *dan moet je dat maar uit je hoofd zetten.* Dus nam ik het pad dat naar het binnenland voerde. Ik zag lichtjes. Dan kan ik dus wel ergens een taxi bestellen, dacht ik. En toen zag ik het bordje. Camping Ingrina. Ik had de weg naar Caroline gevonden.

Ze was er niet, dus heb ik gewacht. Ik had natuurlijk een andere keer terug kunnen komen. Misschien heeft ze geen zin om met me te praten als ze van haar moeder terugkomt, dacht ik. Maar deze avond is even goed of even slecht als elk ander moment. Het belangrijkste is dat ik haar zo snel mogelijk spreek. En nu heb ik een gin-tonic lang de tijd – en dat is beter dan niks.

Dus steek ik van wal. Ik vertel haar hoe ik me verheugde op onze afspraak. Caroline neemt een ferme slok. Ik vertel over Finisterre, en over Paolo en hoe die mijn auto meenam. Caroline drinkt, en het glas is al halfleeg. Ik moet haast maken. De duinen. Paolo die er met mijn auto vandoor gaat, en ik, die achterblijf met Karl May, zonder geld, zonder alles, de nacht in de schuur en de onaangename ontmoetingen. Caroline trekt haar wenkbrauwen op en krijgt grote ogen. 'Je hebt je auto laten stelen?' Maar ze vergeet erbij te drinken, dus dat is goed.

Ik beschrijf mijn besluit om te voet naar Santiago te trekken, als pelgrim. 'Niet om de mis aan te horen, nee, maar alleen om in geen geval te laat te zijn voor onze afspraak. Want ik wilde je zien, koste wat kost.'

Caroline trekt een gezicht en neemt een grote slok uit haar glas. Daar klopt iets niet, denk ik koortsachtig, terwijl ik doorpraat. Godallemachtig, ik ben nog nooit van mijn leven zo nerveus geweest, ook niet toen het om miljoenendeals ging. En ik heb het er ook nog nooit zo beroerd van af gebracht.

'Zo ben ik dus van de top van het schiereiland Brabanza naar Santiago gelopen,' vertel ik, en ik heb het gevoel alsof ik moet praten alsof mijn leven ervan afhangt, of in elk geval mijn levensgeluk. 'Met blote voeten in andermans wandelschoenen, ziek en doodmoe.'

Caroline lijkt niet bepaald onder de indruk te zijn.

'Maar je hebt het dus niet gehaald,' zegt ze ijskoud. 'Je was te laat.'

'Nee,' zeg ik, en dan is het me duidelijk dat mijn presentatie een faliekante mislukking is, want er zit nog maar een vinger drank in het glas. Ik verman me en geef alles wat ik in me heb.

'Op vrijdagavond liep Gregor de pelgrim door de westelijke poort van Santiago. Moe, ziek en aan het eind van zijn Latijn. Maar hij had zijn doel bereikt.'

Caroline neemt het glas in de hand. Als ze nu doordrinkt, heb ik verloren.

'Dan ziet hij een politiebureau en begaat de grootste fout van zijn leven.'

'Een politiebureau?' vraagt Caroline.

'Hij doet aangifte tegen de autodief. Maar in plaats van hem te helpen, wordt hij gearresteerd. Opgesloten. Naar een cel afgevoerd. En daar zit hij vast. Het hele weekend. Hij schreeuwt de hele tent bij elkaar. Hij moet eruit. Caroline staat voor de kathedraal te wachten en als hij nu niet komt opdagen, dan zal ze hem dat nooit meer vergeven. Maar niemand hoort hem.'

Nu is het over en uit, denkt hij. Je hebt het verpest. Je zou jezelf eens moeten horen Gregor Beer, je klinkt als een student communicatiewetenschappen in zijn eerste semester. Maar Caroline houdt haar glas nog altijd in haar hand en vergeet te drinken.

'Je hebt in de cel gezeten?' vraagt ze. 'Het hele weekend? Maar waarom?'

Ik zit weer in de race. Ik vertel van de vermeende bomaanslag, mijn auto die voor de kathedraal was neergezet en ze begint te lachen zoals alleen zij kan lachen. Ze gooit haar hoofd in haar nek en komt helemaal niet meer bij.

Het glas is vergeten. Ook al kan ik niet helemaal volgen wat er nu precies zo grappig is ben ik toch blij. Ik heb liever dat ze lacht dan dat ze me weer zo'n blik toewerpt.

'Dus daar zat je,' zegt ze, en ze begint weer te lachen. 'Dat was dus jouw auto?'

'Ja,' zeg ik, 'je zit hier met een vermoedelijke terrorist aan tafel,' en dan moet ik ook lachen. Diep vanbinnen verspreidt zich een gevoel dat wel iets weg heeft van geluk, gewoon omdat Caroline en ik hier samen zitten, omdat ik haar hoor lachen, en haar in de ogen mag kijken.

Nu wil ze alles tot in detail weten. Wanneer en hoe lang ik in die cel heb gezeten, en of het de Comisaria de Policia was en of de agente rood haar had, hoe het plein voor het bureau eruitzag, en dan lacht ze weer en schudt haar hoofd. Ze kan het niet geloven. 'Arme Karl May,' zegt ze, 'ik wist toch dat jij het was, waarom ben je dan niet naar me toe gekomen?'

En dan ben ik degene die haar niet begrijpt.

'Ik was bang voor je,' zegt ze, 'met je geschreeuw midden in de nacht.'

Ik heb geen idee waar ze het over heeft.

'Het ziet ernaar uit dat we buren waren, in de cel.'

'Wat zeg je nou?'

'Ik heb daar ook een nacht gezeten,' zegt ze. 'Dat was, wacht even, van zaterdag op zondag. Ik had geen zin om de boete te betalen. Dan maar liever een nacht in de bak.'

Mijn mond klapt dicht. Ik slik een paar keer.

'Boete?' vraag ik. 'Wat voor boete?'

'Nou ja,' zegt ze verlegen. 'Er was een of andere vent bij de kathedraal. Die werkte me op mijn zenuwen. En dat eindigde met een gebroken neus. Dat is helemaal niet grappig,' zegt ze, en lacht zelf ook. 'Het was een bloedserieuze zaak. Dus toen gaven ze me de keuze tussen een geldboete of een nacht in de bak.'

'En toen heb jij...'

'Die hypocriete pelgrims krijgen geen cent van me.'

Waarschijnlijk heb ik vandaag meer gehuild en gelachen dan in de rest van mijn leven bij elkaar.

'Waarom had je die arme kerel dan op zijn gezicht getimmerd?' wil ik weten. 'Wat had hij misdaan?'

'Hetzelfde wat jij ook een keer hebt gedaan,' zegt Caroline onverbloemd. 'Hij zei precies het verkeerde.'

'Namelijk?'

'Hij wilde een lift. Ik zei nee, maar hij bleef maar plakken. Ik ben nu eenmaal liever alleen onderweg, zei ik nog, en toen begon hij me uit te lachen! "Dat zeggen ze allemaal eerst..."'

Ergens komt dit me bekend voor.

‘Hoe zag hij eruit?’ wil ik weten. ‘Had hij een mauve linnen broek aan en een houten kruis om zijn hals?’

‘Ja,’ zegt ze, ‘hoe weet jij dat?’

‘En had hij een heel kleine tattoeage tussen zijn ogen?’

Ze knikt.

‘Caroline,’ zeg ik, ‘dan heb jij mij gewroken.’

‘Wat heb ik?’

En dan neem ik haar rechterhand, breng die naar mijn mond en kus elke vingertop. Er komt een lichtrode kleur over haar gezicht, en ik voel hoe ze tot in die vingertoppen ontspant. Ik zie haar trekken verzachten, haar ogen worden groot en haar lippen wijken een beetje.

‘Deze vingers hebben gezorgd voor gerechtigheid. Dat was namelijk Paolo. Je hebt mijn autodief in elkaar geslagen.’

Het is laat. De ober wil de bar sluiten. ‘Waar staat je auto?’ wil Caroline weten. ‘Het hek is allang dicht, dus je komt er vandaag niet meer uit.’

‘Ik ben niet met de auto,’ biecht ik op. Dan vertel ik haar van het pad langs de klippen, dat ik heb genomen vanuit Sagres.

‘De wind is gaan liggen,’ zegt Caroline.

Ze heeft gelijk. Zonder wind is het een milde nacht. Als ze ook maar een klein beetje voor me voelt, dan laat ze me nu niet gaan.

‘Kom mee,’ zegt ze, ‘naar het strand.’

Ze pakt mijn hand. Ook al zie ik bijna niks, ik volg haar de nacht in, en voel het zand onder mijn voeten en Carolines handdruk en een golf van een onbekend gevoel welt in me op. Het voelt duizelingwekkend, alsof ik val. Naarmate de weg meer omhoog gaat raken onze schouders elkaar. Ik sla mijn arm om haar heen, voorzichtig. Ze draait zich om en ik zie haar gezicht voor het mijne. Dan kus ik haar, lang, innig. Ik ga er in op totdat ze zich losmaakt en me meetrekt. ‘Kom,’ zegt ze, en het klinkt als een belofte.

Dan ligt de zee voor ons. We staan op een duin, en onder ons spreidt het strand zich uit. Overmoedig als een kind loopt Caroline de zandberg af, en ik volg haar silhouet in het beurtelings oplichtende en achter wolken verdwijnende maanlicht. Het is als een droom. Ik vang haar tijdens het lopen, voel haar lichaam, haar adem, haar warmte. We zetten een paar stappen in een met gras begroeide duinpan. We hebben dezelfde gedachte, voorzover je zoiets überhaupt denken kunt noemen – dan struikelen we ergens over en Caroline verliest haar evenwicht en valt. Karl May, die ik helemaal was vergeten, blaft als een dolle en de betovering is verbroken. Een naakte gestalte staat vloekend op terwijl een tweede gestalte vlug een kledingstuk aantrekt – wij zijn op een liefdesnest gestuit, de duinpan die ons zo uitnodigend lokte, was al bezet.

Ik help Caroline omhoog. Ze lijkt van streek.

'Kom, we gaan,' zegt ze.

En voor ik antwoord kan geven, loopt ze de hele weg weer terug.

Onder de eerste lampen van de camping staat ze op me te wachten. Haar gezicht is gesloten. Ik durf haar niet in mijn armen te nemen, en wil in plaats daarvan een grap maken, maar er schiet me zo niks te binnen. Dus zeg ik: 'Het was een lange dag voor je.'

Ze knikt. Ze legt haar hand op mijn borst, of eigenlijk alleen haar vingertoppen. Het is een teder gebaar, of wil ze ermee zeggen: tot hier en niet verder?

Plotseling ben ik bang om haar weer te verliezen.

'Ik kan je beter even brengen,' zegt Caroline. Haar stem klinkt broos. Heb ik misschien iets verkeerd gedaan?

Ze kijkt me aan, tenminste, dat denk ik. Ik kan haar ogen niet zien, want er valt een schaduw over haar gezicht.

Ik hou van je, wil ik zeggen, en ik schrik van mezelf. Die woorden heb ik nog nooit uitgesproken, en daar ben ik heel lang trots op geweest.

'Dat zou heel aardig van je zijn,' zeg ik, en ik bijt op mijn lippen. Stomme idioot, denk ik. Ongelofelijke stomkop.

Want ik wil helemaal niet naar het hotel. Ik wil bij Caroline blijven, de nacht met haar doorbrengen en ik wil met haar vrijen tot we erbij neervallen, met haar in slaap vallen en wakker worden en de ochtend begroeten, en bij het ontbijt wil ik haar dan zeggen dat ze de allerleukste vrouw van de hele wereld is.

Maar ze heeft zich al afgewend. Loopt voor me uit. En terwijl ze de sleutel uit het kantoortje haalt, het hek opendoet, en mij laat instappen, en tijdens de hele rit, denk ik: ik wil niet terug naar die vervloekte kamer waarin mijn oom zijn postume brieven aan me schreef. Nee, niet mijn oom, mijn vader. En de hele ellende van vanmiddag overvalt me weer.

Dan zijn we er.

Caroline zet de motor af. Ik zou haar kunnen vragen of ze met me mee wil, naar mijn kamer.

Ik sla een arm om haar schouder. Ze kijkt me aan. Vol verwachting. Of vergis ik me nou?

Maar daar, in die kamer ben ik verwekt.

Nee, het kan echt niet. Hoe kan ik nou met Caroline in dat bed…?

'Kan ik je morgen zien?' vraag ik.

Haar schouder spant heel licht aan.

'Tuurlijk,' zeg ze, op een toon, alsof ik haar vraag of ik morgen haar fiets mag lenen. En ze zet de motor weer aan.

Hoe moet ik het haar nou uitleggen? Had ik dan moeten zeggen: *Sorry, maar mijn oom heeft de liefde bedreven met mijn moeder, in de kamer waar ik nu slaap, en het resultaat daarvan ben ik?*

Ik doe de hele nacht geen oog dicht, denk aan Caroline, mijn hele lijf denkt aan Caroline, verlangt naar haar. Ik ga elke seconde van ons samenzijn na in mijn hoofd, elke blik van haar en elk woord dat we hebben gesproken, en tegen de ochtend ben ik ervan overtuigd dat ik het allemaal weer eens volkomen verkeerd heb aangepakt.

Hoofdstuk 27

Waarin Caroline inbreekt in andermans huis en een waarheid onder ogen ziet

Het was Angela.

Ook al wendde ze zich meteen af en trok ze snel een kledingstuk over haar hoofd, en ook al kon ik eigenlijk niks anders zien dan haar rug, toch weet ik zeker dat zij het was. Heeft ze net voor het eerst in haar leven met haar dochter gesproken, ligt ze nog geen twee uur later met een of andere kerel in de duinen te rollebollen. Er rijdt me een auto tegemoet, verblindt me met zijn licht en raast dan rakelings langs me.

Ben je niet goed bij je hoofd of zo? schreeuw ik hem na, en mijn stem slaat over. Ik ben zo kwaad dat ik het liefst zou omkeren om die gek van de weg te rijden.

Gregor.

Nou, dat ging ook weer lekker. Waarom heb je niet gevraagd of ik met je mee wilde naar je hotelkamer? Waarom heb ik je niet gekust bij het afscheid? Kan ik je morgen zien, ja natuurlijk kun je me morgen zien. Morgen, overmorgen, altijd, wanneer je maar wilt, waarom zou je tot morgen wachten als je me nu kunt krijgen, nu... en dat is ook precies de reden waarom ik hem niet heb gekust. Want ik stond er niet voor in dat ik hem niet ter plekke, in de auto, op de parkeerplaats, de kleren van het lijf zou scheuren en me boven op hem zou storten.

Godallemachtig, waarom is het allemaal zo moeilijk, waarom moet alles ook tegelijk gebeuren?

Zesentwintig jaar gebeurt er helemaal niks en dan komt ineens alles tegelijk.

Bij de afslag richting camping houd ik in. Er valt me iets in. Van slapen komt het toch niet. Dus rijd ik de kruising voorbij en sla de weg in richting Angela's huis.

Ik heb geen idee wat ik daar wil zeggen. Het allerliefst zou ik haar de huid vol willen schelden en haar alles naar het hoofd slingeren wat ik een leven lang heb opgekropt. Mijn teleurstelling en woede, mijn verlangen en eenzaamheid, want ik was eenzaam, ondanks oma. Dat kon je ook duidelijk zien op Angela's foto's, die schijnwerpers op mijn kindertijd. Niet de gechargeerde beelden waar Sebastian en oma hun albums mee volstopten, maar toevallige momentopnamen. Het ongelukkige meisje voor de balletschool dat altijd zo braaf op haar vriendinnetje stond te wachten, de bakvis in het badpak, die ervan overtuigd is dat ze foeilelijk is, de kleine paddenstoel op het schoolpodium, die haar tranen inslikte achter haar flanellen kostuumpje.

In Angela's huis branden geen lichten. De oprit en het erf worden door één lamp verlicht.

Ze is er niet. Of ze slaapt al. Nee, haar auto staat er niet. Waarschijnlijk hebben ze hun liefdesspel weer opgepakt na die korte onderbreking.

Ik aarzel geen moment, loop naar de voordeur en duw de klink naar beneden. Die geeft mee. Ik loop naar binnen en doe het licht aan. Onze glazen staan nog op tafel. De schaaltjes met olijven en kaas staan op het aanrecht.

Ik ben nog nooit het huis van een ander binnengedrongen. Toch heb ik geen kwaad geweten, absoluut niet, zelfs. Angela heeft mij bespioneerd toen ik klein was. Nu is ze zelf aan de beurt.

Op tafel ligt een stapel met brieven. Rekeningen. Een schrijven van een Frans advocatenkantoor. Een uitnodiging om naar

New York te komen. Angela kan meedoen aan een groepstentoonstelling. Er staat een handgeschreven aantekening onder de getypte brief. *We really would appreciate your participation.* Een onleesbare handtekening. De brief ziet eruit alsof hij ontelbaar vaak is open- en weer dichtgevouwen.

Waar is dat album?

Op de boekenplanken staan boeken en tentoonstellingscatalogi. Waar zou ik zelf zoiets persoonlijks bewaren? In elk geval niet in de keuken. Ik doe een deur open, en loop een gang door. Aan de ene kant is een badkamer. Nieuwsgierig bekijk ik haar make-up en snuffel ik aan potjes crème. Over de spiegel hangt een zijden sjaal.

Aan de andere kant van de gang is nog een deur, die op een kier staat. Ik duw hem verder open en dring Angela's heiligdom binnen.

Dit is het eigenlijke hart van het huis. Een allesoverheersend bed met een bloedrode sprei van geborduurde zijde en een hele vracht kussens. Daarnaast een fauteuil en een klein tafeltje met allerlei antieke zilveren doosjes erop. Ik maak er eentje open, dan nog een, en dan allemaal. Ze bevatten pillen in bonte kleuren.

Ik ga op bed zitten, eerst heel voorzichtig, om het even uit te proberen, en dan trek ik mijn schoenen uit en ga in de kussens liggen. Ik haal diep adem. Ik ben haar dochter. Ik mag dit best doen. Dit had al van jongs af aan mijn privilege moeten zijn geweest, en zoals zij mij stiekem heeft bekeken, zo bekijk ik haar nu stiekem, ook al is ze er niet. Ik grijp het boek dat het dichtst bij ligt. Het is de *Mahabharata*, met schitterende illustraties. Er liggen ook wat gesigneerde kunstboeken. En een prachtig versierde map, met obscene voorstellingen van mensen en dieren die de liefde bedrijven. *For Angela*, lees ik, *my eternal goddess.*

Ik heb zin om het sensuele geschepte papier aan stukken te scheuren, blad voor blad. Maar ik leg de map weer keurig op zijn plek. Wat valt er verder nog te zien?

Dan zie ik het liggen, aan het voeteneinde van het bed. Het

album. Ik werp me op mijn buit en trek het naar me toe. Mijn vingers glijden behoedzaam over de leren band. Dan sla ik de eerste bladzijde op.

Carolientje in de speeltuin. Haar oma duwt de schommel en de lokken haar wapperen achter haar aan. Tot in de wolken wilde ik schommelen, de hemel bestormen, het was me nooit hoog genoeg. Caroline in de zandbak. Onder elke foto staat de datum, in Angela's handschrift. Een sprong in de tijd tot de vliegenzwam. Het is duidelijk dat Angela me maar om de zoveel jaar opzocht. De wachtfoto. De zwemfoto. De begripvolle ijseetster, de varenkoopster. Ineens staat die dag me heel helder voor de geest. Het was 21 oktober 1996, volgens Angela's handschrift. Ik was toen zestien en verliefd op een jongen die een klas hoger zat dan wij. Die dag vertelde Anna mij dat hij haar had gevraagd om mee te gaan naar de bioscoop. Daar liet ze een afspraak met mij voor schieten. Dat ik daar wel begrip voor zou hebben, daar twijfelde ze niet eens aan. Op de dag waarop mijn beste en enige vriendin naar de bioscoop ging met de jongen die mijn hart sneller deed kloppen als ik hem zag, kocht ik een duur plantje, waar ik al lang een oogje op had. Een Braziliaanse addertong.

Ze moet zelf in de winkel zijn geweest. Hoe kan ik dat niet gemerkt hebben? Staat er een vreemde vrouw foto's van je maken, heb je dat niet eens door!

Ik sla het blad om. Het kerkhof. Drie jaar geleden. Ik kniel voor het graf en schik wat rozen in een vaas. Ik kijk naar de bloemen en mijn verstarde handen en blader door. Een closeup van het graf, zonder mij. Nog een foto van de grafzerk, de engel, en de palmtak die ze vasthield. En nog eentje, van alleen de naam in het opschrift.

Angela.

De rest van de bladzijden in het album is leeg. Dus is ze drie jaar geleden gestopt met mij achtervolgen.

En toch.

Ze heeft dat kaartje gestuurd. Drie jaar heeft ze gewacht en toen heeft ze dat kaartje geschreven. De motor van een auto. Het dichtknallen van een autoportier. Voetstappen op het grind. Net als daar op het kerkhof. Waarom heb ik haar voetstappen toen niet gehoord? Het klikken van de sluiter?

'Waarom heb je die ansichtkaart eigenlijk geschreven?' vraag ik, zonder op te kijken. Ze staat in de deuropening. Ik voel haar aanwezigheid. Waarom toen dan niet, vraag ik me af, waarom heb ik toen niet gevoeld dat ze er was?

Maar ik voelde het wel. Ik schreef het alleen toe aan de alomtegenwoordigheid van de engel. Had ik niet steeds weer het gevoel dat mijn moeder weliswaar niet tastbaar, maar toch aanwezig was? Was dat niet de reden waarom ik zo graag op het kerkhof kwam? Omdat ik dacht dat ik daar dichter bij haar was? Ik kijk op en zie haar ogen. Ik herken haar angst. En de schaamte. Ze schaamt zich, denk ik verwonderd. Ze schaamt zich echt.

Ze laat zich moeizaam in de stoel vallen. Haar blik schiet even naar de geopende pillendoosjes. Ze durft zich er niet van te bedienen. Ze begrijpt dat ik het heb begrepen. Mijn moeder is verslaafd aan pillen. En ze drinkt te veel.

'Die ansichtkaart,' zeg ik, 'waarom heb je die geschreven? En waarom juist nu?'

Haar blik dwaalt door de kamer alsof ze houvast zoekt. Aan de muur tegenover het bed hangt een gigantisch schilderij. Het is net alsof de muur zich opent en uitzicht biedt op een maalstroom van kleuren en vormen, een ander universum. De hoge sculpturen van zwart, gepolijst hout flankeren het schilderij, als twee goden, de een vrouwelijk, de ander mannelijk, beide abstract van vorm. Het geheel ziet er zo mooi en zo vreemd uit dat de tranen me in de ogen springen. Ze horen in Angela's wereld thuis, niet in de mijne.

'Ik heb op je gewacht,' zegt ze, 'beneden, bij Ingrina. Ik wilde met je praten.'

'Prima,' zeg ik. 'Dat komt mooi uit. Vertel mij maar wat ik wil weten.'

Ze had dit allemaal met me moeten delen, denk ik. Dit had

ook mijn wereld kunnen zijn. Maar ze heeft het voor zichzelf gehouden. Mij heeft ze alleen af en toe begluurd, maar zelf heeft ze zich niet prijsgegeven. Tot op de dag van vandaag. Ik moet alles maar uit haar zien te trekken.

'Wat wil je weten?'

Alles natuurlijk, denk ik. En ik haal diep adem. Alles. Het hele verhaal.

'Waarom heb je deze foto's stiekem gemaakt? Waarom heb je mij nooit bezocht?'

'Dat mocht niet van Sebastian.'

'Sebastian?'

'Hij zei… ik was bang voor hem.'

'Bang? Hoezo bang?'

'We hadden een overeenkomst. Dat ik nergens meer aanspraak op zou maken en nooit meer contact zou zoeken.'

'Waarom? Waarom wilde hij dat?'

Angela drukt haar lippen op elkaar. Ze trekt aan het kraagje van haar katoenen bloes, alsof ze geen lucht krijgt.

'Waarom vraag je hem dat zelf niet?'

'Omdat ik het van jou wil horen,' zeg ik. En omdat hij toch nooit de waarheid spreekt, denk ik. Mijn vader is een leugenaar, en ik mag hopen dat Angela eerlijker is. Maar waarom zou ze? Waarom uitgerekend zij?

'Ik heb het me zo vaak voorgesteld,' zegt ze zachtjes. 'Hoe ik het je op een dag allemaal zou vertellen. Maar zelfs in mijn fantasie kwam ik al niet op een eerste zin. Weet je wat het is, ik begrijp het zelf niet eens allemaal. Mijn gedachten… die zijn zo verward. En dan weet ik niet meer of het nu echt zo is gebeurd, of dat ik het zelf zomaar heb bedacht, snap je?'

Ik kijk naar het schilderij. Het is net of het voortdurend van gedaante verandert. Eerst zag ik er een wervelend universum in, maar nu herken ik gezichten, een groep mensen die zich van elkaar afwenden, en ieder een andere kant opkijken.

'Probeer het maar,' zeg ik. 'Begin gewoon ergens. Vertel me hoe je Sebastian hebt leren kennen.'

'Ik was met zijn vriend Tim,' begint ze. 'Op een dag kwamen we Sebastian in de kantine van de universiteit tegen. Er sprong meteen een vonk over tussen ons, en al bij de soep duwde hij zijn knie tegen de mijne. Niemand had door dat we iets hadden, Tim al helemaal niet. Sebastian en ik waren als water en vuur, we maakten ruzie en zetten elkaar voor schut als er anderen bij waren. Maar als we alleen waren, vreeën we, overal. Sebastian was heel vindingrijk. Om dingen te regelen. Op een gegeven moment heb ik het uitgemaakt met Tim. Maar dat betekende kennelijk niks voor Sebastian.'

Haar stem wordt steeds zachter. Ik denk heel even dat ze in slaap is gevallen.

'We zijn acht maanden en tien dagen bij elkaar geweest, je vader en ik. Later zei hij dat hij het nooit als een vaste relatie heeft gezien. Ik kreeg veel te laat in de gaten dat ik verliefd op hem was, en dat het voor mij meer was dan een opwindende affaire. Ik bedoel, acht maanden, dat is een hele tijd, of niet soms? Toen ik zwanger werd was het in één klap voorbij met Sebastians hartstocht. En met de rest ook.'

Angela valt stil. Ik herinner me Sebastians schuldbewuste houding en gezicht die keer in het restaurant, toen hij me zijn versie van het verhaal vertelde.

'Ik mocht haar niet zo,' had hij gezegd.

En dan doet hij het wel acht maanden lang met haar. Maar daarna heeft hij nooit meer een vaste relatie gehad. Los van zijn studentes heb ik nooit concurrentie gehad. Dan slaat meteen de twijfel toe. Wat weet ik eigenlijk van mijn vader? Misschien is hij wel getrouwd, in Egypte, China, Mesopotamië of India, zonder dat ik daar ooit iets van heb gemerkt. 'En toen? Wat gebeurde er toen?'

Angela lijkt wakker te worden.

'Toen? Dat ik zelf geen kinderen wilde, heb ik je al verteld. Ik heb alles geprobeerd wat je maar kunt verzinnen om... enfin, om de zwangerschap af te breken. Het was al te laat voor een abortus. Sebastian... hij heeft er nooit iets over gezegd.

Hoe hij het zich voorstelde. Later. Als het kind er zou zijn. Hij deed net alsof het hem verder niet zoveel aanging. Ik zal mijn plicht op me nemen, zei hij, maar hoe dat eruit zou zien, heeft hij me nooit verteld. Ik slikte pillen om niet helemaal gek te worden.'

En die slik je nu nog steeds, of niet? Maar dat denk ik alleen, het is zo'n open deur.

'Ik had niemand op wie ik kon vertrouwen. Mijn moeder is een psychopaat, die nog altijd anderen de schuld geeft van al haar ongeluk, vooral mij. Als ik er niet was geweest... Als ik maar nooit geboren was... Enzovoort. Ik was op mezelf aangewezen.'

Angela zoekt in haar tas en haalt er een platgedrukt pakje sigaretten uit. Ik moet aan Sebastian denken, die weer is begonnen met roken. Ze pakt een sigaret, kijkt er even naar, en legt hem aan de kant.

'Wat ik hem nooit heb vergeven,' zegt ze, 'is dat hij niet kwam. Terwijl hij het had beloofd. Ik belde hem dat het was begonnen. En in het ziekenhuis heb ik nog een keer gebeld. Hij kwam ook niet toen de zuster hem belde om te zeggen dat hij de vader van een meisje was geworden.'

Angela's gezicht is hard geworden. Ze haat hem, en dat kan ik haar niet kwalijk nemen.

'Wat daarna gebeurde, dat is allemaal een beetje vaag. Het kind had... ik bedoel, jij had een infectie, en ze hebben je meteen overgebracht naar een andere afdeling. Er was zelfs sprake van een andere kliniek, en mij hebben ze verder maar laten liggen. Ik heb je niet één keer gezien. Misschien hebben ze je na de bevalling nog wel heel even op mijn buik gelegd, maar ik heb daar geen herinnering meer aan. De geboorte was een shock. Zoveel pijn. En de woede die maar in me raasde. Daarna lag ik op een kamer met nog drie andere vrouwen die ook net waren bevallen. Eentje huilde tranen met tuiten, die hield gewoon niet meer op. En toen kwamen de vaders. En ik? Zodra ik de kans kreeg, kroop ik uit bed, kleedde me aan en ben weggegaan. In deze film was voor mij geen rol weggelegd. Thuis heb ik mijn spullen gepakt en toen ben ik naar het station gegaan. Ik ben op de eerste de beste trein gesprongen.'

Het schilderij begint te wervelen en vormt een dreigende wolk. En ik dan? De kleine baby? Wat is er met de baby gebeurd?

'Waar ging je naartoe?'

'Naar Parijs. Tijdens mijn zwangerschap was er een gastdocent uit Parijs bij ons op de academie. Een beeldhouwer. Die vertelde me over een beurs voor getalenteerde studenten. "Als je dat daar onder controle hebt," zei hij met een blik op mijn buik, "kom dan naar Parijs." Dus daar ben ik heen gegaan. Heb bij hem aangebeld. Het kon mij allemaal niks meer schelen. Ik kreeg de beurs. De maanden die volgden kwam ik door met pillen. Ik werkte als een dolle. Dat schilderij heb ik in die tijd gemaakt. Alle andere heb ik verkocht. Dit is het enige dat ik heb gehouden.'

Ik wend mijn hoofd af voor het schilderij me opslokt in zijn kluwen van starende mensen en zijn universum waar ik niet in voorkom. Ik staar naar de geborduurde zijde op het bed. Het ritselt onder me, bloedrood...

'Waarom ben je teruggekomen?' wil ik weten. 'Op een gegeven moment ben je toch weer teruggekomen.'

Angela kijkt alsof ze het zich met moeite kan herinneren. Andere beelden hebben bezit van haar genomen, andere verhalen, met andere hoofdrolspelers. Ze kijkt naar het plafond en probeert de draad weer op te pakken.

'Op een ochtend werd ik wakker,' zegt ze uiteindelijk, 'en toen dacht ik aan het kind. Nee,' verbetert ze, 'zo is het niet gegaan. Het was net alsof je met iemand in de kroeg zit die iets heel belangrijks wil zeggen, maar je kunt hem niet verstaan vanwege het enorme lawaai. Hoe dan ook, op een dag vroeg ik me af wat er van het kind was geworden. "Dat is maanden geleden," zei Jean-Luc. Hij deelde alles met me. Het bed, geld, zijn kennis, zijn drugs, zijn connecties. "Er zal heus wel iemand voor haar zorgen," zei hij. "Duitsland is een beschaafd land."

'Maar het liet me maar niet los. 's Nachts lag ik wakker, en dan hoorde ik een stem, die zei: *Je hebt je kind in de steek gelaten. Jij bent er zomaar vandoor gegaan.* "Dat is je instinct," zei Jean-Luc. Maar een mens is geen dier. Hoe dan ook, op een gegeven moment ben ik toch naar München gegaan.'

Weer vervalt Angela in een zwijgen. Haar gezicht is gesloten. Haar ogen schieten alle kanten op. Ze herleeft al die momenten nog een keer, maar mij neemt ze niet mee op haar reis. Dan kijkt ze ineens op. Kijkt me aan alsof ze niet weet wie ik ben.

'Hoe dan ook,' zegt ze, en ik hoor dat ze geen zin meer heeft om te vertellen, 'toen heeft Sebastian me gedwongen die overeenkomst te tekenen. Hij zei dat hij me anders zou ruïneren, en dat meende hij ook. Hij dwong me om van alle aanspraken af te zien en om nooit meer contact op te nemen. En om nooit aan iemand te vertellen dat ik je moeder ben.'

'En dat heb je gedaan?'

Ze kijkt me aan. In haar ogen zie ik alles tegelijk. Verdriet en koppigheid. Schaamte en trots.

'Ja,' zegt ze en ze komt overeind. 'Dat heb ik gedaan. Ik zag dat het jou goed ging. Nu moet je gaan. Ik ben moe.'

De aderen bij haar slapen zijn gezwollen. Er is weer iets in haar omgeslagen, een stemmingswisseling die ik niet begrijp. Maar zo gemakkelijk komt ze niet van me af.

'Nee,' zeg ik. 'Dit is maar het halve verhaal. Ik wil alles weten. Als het je zo gemakkelijk afging, waarom dan toch die foto's? Waarom dat kaartje? Na al die jaren. Waarom?'

Angela staat voor het bed en staart me aan. Haar ogen zijn rood. Ze gaat me slaan, denk ik. En ineens ben ik bang voor haar.

'Waarom?'

Haar stem klinkt gesmoord.

'Kun je je dat dan niet voorstellen? Omdat het me niet met rust liet. Sebastian heeft me gedreigd. "Jij bent weggelopen, het is jouw kind niet meer," zei hij. "Voor mij ben je dood. En voor

Caroline ook." Ik ben bij de advocaat geweest. Pff. Bij eentje? Bij zoveel advocaten. En ze zeiden allemaal dat die overeenkomst nog niet het papier waard is waar hij op is geschreven.'

En, wil ik haar voor de voeten werpen, waarom heb je dan niks gedaan? Waarom heb je er niet voor gevochten? Maar ik weet het antwoord al. Het schilderij is het antwoord en de twee beelden, de ontwerpen en schetsen in het atelier, de glinsterende sculpturen die om elkaar heen draaien, die veranderen in het licht, die van zich laten horen in de wind en die als trommels worden in de regen. En als die niet het antwoord zijn, dan staat het wel in Angela's ogen te lezen. Omdat ze voor een deel blij was, opgelucht dat ze van de verantwoordelijkheid bevrijd was. En daar schaamt ze zich voor, en daarom heeft ze pillen in alle kleuren, drinkt ze te veel en schopt ze scènes en zoekt ze minnaars uit die niet bij haar passen. Omdat ze verscheurd is. Vanbinnen.

'Ik heb nog één vraag,' zeg ik, 'en daar wil ik graag antwoord op. Vanwaar die kaart? Waarom nou juist deze lente?'

Dan zakt ze in elkaar. Ze duwt haar handen tegen haar gezicht. Kreunt, alsof ze pijn heeft. Ik wacht. En dan weet ik ineens zelf het antwoord. Het album. De laatste foto's. De foto's van het kerkhof. Het graf. De zerk. De naam, Angela. Ze had begrepen dat ze dood was. In elk geval wat mij betrof. Ze heeft haar eigen graf gezien.

'Je wilde Sebastian laten schrikken, of niet? Je wilde hem van zijn rust beroven.'

Angela snikt.

'Je had niet gedacht dat hij alles aan mij zou vertellen. Je bent naar mijn winkel gegaan en je wilde het me zelf vertellen. En toen heb je je bedacht, op het laatste moment. Jij wist niet dat ik op je wachtte.'

Het snikken wordt harder en onsamenhangender.

'Je had er gewoon de moed niet meer toe. Er waren andere klanten en je zag dat ik afgeleid was. Dan kom ik later nog wel eens, dacht je. Maar toen heb je het erbij gelaten. Ben je weer naar huis gegaan. Zoals al die andere keren. Omdat je je schaamde. Omdat je je zo verschrikkelijk diep schaamt voor jezelf. Zo erg, dat je niet eens meer kunt werken, al drie jaar niet meer, en dat alles mislukt waar je nog aan begint.'

Ze slaat haar handen voor haar mond. Maar het lukt haar niet de kreet te onderdrukken die uit haar borst omhoogkomt.

En dan is ineens alles in mij opgelost. Mijn woede, mijn teleurstelling, mijn wrok. Ik heb alleen nog maar medelijden met haar. Alles gaat als vanzelf, en ineens houd ik haar in mijn armen. Ik wieg haar, strijk haar over haar haar, wrijf over haar rug. Ik vis een pakje papieren zakdoekjes uit mijn spijkerbroek en vouw er drie voor haar open, de een na de ander.

Dan komt ze tot bedaren.

'Nu haat je me,' zegt ze.

Haar gezicht zit onder de uitgelopen mascara. Ze lijkt wel een groot kind, dat zich aan de make-up heeft vergrepen.

'Geeft maar toe,' houdt ze stug vol, en ze veegt haar neus. 'Je veracht me.'

'Misschien wel ja,' zeg ik, en ik kijk uit het raam. De ochtend begint al te schemeren, een vogel doorbreekt de nachtelijke stilte en tussen de bomen begint de hemel roze te kleuren. 'Maar ik heb me ook nog nooit zo verwant aan je gevoeld.'

Hoofdstuk 28

Waarin Gregor een vroege kop koffie drinkt en de diepte in gaat

Om zes uur kleed ik me aan en loop ik naar beneden. Alle deuren en ramen staan open, en een vrouw maakt het restaurant schoon. Op het terras zit Sofia met een pot koffie.

Ze wenkt me als ze me ziet.

'Wilt u ook een kopje?'

Daar zeg ik geen nee tegen. Er ligt een mistsluier over de kaap. Het is nog koel. Dus of we het anders de hele nacht hadden uitgehouden, daar in de duinen? Caroline is een boek met zeven sloten. Ik had nooit gedacht dat ze zo van slag zou raken van een verstoord liefdespaar.

De koffie is zwart en sterk. Sofia's ogen rusten op mij.

'Hebt u een beetje rondgekeken?' vraagt ze. 'Hier in de omgeving?'

Ik vertel haar van mijn wandeling langs de klippen.

'Ja,' zegt ze, 'dat is een mooi pad. Je kunt helemaal naar Lagos wandelen, als je zou willen.'

Ze schenkt me nog eens in.

'U bent een vroege vogel,' zegt ze, 'precies zoals uw oom. We zaten hier elke ochtend, als hij hier was, rond deze tijd.'

'Hij is mijn oom niet.'

Eigenlijk wil ik dat helemaal niet zeggen. Eigenlijk wil ik er niet eens aan denken. Maar ineens voel ik hem heel dichtbij, mijn oom Gregor, die mijn vader is. Ik kan er maar niet aan wennen om hem zo te noemen. Het is net alsof hij hier bij ons aan tafel zit. Of neem ik alleen zijn plaats maar in?

Dus hier hebben ze gezeten, hij en mijn moeder, verliefd en hopend op een toekomst samen, gek op elkaar en toch zo volkomen verschillend. Ik vind het niet prettig, zoals Sofia naar me kijkt. Ze ziet hem in mij, en dat is wel het laatste wat ik vanochtend kan gebruiken. Ik ben ik, ook al lijk ik nog zoveel op hem. Hij is niet mijn oom. Wat gaat het deze vrouw, die ik helemaal niet ken, eigenlijk aan hoe het precies zit?

Ze wist het al.

'Ja,' zegt ze, alsof het voor zich spreekt. Meer zegt ze niet. Ze drinkt haar koffie. Haar vingers zijn lang en slank. Aan één ervan glanst een simpele gouden ring. Een trouwring. Neem ik aan.

'Hoe komt het dat u zo goed Duits spreekt?' vraag ik.

'Ik heb zes jaar in Duitsland gewoond,' zegt ze, en ze zet haar kopjes behoedzaam neer. 'Om het hotelvak te leren. Ik heb daar in de allerbeste hotels gewerkt en ik heb daar ook mijn man leren kennen. Ana is in Berchtesgaden geboren. En Duarte in Frankfurt.

Ik ben me ervan bewust dat ik de hele tijd dacht dat ze oom Gregors minnares was. En wie weet, misschien was ze dat ook wel. Ondanks de echtgenoot, die ik nog niet heb gezien. Kon jij hem er dan niet van overtuigen dat het beter zou zijn om zijn zoon persoonlijk de waarheid te vertellen, voor het te laat was?

'Mijn man is afgelopen jaar overleden,' zegt Sofia. 'Zomaar ineens. Een hartstilstand.'

Ze kijkt uit over de kaap. Ik kan haar ogen niet zien. Nee, denk ik. Hoe had ze dat kunnen doen, ze wist niet dat hij dood zou gaan. Als ik zelf zou weten dat ik niet lang meer te leven had, zou ik het ook aan niemand vertellen. Misschien heeft ze zelf ook een brief gekregen. Eerst overlijdt haar man, en dan een goede vriend.

'Het spijt me,' zeg ik onbeholpen.

'Gregor heeft me op het idee gebracht,' zegt ze en ze kijkt me glimlachend aan. 'Om naar Duitsland te gaan, iets te leren, en een echt goed bedrijf te maken van het eenvoudige hotel van mijn vader. Ik heb veel aan hem te danken. Hoe bevalt uw nieuwe kamer?'

Ze moest eens weten, denk ik, maar waarschijnlijk weet ze het ook. Deze vrouw lijkt op de een of andere manier alles te weten.

'Het is een prachtige kamer,' zeg ik. 'Alleen... ik vind het wat beklemmend. Te veel herinneringen. En niet eens die van mij...'

Dat lijkt haar niet te verbazen.

'U kent het verhaal,' zeg ik, en het is eerder een constatering dan een vraag.

Ze knikt.

'Dan weet u ook dat ik iemand nodig heb die me helpt bij een duiktocht. Naar een bepaalde plek, die ik zelf niet ken.'

'Ja,' zegt ze. 'Ik help u graag. Vandaag zou goed kunnen. Tegen elf uur. Anders kan het op zijn vroegst weer over drie dagen. Vanwege de golfslag en het getij.'

Ik aarzel. Ik wilde vanochtend eigenlijk meteen naar Caroline. Aan de andere kant, bedenk ik me, hoe eerder de duik achter de rug is, hoe beter.

'Prima, vandaag dus. Waarom niet.'

Ik voel een zachte snuit die tegen mijn hand duwt.

'Hoe doen we dat met Karl May?'

Sofia buigt zich naar hem toe en aait hem over de rug. 'Die kan bij mijn zoon blijven,' zegt ze. 'Duarte is dol op honden. Als u wilt, kunnen we ze meteen kennis laten maken.'

Om elf uur staat Sofia op me te wachten in de lounge. Ze ziet eruit als een meisje met haar witte linnen broek en zeiljack. Haar haar hangt in een lange vlecht over haar rug.

Ik vraag niets meer. Deze vrouw weet precies wat ze doet. Ze rijdt een dik kwartier in noordelijke richting en slaat dan een zandweg in. Zo rijden we een paar kilometer over een recht stuk, en even later gaat het in scherpe haarspeldbochten bergafwaarts, richting kust. Ik houd me vast aan de deurgreep. De zandweg is hobbelig en vol met kuilen, maar Sofia stuurt de auto veilig om de kuilen en rotsblokken en langs afgronden.

Op een plateau dat net groot genoeg is om de wagen te kunnen keren, zet ze de auto stil.

'Hier is het,' zegt ze.

Ik kijk om me heen. Er is geen mens te bekennen. Alleen rotsen en klippen, een paar honderd meter de zee in. Alleen als je gestoord bent, ga je hier duiken.

'En met wie...?' vraag ik voorzichtig, maar Sofia is al uit de jeep gesprongen. Ze doet de achterbak open en trekt er twee enorme rugzakken uit.

'Met mij,' zegt ze, en ze lacht naar me. Dan wordt ze serieus. 'Wij gingen hier altijd samen duiken, Gregor en ik. Hij heeft het jaren geleden van mij geleerd. En ik heb het weer van mijn vader geleerd toen ik nog maar net kon lopen.'

Ze gooit een rugzak over haar schouder. 'Helaas moeten we de uitrusting een stuk dragen. Dat is wel vervelend. Maar het loont, dat zult u zien.'

Ik stop de urn in de rugzak die ik op mijn rug hijs.

Ik moet nog mijn best doen om Sofia bij te houden. Er loopt een steil voetpad van het plateau naar beneden, tussen de rotsen door. Het is maar goed dat ik geen hoogtevrees heb en dat ik zoveel heb getraind op de Blaue Tötz. Maar wat heb ik onder water aan de Blaue Tötz? Ik heb al sinds mijn elfde niet meer gedoken.

Onder mij heb ik steeds weer een nieuw uitzicht op machtige golven die stukslaan tegen de steile kust. Die vrouw is niet wijs, als ze hier wil duiken.

Voorzichtig dalen we steeds dieper af. Ik klim om een rots –

en voor me ligt ineens een natuurlijke haven, bijna helemaal rond en omgeven door hoge klippen. Waar verderop de golven nog woest waren, is het water hier donker en stil. En vredig. Dus hier wil hij rusten.

Sofia heeft haar spullen uit de rugzak gehaald. Ze maakt haar duikpak vanbinnen nat, en dan kleedt ze zich om achter een rots. Ik voel me kalm. Als Sofia terugkomt heb ik mijn uitrusting ook aan. Ze laat me alles zien, legt me alles tot in detail uit. Ze weet klaarblijkelijk dat ik al tientallen jaren niet meer heb gedoken. Niet meer sinds… schiet me door het hoofd, en ineens voel ik me slap worden. Ze zijn dood. Heinrich, Gregor de Oude. Dan schiet ik in de lach. Als hij Gregor de Oude is, dan ben ik Gregor de Jonge.

Ik probeer mijn masker, en dat past. Dit is natuurlijk zijn uitrusting. Sofia geeft me de loodgordel aan, en het vest met geïntegreerde persluchtfles. We controleren de apparatuur en ik test de ademautomaat.

'Hier, neem jij het mes maar, misschien dat je dat nog nodig hebt. We blijven samen,' zegt ze. 'Ik let wel op de duiktijd en de druk. De grot is te nauw voor ons allebei, dus dat moet je alleen doen. Maar ik blijf buiten wachten, en als er iets is ben ik meteen bij je. Duidelijk?'

'Duidelijk.'

'Dus goed begrepen: we nemen geen enkel risico, beloofd?'

Ik beloof het. Ik hang de urn in een net aan mijn gordel. Dan ben ik zover.

We stappen het water in, waar we eerst een beetje rond peddelen. We nemen nog een keer de handgebaren door waarmee we communiceren. Dan laten we ons het water in zakken.

Ik heb nog nooit in zee gedoken. Mijn carrière als duiker eindigde in het meertje. Hier voel ik veel meer beweging, zelfs in dit beschutte gedeelte.

Het is een gunstig moment, heeft Sofia uitgelegd. De getijden zijn nu aan het wisselen. Tegen twee uur komt de vloed opzetten, en dan overstroomt de boel hier. Maar tot dan is er genoeg tijd.

Ik luister naar het snorkelende geluid van mijn ademhaling. In. Uit. In. Uit. Sofia daalt langzaam, en ik volg haar. Af en toe wijst zij op rotsen, een schelpenkolonie, zeeanemonen. Het is een goede broedplaats, heeft ze gezegd, en er zijn inderdaad zwermen vissen in allerlei kleuren en vormen.

We nemen de tijd, zodat onze lichamen aan de onderwaterdruk kunnen wennen. In mijn oren hoor ik een klik, dus de drukverschillen zijn opgeheven. Sofia draait zich steeds weer naar me om. Achter haar duikbril zien haar ogen eruit als twee zeldzame vissen die op elkaar af zwemmen. Ik kan mijn hart voelen kloppen, en ineens bedenk ik dat mijn vader hier een paar weken geleden ook was.

Mijn vader. Ze hebben mij bedrogen om hem. Wat maakt het nu nog uit, ik ben toch allang volwassen en ik ga toch mijn eigen weg? Wat doet het er dan toe wie mijn vader was? Ik voel me ook echt bedrogen. Met de man die ik mijn vader noemde heb ik altijd een heel vreemde relatie gehad. Hij werkte, en hij was er eigenlijk nooit. En als hij er wel was, legde hij niet veel gewicht in de schaal. Mijn moeder was altijd de grote aanwezige bij ons thuis. Haar wil was wet. Mijn vader probeerde haar alleen te sussen als ze het echt te dol maakte met haar temperament, maar verder had zij altijd het laatste woord.

Sofia geeft me een teken en daalt verder af. Het wordt voelbaar kouder. Het rotslandschap verandert. Nieuwe formaties doemen op vanuit het donker. Tussen de tot dan toe gesloten rotswanden verschijnt diep onder ons een spleet, die zich naar de basis verbreedt. Sofia wijst ernaar. Betekent dat dat we daar doorheen moeten?

Mijn hart begint sneller te slaan. In. Uit. In. Uit. Rustig blijven, er is geen reden tot paniek. Er schiet iets donkers langs me heen. Mijn hart klopt nog sneller. Ik geef Sofia een teken dat ze even moet wachten.

De urn aan mijn zij slaat tegen mijn heup. Ik leg mijn hand

erop, alsof ik hem zo gerust wil stellen. En mijzelf ook. Dit is jouw afscheidsfeestje, oom Gregor, en ook al ben je dan mijn vader, voor mij ben en blijf je toch altijd oom Gregor.

Ik voel een koele stroom die vanuit de rotsspleet op me af komt. Ik word me bewust van de hele massa water om me heen. Hoe diep zitten we eigenlijk? Twintig meter? Dertig? Ineens voel ik me verschrikkelijk verloren in deze diepte. Sofia kijkt me aan en maakt het teken voor: 'Omhoog?'

Ik schud mijn hoofd. Voel het bloed bij mijn slapen kloppen. Ik breng mijn adem onder controle. In. Uit. In. Uit. Het is goed. Dan geef ik het signaal voor 'Doorgaan'.

De spleet opent zich tot een brede doorgang. Sofia zwemt erdoor, en wenkt dat ik mee moet komen. Ik weet niet waarom ik zoveel moet overwinnen om haar te volgen. Het is alsof ik de drempel overga naar een onbekende wereld. Ik ben er nog niet doorheen, of ze pakt me bij de arm en wijst naar boven. Melkwitte vleugels zweven met zachte golfbewegingen boven ons. Het is een rog met een onvoorstelbare spanwijdte.

Ik kijk hem na, dat slagschip, tot hij uit het zicht is verdwenen. Maar er zijn nog andere wezens. Schaaldieren met bizarre slakkenhuizen krabbelen over de rotsen, zeeanemonen in bonte kleuren, dieren en planten in ongekende vormen. Hier beneden is leven, en dat stelt me gerust. Uiteindelijk ben ik zover dat ik Sofia verder wil volgen.

En dan begrijp ik het. We zijn hier in de open Atlantische Oceaan. Boven ons rollen de golven, ook al heb ik dat hier beneden nauwelijks door. De spleet is een doorgang van de beschutte naar de onbeschutte wereld van de zee.

In. Uit. In. Uit. Langzaam. Regelmatig. Ga nu maar langzamer kloppen, hart. Sofia voert me langs de rotsen. Het is me duidelijk dat de poel waar we net waren niet meer was dan een ingang. Het eigenlijk avontuur gaat hierbuiten plaatsvinden.

Maar we gaan nog dieper. Hoe lang zijn we nu al onder water. Tien minuten? Twintig? Ik ben elk gevoel voor tijd kwijt. Wat als ze mij wil vermoorden, schiet me door het hoofd. Hoeveel lucht zit er eigenlijk in deze fles? Wat nu als zij echt een beetje gek is? Misschien heeft oom Gregor haar hier wel opdracht toe gegeven? Een reis naar de dood, zodat ik hem gezelschap kan houden? Hem en Heinrich? Geen die weet waar ik ben gebleven. Niemand. Ook Caroline niet.

Rustig, hart, dat zijn maar hersenspinsels. Mijn hand tast naar de urn, die al zoveel weken mijn reisgezel is. En het kalmeert me ook echt die te voelen.

Ineens vlamt er een lichtstraal op. Het is Sofia, die had een onderwaterlamp bij zich. Ze schijnt een zwerm roodgloeiende vissen bij. Achter de zwerm is een opening. En voor die opening dansen zeepaardjes.

Het is de grot. Ze maakt het teken voor 'doel bereikt'. "De grot is te klein voor ons tweeën," zei ze net. "Pas op dat je je niet stoot, links zitten een paar scherpe punten." Zouden hier haaien zitten?

Ze geeft me de lamp. In. Uit. Rustig, hart, je kunt het. Mijn hand beeft. Sofia wacht geduldig. Ze zweeft naast de opening van de grot als een bijzonder dier. Uit haar ademapparaat stijgt een parelfontein op.

In. Uit. In. Ik maak me heel klein en glijd naar binnen.

Een paar wezenloos kijkende vissen schieten langs me naar buiten. Rechts van me opent zich een soort kamer. De stenen grond is bedekt met fijn zand, en er is een nis, als een bedstee. Hier moet het zijn geweest. In dit zand heeft hij op zijn knieën gezeten en hier heeft hij zijn vest met de persluchtfles uitgetrokken. En nu is hij hier weer terug.

Ik laat de lichtstraal over de wand glijden. Een stenen kolom grenst aan een andere, en daartussen zitten een paar spleten. Een daarvan lijkt me precies groot genoeg. Ik kniel neer op het zand, en klem de lamp tussen mijn dijen. Dan bevrijd ik de urn uit het net.

Ik houd hem een poosje in mijn handen. Het ga je goed, oom Gregor, mijn vader, mijn vriend, of wat je ook was. Plotseling, volkomen onverwacht, zie ik een beeld voor me van onze laatste ontmoeting. Dat was tijdens een van zijn zeldzame bezoekjes bij ons in het Zwarte Woud. Hij stond in de tuin, onder de appelboom, helemaal alleen, en ik, waarom weet ik niet meer, misschien om mijn moeder te ontlopen, ging naar buiten om bij hem te zijn. Hij stond daar maar zo'n beetje naar die appelboom te kijken.

'Deze is even oud als jij,' zei hij.

Ik begreep niet waar hij het over had.

'Deze boom,' verklaarde hij. 'Toen jij geboren bent, heb ik deze geplant.' En toen wees hij naar de perenboom aan de andere kant van het tuinpad. 'En die daar was voor Heinrich. Moet je kijken hoe prachtig die het doet.'

Nu begrijp ik het. Ik begrijp wat hij bedoelde. Het was een boodschap die ik toen niet begreep. Het is de vader die bomen plant voor zijn kinderen, niet de peetoom. Ik ben jouw vader, en ik ben ook Heinrichs vader. Kijk nu wat een schitterende vruchten er aan die perenboom groeien, dat is wat je toen wilde zeggen. Ook al is Heinrich nu dood en begraven, zijn boom geeft nog altijd vruchten. In het voorjaar draagt hij bloesem en in de herfst geeft hij een overvloedige oogst, net zoals jouw appelboom. En alleen het feit al dat hij niet twee dezelfde bomen voor ons had geplant, geeft aan hoe goed hij ons begreep. Je kunt geen appels met peren vergelijken, wie zei dat destijds ook al weer? Ik stond toen dus naast mijn vader, zonder te weten dat hij het was, en zonder te begrijpen wat hij duidelijk wilde maken. De woorden drongen wel tot me door, maar niet hun betekenis.

Heinrich. Heinrich die stierf in het water. Ik heb ineens het gevoel dat hij hier beneden is, hier, in deze grot. Ik draai me om. Achter me is het aardedonker. De straal van de lamp licht de nis voor me bij.

Kalm blijven, spreek ik mezelf toe. Het wordt tijd om afscheid te nemen. Ik probeer de urn in de spleet tussen de twee kolommen te zetten. Met mijn mes haal ik wat stukken steen los. Uiteindelijk past hij er precies tussen en ik zet hem klem. Dit wordt zijn rustplaats.

'Het ga je goed,' zeg ik in mijn masker. Het klinkt vreemd. *Het ga je goed.*

Ik til een van de stenen op en stop die in mijn net. Dan draai ik me om, om weg te gaan. Ik leg mijn armen langs mijn lichaam en zwem door de opening naar buiten, de open zee in. Dat was het dan, denk ik. Ik heb het volbracht.

Dan glijdt de lamp uit mijn hand. Langzaam danst hij de diepte in. Ik ga er meteen achteraan, en wil hem grijpen, maar ik grijp in het niets. De afstanden worden vertekend door het water en door het masker. Steeds dieper en dieper zakt de lamp, op zijn dooie gemak, als om me te tarten. De druk tegen mijn oren en om mijn longen neemt toe, maar ik wil niet opgeven. Absoluut niet. En dan hoor ik Heinrich. Hij roept me. 'Gregor,' roept hij, precies zoals ik dat hoorde in mijn dromen, vlak na zijn dood. 'Gregor,' riep hij, en toen werd ik wakker, ik stond op en ik ben hem gaan zoeken omdat ik ervan overtuigd was dat hij het was. Dat hij me riep. Maar zijn bed was leeg. Natuurlijk was zijn bed leeg. Hij had mijn duikuitrusting meegenomen en was stiekem onder water gedoken en toen heeft hij me geroepen. En hij roept me nu nog steeds. Hij is daar beneden, en hij heeft mijn hulp nodig. Ik volg zijn roep, volg mijn broer de diepte in. De dansende zaklamp wijst me de weg. En het is allemaal heel gemakkelijk. Ik strek mijn hand uit – en ik pak de lamp. Ik heb hem vast.

In. Uit. In. Uit. Vaag herinner ik me dat ik de regels heb overtreden, dat ik te snel naar beneden ben gedoken. Maar die gedachte dooft uit als de fosforescerende vissen die voor me uit het donker invluchten. Wat een sukkel ben ik geweest om zo bang te zijn. Ik moet lachen, en dat klinkt gek. Ik wil steeds dieper zinken, en de wereld daar beneden leren kennen, waar mijn broer woont en waar de schaduwen verglijden. Een gevoel van euforie heeft me in zijn greep. En dan, heel in de verte, zie ik ineens een gezicht. Het is Caroline. Haar gestalte. En daar is de gedachte weer... te snel gedaald, stikstofroes. Het gevaarlijke is dat je denkt dat je alles kunt en dat alles gemakkelijk is, en dat je jezelf overschat en zelfs nog dieper wilt duiken. Wie zei dat nou ook weer? Mijn duikleraar van jaren geleden? Of was het Caroline?

Ik wil naar boven. Maar toch trekt alles me naar beneden. Ik moet erheen, ik moet mijn broer redden. 'Nee,' zegt Heinrichs stem, 'je hoeft mij niet te redden, ik red jou. Kom maar hier, kom maar bij me, hier is alles goed, hier hoef jij niet meer steeds in alles de beste te zijn. Hier verdwijnt alles, hier wordt alles onbelangrijk. Hier beneden is geen schuld, geen verwijt, alles verdwijnt hier, jij ook.'

Ik ook? Geen schuld, geen verwijt? Maar wie ben ik dan precies? Ik kan het me nauwelijks herinneren. Ooit, heel lang geleden, heb ik een keer een broer gehad die er precies hetzelfde uitzag als ik. Die is doodgegaan. Ik mis hem. Al die jaren heb ik hem gemist maar ik wilde dat niet aan mezelf of aan anderen laten blijken. Ik wilde het nooit toegeven. En toch mis ik hem, Heinrich, die stierf omdat hij net zo wilde zijn als ik.

Als ik.

Alles wordt vaag en lost op om me heen. Het klinkt zo vreemd, mijn gesnik, hier onder water. En dan snap ik het. Hij heeft het me vergeven. Hij heeft het me allang vergeven, als er al iets te vergeven was. En weer is het net of ik zijn stem hoor, zachtjes, heel zachtjes en van heel ver. 'Zolang je het jezelf niet vergeeft,' zegt hij, 'heeft het geen enkele zin. Dan heeft niks zin...'

Hij is weg. Hij is dood. Jezelf iets vergeven... Dan weet ik dat ik daar beneden niets meer te zoeken heb. Ik moet naar boven. Naar Caroline. Nee, daar beneden zal ik haar niet vinden. Ik stijg op. Op een gegeven moment is Sofia naast me. Ze houdt mijn arm vast en kijkt me geschrokken aan. Het is oké, wil ik zeggen, alles is oké.

Er komt steeds meer druk op mijn oren te staan. Mijn hoofd begint te bonzen en doet pijn. In. Uit. In. Uit. We stijgen op, langzaam. Ik ben moe, ongelofelijk moe. Het lichte gevoel is helemaal verdwenen. Mijn oom, nee, mijn vader staat voor me onder de appelboom die hij zelf heeft geplant. Kijk eens hoe prachtig hij het doet. In. Uit. Rustig, hart. Daar is Caroline. Ze zwemt me tegemoet. 'Kom,' zegt ze, 'we gaan naar het strand.' Ze slaat haar armen om me heen, maar het is Sofia die me langzaam naar boven brengt. In, uit, alles is goed. De vissen met de uitpuilende ogen komen terug, staren me aan en zwemmen door de opening. Ze zullen dadelijk om de urn dansen. Dat was mijn oom, sinds gisteren mijn vader, en op mijn reis is hij mijn vriend geworden. Ik moet het beter doen, heeft hij geschreven. Ik weet niet of ik dat wel kan. Ik zie Carolines ogen voor me, de beweging waarmee ze haar motor weer aanzette gisteravond, teleurgesteld, berustend. Hoe laat je zien dat je van iemand houdt?

Sofia manoeuvreert me door de spleet. Ik ben zo moe. Ik luister naar het gorgelende geluid van mijn adem, alsof ik een vreemde hoor. Wie ademt daar? Waarom wordt het gorgelen al maar harder? Wat slaat daar zo hard in mijn borst?

We blijven even rusten op een rotsovergang. Gefascineerd kijk ik naar een paar dieren, krabachtige krabbelbeestjes, een kleine wereld op zich. Ik tast naar de steen. Die zit er nog. Alles komt me zo onwerkelijk voor, als een droom. Ik wil naar boven, maar Sofia houdt me tegen.

Eindelijk kan ik daar in de verte weer zonlicht zien, rimpelend en dansend als door levendig glas. En ik zie het silhouet van een gestalte. Daar staat Caroline. Maar nee. Dat kan helemaal niet.

Sofia gebaart me dat ik moet wachten. Ze kijkt op haar horloge. Decompressietijd, schiet me door het hoofd. In geen geval meteen weer omhoog. Anders gaat je bloed schuimen, en dat kan je je leven kosten. Dat noemen ze duikersziekte. Dat heb ik toen in het meertje geleerd. Hoe langer en hoe dieper je onder water bent geweest, des te langer de wachttijd.

Die dijt uit tot een eeuwigheid. In. Uit. In – maar mijn ademhaling wordt korter, de fles, schiet me door het hoofd, en ik geef Sofia een teken. Mijn lucht is bijna op, en dan wordt alles glazig. Dit is geen water om me heen, het is glas, en het dringt in me binnen. Ik zelf, ik ben van glas, breekbaar. De erkenning. Ik ga het niet redden. Een hoge, gonzende toon vult mijn oren, mijn schedel. Door de sluier van mijn vermoeidheid voel ik Sofia's angst. Ze haalt het mondstuk voor mijn mond weg, haalt diep adem en stopt haar eigen mondstuk tussen mijn tanden. Ik neem een diep teug lucht en dan nog eentje. Dan geef ik het haar weer terug. Mijn handen, mijn lichaam, mijn hoofd, alles wordt loodzwaar. Ik ben in een tussenwereld beland. Beneden mij het donker met oom Gregors graf. Boven mij, onbereikbaar, de dag.

Hoofdstuk 29

Waarin Caroline haar intuïtie volgt, ergens een einde aan maakt en aan iets nieuws begint

'Ze zijn al behoorlijk lang onderweg,' zegt Duarte.

Karl May ruikt aan Gregors kleren, jankt, en snuffelt wat aan de rotsen.

Kom nou toch omhoog, wat moet je daar!

Geen idee waarom ik me ineens zoveel zorgen maak. Ineens was het er, dat gevoel, klamme angst dat Gregor iets zou overkomen.

Ik heb koffie voor ons gezet terwijl Angela in de badkamer bezig was. 'Even wat restauratiewerkzaamheden uitvoeren,' zei ze met een verlegen lachje voor ze daar naar binnen ging. Toen ze weer tevoorschijn kwam, zag ze er vrolijk en opgelucht uit. Misschien heeft ze wel een voorraad pillen in de badkamer, dacht ik nog, maar dat kon me niks schelen. Het is haar leven, niet het mijne.

We maakten het ons gemakkelijk op het bed en zij vertelde. Over haar gemiste kansen. Over de harde regels in de kunstwereld. En over de uitnodiging om naar New York te komen.

'Waarom doe je dat niet?' vroeg ik.

Toen vertrok haar mond weer. Haar hand, waarin ze haar koffiekopje vasthad, begon te beven.

'Er is geen enkele reden om het niet te doen,' zei ik. 'Je kunt het. Je werk is fantastisch. Dit is een prima gelegenheid om weer aan de slag te gaan en aan alle Dodants van deze wereld eens even wat te laten zien.'

Ze beet op haar lippen.

'Moet je luisteren, dat was niet jouw graf. Die vrouw is bij een auto-ongeluk om het leven gekomen. Ik heb haar moeder gesproken. En Sebastian... waarom verscheur je die krankzinnige overeenkomst niet gewoon? Ik ben nu toch volwassen? En ik kan echt wel zelf beslissen met ik om wil gaan.'

En toen schoten we weer in de lach, allebei.

'Je was met die Beer, of niet?' vroeg ze zomaar ineens. 'Gisteren, op het strand? Het was Gregor Beer. Die hond van hem bezorgde me een rolberoerte.'

'Ja,' zei ik. 'Dat was Gregor.'

En toen voelde ik me ineens onrustig worden.

'Je bent verliefd op hem, hè?'

Dat gaat jou niks aan, dacht ik, ineens weer kwaad.

'Hij ook op jou,' ging Angela verder. 'Dat zag ik gisteren meteen, buiten voor het atelier.'

De onrust werd steeds sterker. Gregor. *Kan ik je morgen zien?* had hij gevraagd. Wat nu als hij naar mij op zoek is?

Ik keek naar Angela, die in slaap gevallen was. Van het ene moment op het andere. Voorzichtig haalde ik het koffiekopje uit haar handen. Dekte haar toe. En ineens had ik haast.

Zo donker, het water. Zo stil. Wat moest je nou, daar beneden? Karl May vraagt het zich ook af, en is gaan janken, zachtjes en klagelijk. Zijn slimme ogen hangen aan mij alsof ik het antwoord weet.

Het liefst was ik meteen naar Gregors hotel gereden. Maar wat nu als hij op Ingrina op me wachtte? Dat bleek niet het geval, maar Mariza hield me op bij de ingang. Ze wilde me alles tot in detail vertellen. De uitslag komt over een paar weken. Maar het examen was goed verlopen. Ik vond het zo fijn om haar weer te zien, maar ik was er niet helemaal bij. Ik keek steeds maar naar de inrit, niet begrijpend waar Gregor toch bleef.

Uiteindelijk ben ik naar het hotel gegaan waar ik naar hem vroeg. Hij was er niet. Of ze me dan niet konden vertellen waar hij was. Toen ze merkte dat ze niet zomaar van me af kon komen, riep de dame van de receptie de bedrijfsleider erbij. En ineens sprong Karl May tegen me op.

Duarte vertelde me dat Gregor was gaan duiken.

Geen reden om me zorgen te maken.

'Duiken?'

Toen Duarte mijn paniek zag, stelde hij voor om me hiernaartoe te brengen. Ik geloof dat ik hem met mijn bezorgdheid heb aangestoken. 'Mijn moeder is één van de meeste ervaren duikers hier aan de kaap,' zei hij onderweg. En toch had hij, voor we vertrokken, zijn eigen uitrusting plus een extra zuurstoffles in de kofferbak gegooid.

Zo donker, het waterbekken. Zo diep. En Gregor zou daar beneden zijn?

Ik geloofde het pas toen Karl May Gregors spullen tussen de rotsen ontdekte, die met stenen waren verzwaard. Behalve Gregor ken ik niemand die Armani draagt als hij gaat duiken.

Duarte kijkt voortdurend op zijn horloge. Hij maakt zich zorgen. Ze zijn al heel lang daar beneden. Veel te lang. Dan ontdek ik de fijne luchtbellen. Alsof het water begint te koken.

'Daar zijn ze!' roept Duarte opgelucht.

Maar er gebeurt niks. Luchtbellen. Meer niet. Er tikken minuten voorbij.

'Wat is er aan de hand?' vraag ik.

'Ze moeten wachten,' zegt Duarte. 'Op negen, zes en drie meter onder het oppervlak. Hoe langer ze beneden zijn geweest, en hoe dieper, des te langer de decompressietijd.'

'De wat?'

'Ik wist niet dat ze zo diep wilden gaan,' zegt Duarte. Hij springt op.

'Ik ga erin,' zeg hij, en hij pakt zijn uitrusting uit. 'Voor de zekerheid.'

Ongeduldig kijk ik toe hoe hij zijn apparatuur omhangt. Eindelijk is hij zover.

'Als ik er over een kwartier nog niet ben,' zegt hij terwijl hij zijn zwemvliezen aantrekt, 'rij dan terug naar het hotel om alarm te slaan.'

Hij verdwijnt de donkere spiegel in. Karl May blaft als een dolle naar het wateroppervlak. Na een poosje legt hij zich met de staart tussen de benen aan mijn voeten, alsof hij wil zeggen: jij niet ook nog eens. Jij blijft hier, ik laat jou niet gaan.

Ik ga zitten en kroel door zijn vacht. Hij heeft mijn gedachten geraden, want het liefst zou ik er zelf ook achteraan gaan, ook al ben ik nog nooit dieper onder water geweest dan een meter of twee, drie. Ik begrijp niet waarom Gregor dit doet. Waarom hij is gaan duiken, de ochtend nadat hij al die dingen tegen me heeft gezegd. Nadat hij me zo heeft gekust. In plaats van naar mij toe te komen.

Karl May springt weer op en spitst zijn oren. Hij klimt van rots naar rots, helemaal om het waterbekken heen. Hij staart naar beneden, en is volkomen de kluts kwijt.

Net als ik.

Mijn gevoel heeft me dus niet bedrogen. Nu ben ik het die steeds op haar horloge kijkt. De wijzer kruipt over de wijzerplaat, traag, net als toen in Santiago. Hij komt. Hij komt niet. Maar vandaag is het allemaal zo anders.

Het water komt in beweging, er duikt een hoofd op. Het is Duarte.

'Geef me de extra zuurstoffles!' roept hij, 'Snel!'

'Is er iets gebeurd?' vraag ik als ik hem de fles aanreik.

Ik krijg geen antwoord. Duarte pakt de fles aan en trekt het masker voor zijn gezicht.

Er gaan weer minuten voorbij. Heel veel minuten. Er komt geen einde aan. O God, laat hem niet doodgaan. Ik steek mijn handen diep in mijn jaszakken. In een van die zakken voel ik iets hards en ronds. Het is Maria's steen. Het is een gelukssteen, hoor ik haar zeggen. Je moet door het gat kijken en een wens doen. En die gaat dan echt in vervulling.

Peinzend bekijk ik de poreuze steen met de twee ronde gaatjes. Een wens. Ja, ik heb een wens. Ik houd de steen voor mijn ogen, en kijk door beide gaatjes naar de blauwe lucht. Met alles wat ik in me heb, wens ik dat Gregor gezond naar boven komt. En snel!

Dan ga ik bij de uiterste rots staan, die een beetje over het waterbekken heen buigt. Karl May gaat naast me zitten. Zo staren we samen in het donkere water, waar de luchtbellen uit opstijgen. Zolang die luchtbellen er nog zijn, denk ik, is nog niet alles verloren.

Eindelijk, eindelijk komt de waterspiegel in beweging. Er duikt een hoofd op, dan nog één, en dan een derde. Ze zien eruit als wonderlijke dieren, zo moeizaam als ze aan land klimmen. Duarte als eerste. Hij reikt de tweede de hand, en helpt hem het water uit. Dan neemt hij hem zijn uitrusting af.

Gregor. Zijn lippen zijn koud. Ik houd hem in mijn armen. Ik voel hoe zijn hart tekeergaat.

'Hoe kom jij hier nou?' vraagt hij. En zijn ogen stralen.

Hoofdstuk 30

Waarin Gregor een echt Gregor-idee heeft

De hemel. En Carolines gezicht.
'Hoe wist jij…?'
'Ik wist het gewoon.'
Ze helpt me uit het duikerspak. Wrijft me warm met een handdoek. Met bevende vingers trek ik mijn kleren aan. Karl May springt naar me op, en gooit me bijna omver. Dus ze hebben me gemist. Een bijzondere gedachte, die me meer verwarmt dan de stralen van de zon.
Sofia komt naar ons toe en schudt Caroline de hand.
'Dank je,' zegt ze. 'Dit had slecht kunnen aflopen.' En dan neemt ze Caroline in haar armen en drukt haar tegen zich aan.
'Als ik had geweten dat jij van plan was om de diepte in te gaan,' zegt ze dan streng tegen mij, 'dan had ik een grotere fles voor je meegenomen. Dit had je je leven kunnen kosten!'
'Ach,' zeg ik, en ik kijk haar grijnzend aan, 'ik was maar gewoon wat aan het rondkijken.'
'Is het mooi, daar beneden?'
'Mooi?'
Caroline bekijkt me onderzoekend. Ze begrijpt niet wat ik daar beneden te zoeken had. Uiteraard niet, hoe zou ze dat ook moeten weten.
'Het is wel leuk, ja,' zeg ik en ik bijt op mijn tong.

Nee. Ze heeft iets beters verdiend dan dit. De waarheid, om maar eens iets te noemen. Ik haal diep adem.

'Ik heb mijn vader naar beneden gebracht,' zeg ik. 'In de urn. Dat was zijn wens.'

De verrassing staat op haar gezicht te lezen. Ik heb nu al spijt dat ik het heb gezegd. Nou komt het vragenvuur dat ik zo haat.

Maar ze stelt geen vragen. Nee, ze doet iets verbazingwekkends. Ze neemt mijn gezicht in haar handen en kust me. Lang en teder. Nu word ik pas echt helemaal warm. Ik zal haar alles vertellen. Misschien dat ik dan pas zelf begrijp wat er is gebeurd. Maar op dit moment doet dat er niet toe. Op dit ogenblik telt alleen haar glimlach, haar lippen, en de druk van haar handen.

In het hotel zeg ik tegen Sofia: 'Ik hoop dat je het me niet kwalijk neemt, maar we hebben een andere kamer nodig.'

Ze lacht. En ze geeft me een sleutel. Ik laat Carolines hand niet los, de hele weg naar boven. Pas in de kamer, naast het bed. Dan laat ik haar gaan. Maar dan ook alleen om haar bloes los te knopen.

'Ik heb de hele nacht geen oog dichtgedaan,' zeg ik.

'Ik ook niet,' antwoordt zij.

'Ik heb alleen maar aan jou gedacht.'

'En ik aan jou.'

Dan praten we niet meer. De lakens zijn koel en glad. Haar huid is zacht als fluweel. Haar kussen smaken zilt. Het is het zout van mijn eigen lippen. Haar handen spinnen een cocon van tederheid om me heen.

'Ik was bijna daar beneden gebleven,' fluister ik.

'Ik weet het,' zegt ze zachtjes in mijn oor. 'Maar ik heb je geroepen. En je bent gekomen.'

'Caroline. Als deze reis al één doel had, dan was het wel om jou te vinden. Je te verliezen en weer terug te vinden. En nu laat ik je nooit meer gaan.'

Mijn handen omvatten haar taille, ontdekken haar borsten

weer helemaal opnieuw, onderzoeken haar buik, haar heupen, haar schoot. Ik kan voelen hoe ze zich overgeeft, beetje bij beetje. Hoe ze in mijn armen glijdt, zonder een spoortje aarzeling. Ik voel hoe ze alles loslaat, alle spanning en alle angst, alle voorbehoud en alle verwijten, alle bezwaren en alle teleurstelling, alles, alles lost op onder mijn handen. En in mij wordt alles ruim en groot, alles beweegt in haar richting, in haar, van haar naar mij en weer terug. Onze lichamen zijn als veren, als vleugels. In elkaar verstrengeld worden ze opgetild en zweven ze weg.

Later kijk ik naar Caroline, die ligt te slapen. Tot in het alleruiterste puntje van haar anders zo weerbarstige haar ligt ze ontspannen onder de lakens. Ik kijk naar de boog van haar wenkbrauwen, de krul in haar wimpers, de blos op haar wangen. Haar adem is gelijkmatig. Met een vingertop streel ik zachtjes het puntje van haar neus. Ze verroert zich niet. Volgens mij zou ze van een aardbeving nog niet wakker worden. Zelf ben ik daarentegen klaarwakker. Nee, hier op deze plek vol voorgeschiedenis kan ik niet tot rust komen. En waarom zou ik ook tot rust komen als buiten het leven op ons wacht?

'We moeten weg hier, Caroline,' fluister ik, 'hoe eerder, hoe beter.'

En dan heb ik een idee. Ik kan het eerst bijna niet geloven. Eindelijk weer eens een echt Gregor Beer-idee, en ik ben helemaal door het dolle als tot me doordringt hoe briljant het idee is.

'Slaap maar rustig, mijn liefste,' zeg ik zachtjes in Carolines oor. 'Slaap maar lekker. En lang!'

Hoofdstuk 31

Waarin Caroline en Gregor, elk op hun eigen manier, de betekenis van het woord 'samen' ontdekken

Ik word wakker met een lach. Maar als ik mijn ogen open, sterft die meteen weg. Want hij is weg. De plek naast me in bed is leeg. Ook Karl May is er niet meer. Net als toen in Frankrijk, op het eiland, toen ik wakker werd, die verschrikkelijke ochtend, mijn arm uitstrekte en in de leegte greep.

De paniek trekt door mijn hele lijf en binnenste, en snoert me de keel. Mijn god, dat kan toch niet waar zijn? Maar het is wel waar, weet ik diep vanbinnen. Gregor Beer is en blijft Gregor Beer. Het zal niet zo gemakkelijk zijn die te veranderen. Dacht je dan dat dat zou gebeuren? Geloofde je dat echt?

Ik sla het laken als een tuniek om me heen en kijk voorzichtig in de badkamer. Daar is hij ook niet. In de spiegel staart een verwarde Caroline me aan. Gaat het dan allemaal weer opnieuw beginnen? Ben ik degene die altijd weer in de steek wordt gelaten, mijn hele leven lang?

Dan hoor ik zijn stem.

'Caroline?'

Mijn hart blijft een kleine eeuwigheid stilstaan.

'Caroline, ben je daar?'

Hij staat midden in de kamer en zijn hele gezicht straalt. Als hij mij ziet slaat zijn uitdrukking om in verbijstering.

'Wat is er aan de hand? Is er iets gebeurd?'

Ik kan geen woord uitbrengen. En ik kan me ook niet beheersen. Hij neemt me in zijn armen tot mijn snikken wegebt.

'Mijn hemel,' zegt hij radeloos, 'wat is er gebeurd?'

'Wat er is gebeurd? Ik word wakker en jij bent weg.'

Dan wordt hij stil. Hij wiegt me, en streelt mijn haar.

Waar ben je geweest? wil ik vragen, maar ik laat het gaan.

Heel langzaam kom ik tot bedaren.

'Zo is het altijd al geweest,' zeg ik uiteindelijk, en ik snuit mijn neus. 'Iedereen is altijd maar weggegaan. Mijn vader. Hij vertelde vaak niet eens wanneer hij weer eens ging. Als ik 's ochtends wakker werd, was hij weg. Mijn oma haalde me dan op. Ik ben wel eens 's nachts wakker geworden en naar zijn slaapkamer gegaan, om te controleren of hij er nog wel was.'

Gek, denk ik, dat heb ik nog nooit aan iemand verteld.

Het was me zelf ook nog nooit zo duidelijk. Maar het klopt. Iedereen is weggegaan en liet mij alleen achter. Ook Anna. En Angela al veel vroeger, toen ik nog maar net op de wereld was.

We blijven lang zo zitten. Ik begin te vertellen, met horten en stoten, hier een paar zinnen, daar een paar. Hoe moet hij dat ook begrijpen, denk ik. Het is allemaal zo onsamenhangend. Maar hij luistert naar me en veegt mijn haar uit mijn gezicht.

En op een gegeven moment zegt hij: 'Caroline, er is iets wat je moet weten. Ik blijf. Misschien langer dan je lief is. Als Gregor Beer eenmaal iets heeft besloten dan blijft hij daar ook bij. Ik blijf bij jou. Ook als ik de kamer wel eens uit loop. Ook als ik wel eens ergens anders naartoe ga. Ik ga nooit meer bij je weg. Jij en ik, wij horen samen.'

Samen, echoot het door me heen. *Samen.*

Later staan we samen op het balkon. Hij staat achter me met zijn armen om me heen geslagen.

'Ben jij ook zo benieuwd wat daar achter ligt?'

'Achter de zee? Daar ligt Afrika.'

'Hoe weet je dat?' wil hij weten.

Ik moet lachen. Zijn adem kietelt in mijn oor.

'Dat heb ik op school geleerd.'

‘En daar?’

Zijn arm wijst verder naar rechts.

‘Eerst is er een hele poos niks, en dan Zuid-Amerika.’

En ineens krijg ik een idee.

‘ Het liefst zou ik daar naartoe willen!’

‘Om te kijken of het klopt, bedoel je? Dat Afrika daar echt ligt?’

‘Ja. Afrika. Of Brazilië. Daar groeien de allermooiste boomvarens die je ooit hebt gezien.’

‘Goed,’ zegt hij losjes. ‘Laten we de zee over vliegen. De hemel bestormen. Wij samen, jij en ik. Wat zou je graag als eerste willen doen? Naar Afrika? Of Amerika?’

Ik denk na. Mijn hart bonst. Reizen. Zomaar, zonder doel, zonder taak. Waar wil ik als eerste naartoe?

‘Eerst naar Afrika,’ zeg ik. ‘Naar Marokko. Meteen, morgenochtend. En dan door naar Brazilië.’

Gregor lacht. Ik voel zijn borstkas vibreren. Het is ook maar een grap, denk ik. En dan voel ik de spijt in me opkomen.

‘Waarom zouden we wachten tot morgen?’ zegt Gregor. ‘Wat zou je zeggen van vanmiddag? Lukt je dat met pakken?’

Hij heeft me losgelaten. Ik draai me naar hem om. Hij neemt me in de maling. Dan pakt hij een dikke envelop uit zijn borstzak.

‘Hier,’ zegt hij. ‘Om vier uur.’

‘Wat is dit?’ vraag ik.

‘Onze tickets.’

‘Onze wat?’

Ik maak de envelop open. Vliegtickets. Voor vandaag. Dan begint alles voor mijn ogen te vervagen.

‘Ik dacht, we moesten maar eens op reis gaan. Een keertje de wereld rond.’

‘Heb je dat...’

‘Daarom was ik er even niet. Vergeef je me dat?’

‘Maar...’

‘Maar wat?’

Boven alle verwarring en vreugde stijgt dat oude, vertrouwde gevoel uit dat me al zo lang gezelschap houdt. Mijn trots.

'Maar… Gregor, dat gaat zo niet.'

'Hoezo niet? Wat gaat niet?'

'Zoiets moeten we toch samen beslissen. Snap je dat? Samen. Jij en ik. Niet jij in je eentje voor ons beiden. Wij samen.'

'Maar dan was het toch geen verrassing meer?'

Gregor ziet er hulpeloos uit en ik moet lachen.

'Je kunt zoiets toch niet achter mijn rug om… ik bedoel, waarom vraag je er dan naar… de route, en zo…'

'Mijn liefste Caroline, kijk dan,' zegt hij geduldig, 'de route: Lagos – Agadir. Dat ligt in Marokko. Zei je dan niet net dat je graag naar Marokko wilde? En daarna, als we genoeg hebben van Marokko, kijk, hier, naar São Paulo. En dat ligt in Brazilië. Precies wat jij wilde. Dus wat is dan het probleem?'

Ik slik. Hij heeft gelijk.

'Heb je er dan geen zin in? Het is namelijk wel mijn verlovingscadeau.'

'Je… wat?'

'Wil je mijn vrouw worden?'

Ik klap mijn mond dicht en weer open. Die vent is gestoord.

'Ik vind,' zegt hij, 'dat juist wij, met onze families met al die vrijblijvende banden, een teken moeten geven dat wij voor eens en voor altijd met die traditie willen breken. We kunnen op Hawaï trouwen, dat schijnt heel romantisch te zijn. Of in Las Vegas. Wat jij het liefste wilt.'

'Maar…' stamel ik, 'we kennen elkaar nauwelijks.'

'Daarom juist. Een reis is de beste manier om elkaar te leren kennen. En een huwelijk ook.'

'Daar wil ik eerst over nadenken,' zeg ik, en ik kus hem lang. Heel lang.

'En?' vraagt hij, 'Was dat genoeg, of wil je nog meer bedenktijd?' En dan kust hij me, lang, heel lang, en mijn trots en mijn verstand en alles wat me met beide benen op de grond houdt versmelt in die kus.

'Nog wel even,' zeg ik, en terwijl we doorkussen denk ik aan alles wat achter me ligt. Maar dat is voorbij, vergeten. Er begint iets nieuws, nu, op dit moment.

'Samen,' mompelt hij.

'Ja,' zeg ik, 'het is net zoiets als kussen, dat kun je ook niet in je eentje doen.'

'O,' zegt hij in mijn mond, 'als het net zoiets is als kussen dan is het vanaf nu mijn lievelingswoord, samen.'

Ik schiet in de lach want het kietelt, dat gekuste woord.

'Het is maar goed,' zeg ik terwijl Gregor zijn spullen pakt, 'dat we die wereldreis niet met de auto doen. Want die werd ongetwijfeld weer een keer gejat.'

'Nee,' zegt hij, 'uiteindelijk willen we de hemel bestormen, jij en ik, en dan heb je aan een auto niet zoveel. Ook al ben je samen.'

Op het vliegveld bel ik Sebastian.

De telefoon gaat drie keer over voor hij opneemt.

'Hallo,' roep ik in de hoorn, 'ik ben het Caroline.'

Het blijft even stil aan de andere kant van de lijn.

'Caroline!'

Ik hoor zijn opluchting.

'Waar hang je uit? Ik heb al weken niets meer van je gehoord!'

'Ik ben in Portugal. En raad eens wie ik hier heb gevonden.'

Het is weer stil.

'Ik heb geen flauw idee,' antwoordt hij, maar aan de klank van zijn stem kan ik horen dat hij wel degelijk een vermoeden heeft.

'Angela. We hebben een lang gesprek gehad.'

Ik hoor hoe hij duizenden kilometers verderop zijn adem inhoudt.

'Dan vind je mij nu zeker een schoft.'

Ja, wil ik zeggen. 'Nee.'

Ik kijk naar Gregor, die Karl May inscheept voor de vlucht.

'Ben je dat dan?' vraag ik mijn vader. 'Ben je een schoft?'

Hij zwijgt.

'Luister,' zeg ik ten slotte, 'ik vind dat jij je met Angela moet verzoenen. Ze heeft fouten gemaakt. En jij ook. Maar ik ben er ook nog. En ook al was dat voor jullie tot nu toe geen reden, ik vind dat jullie vrede moeten sluiten. Vergeet het verleden. Ik ben volwassen. Er is geen enkele reden meer, snap je dat?'

'Ja,' zegt hij zachtjes. 'Wanneer kom je weer thuis?'

'Nog niet,' zeg ik, en ik moet denken aan al die keren dat ik hem diezelfde vraag stelde aan de telefoon, en dat ik precies ditzelfde antwoord kreeg. 'Mijn reis is nog niet voorbij. Het ga je goed, papa, ik meld me wel weer.' En dan verbreek ik de verbinding.

Karl May legt zijn kop op zijn voorpoten en kijkt ons slaperig aan. De slaappil werkt. Zijn ogen vallen dicht. Langzaam verdwijnt de reiskist over de lopende band uit het zicht. Het komt goed, ouwe jongen. Tot straks, in Afrika.

Gregor staat achter me en slaat zijn armen weer om me heen. Ik voel zijn hart kloppen tegen mijn rug. En ik kan met de beste wil van de wereld niet zeggen wanneer zijn hartslag eindigt en de mijne begint.

Dankwoord

Het ontstaan van *Huis van glas* werd ondersteund door een beurs van de Förderkreis Deutscher Schriftsteller in Baden-Württemberg. Daarnaast schreef ik aan het manuscript tijdens mijn verblijf aan de Fondazione Studi Ligure in Bogliasco bij Genua en in het Artist's Enclave Park in Connecticut. Ik ben beide stichtingen en de organisatoren dankbaar voor de fantastische en creatieve sfeer op deze twee plekken.